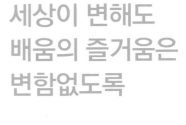

세상이 변해도
배움의 즐거움은
변함없도록

시대는 빠르게 변해도
배움의 즐거움은
변함없어야 하기에

어제의 비상은
남다른 교재부터
결이 다른 콘텐츠
전에 없던 교육 플랫폼까지

변함없는 혁신으로
교육 문화 환경의 새로운 전형을
실현해왔습니다.

비상은 오늘, 다시 한번
새로운 교육 문화 환경을 실현하기 위한
또 하나의 혁신을 시작합니다.

오늘의 내가 어제의 나를 초월하고
오늘의 교육이 어제의 교육을 초월하여
배움의 즐거움을 지속하는 혁신,

바로, 메타인지학습을.

상상을 실현하는 교육 문화 기업 비상

메타인지학습

초월을 뜻하는 meta와 생각을 뜻하는 인지가 결합된 메타인지는
자신이 알고 모르는 것을 스스로 구분하고 학습계획을 세우도록 하는
궁극의 학습 능력입니다. 비상의 메타인지학습은 메타인지를 키워주어
공부를 100% 내 것으로 만들도록 합니다.

개념+유형

최상위 탑

Top Book

4·2

구성과 특징

Top Book

기본 실력 점검

STEP 1 핵심 개념과 문제

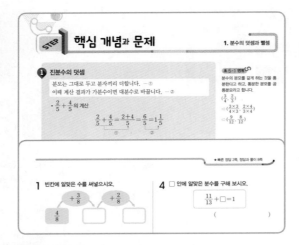

[핵심 개념]

핵심 교과 개념을 보기 쉽게 정리

교과 개념과 연계된 상위 개념까지 빠짐없이 정리

[핵심 문제]

개념 이해를 점검할 수 있는 필수 문제로 구성

상위권 실력 향상

STEP 2 상위권 문제

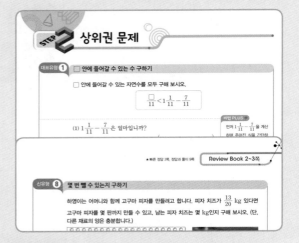

[대표유형]

단원의 대표 문제를 단계별로 풀 수 있도록 구성

[유제]

대표유형의 유사 문제로 연습할 수 있도록 구성

[신유형]

생활 속에서 찾을 수 있는 흥미로운 문제로 구성

Review Book

|복습| 상위권 문제

복습 상위권 문제

1. 분수의 덧셈과 뺄셈

대표유형 1
• □ 안에 들어갈 수 있는 수 구하기
□ 안에 들어갈 수 있는 자연수를 모두 구해 보시오.

$$\frac{\square}{13} < 2\frac{1}{13} - 1\frac{10}{13}$$

( )

대표유형 2
• 바르게 계산한 값 구하기
어떤 수에서 $\frac{3}{9}$ 을 빼야 할 것을 잘못하여 더했더니 $\frac{8}{9}$ 이 되었습니다. 바르게 계산하면 얼마인지 구해 보시오.

( )

상위권 실력 완성

STEP 3 상위권 문제 확인과 응용

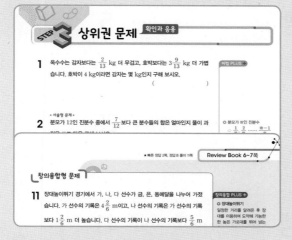

[확인]
대표유형 문제를 잘 익혔는지 확인할 수 있도록 구성

[응용]
대표유형 문제를 잘 익혀서 풀 수 있는 응용 문제로 구성

[창의융합형 문제]
타 과목과 융합된 문제로 구성
흥미 있는 소재의 문제로 구성

최상위권 완전 정복

STEP 4 최상위권 문제

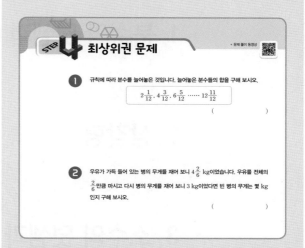

[최상위권 문제]
종합적 사고력을 기를 수 있는 문제로 구성
최상위권을 정복할 수 있는 최고난도 문제로 구성

| 복습 | 상위권 문제 확인과 응용

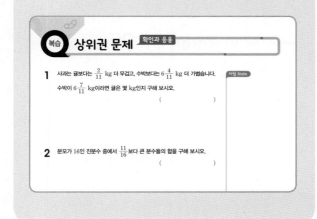

| 복습 | 최상위권 문제

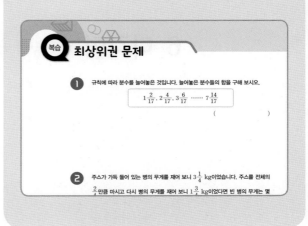

차례

1. 분수의 덧셈과 뺄셈 5

2. 삼각형 25

3. 소수의 덧셈과 뺄셈 41

4. 사각형 61

5. 꺾은선그래프 81

6. 다각형 99

분수의 덧셈과 뺄셈

❶ 진분수의 덧셈

분모는 그대로 두고 분자끼리 더합니다. … ①
이때 계산 결과가 가분수이면 대분수로 바꿉니다. … ②

• $\dfrac{2}{5} + \dfrac{4}{5}$의 계산

$$\dfrac{2}{5} + \dfrac{4}{5} = \dfrac{2+4}{5} = \dfrac{6}{5} = 1\dfrac{1}{5}$$

①   ②

초 5-1 연계

분수의 분모를 같게 하는 것을 통분한다고 하고, 통분한 분모를 공통분모라고 합니다.

$$\left(\dfrac{3}{4},\ \dfrac{2}{3}\right)$$
$$\Rightarrow \left(\dfrac{3\times 3}{4\times 3},\ \dfrac{2\times 4}{3\times 4}\right)$$
$$\Rightarrow \left(\dfrac{9}{12},\ \dfrac{8}{12}\right)$$

❷ 진분수의 뺄셈

◉ 분모가 같은 진분수의 뺄셈

분모는 그대로 두고 분자끼리 뺍니다.

• $\dfrac{4}{7} - \dfrac{3}{7}$의 계산

$$\dfrac{4}{7} - \dfrac{3}{7} = \dfrac{4-3}{7} = \dfrac{1}{7}$$

◉ 1－(진분수)

1을 가분수로 바꾸어 분모는 그대로 두고 분자끼리 뺍니다.
1을 가분수로 바꿀 때에는 분모를 진분수의 분모와 같게 만듭니다.

• $1 - \dfrac{5}{12}$의 계산

$$1 - \dfrac{5}{12} = \dfrac{12}{12} - \dfrac{5}{12} = \dfrac{12-5}{12} = \dfrac{7}{12}$$

초 5-1 연계

분모가 다른 분수의 덧셈과 뺄셈은 분수를 통분하여 계산합니다.

• $\dfrac{3}{4} + \dfrac{2}{3} = \dfrac{9}{12} + \dfrac{8}{12}$
  $= \dfrac{17}{12} = 1\dfrac{5}{12}$
• $\dfrac{3}{4} - \dfrac{2}{3} = \dfrac{9}{12} - \dfrac{8}{12} = \dfrac{1}{12}$

❸ 대분수의 덧셈

• $2\dfrac{5}{9} + 1\dfrac{8}{9}$의 계산

방법1 자연수 부분과 진분수 부분으로 나누어 계산하기

$$2\dfrac{5}{9} + 1\dfrac{8}{9} = (2+1) + \left(\dfrac{5}{9} + \dfrac{8}{9}\right) = 3 + \dfrac{13}{9} = 3 + 1\dfrac{4}{9} = 4\dfrac{4}{9}$$

방법2 대분수를 가분수로 바꾸어 계산하기

$$2\dfrac{5}{9} + 1\dfrac{8}{9} = \dfrac{23}{9} + \dfrac{17}{9} = \dfrac{40}{9} = 4\dfrac{4}{9}$$

개념 PLUS

$2\dfrac{5}{9} + 1\dfrac{8}{9}$은 자연수 부분끼리의 합이 $2+1=3$이고, 진분수 부분끼리의 합이 1보다 크므로 계산 결과는 4보다 크다고 예상할 수 있습니다.

1 빈칸에 알맞은 수를 써넣으시오.

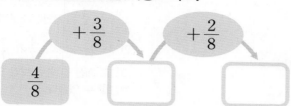

2 계산 결과를 비교하여 ○ 안에 >, =, <를 알맞게 써넣으시오.

$$\frac{3}{9}+\frac{4}{9} \bigcirc \frac{8}{9}-\frac{2}{9}$$

3 주영이는 물을 어제는 $1\frac{2}{6}$ L, 오늘은 $1\frac{3}{6}$ L 마셨습니다. 주영이가 어제와 오늘 마신 물은 모두 몇 L입니까?

( )

4 □ 안에 알맞은 분수를 구해 보시오.

$$\frac{11}{13}+□=1$$

( )

5 다음 덧셈의 계산 결과는 진분수입니다. □ 안에 들어갈 수 있는 자연수를 모두 구해 보시오.

$$\frac{6}{11}+\frac{□}{11}$$

( )

6 분모가 10인 두 가분수의 합이 $2\frac{4}{10}$가 되는 덧셈식을 모두 써 보시오. (단, $\frac{10}{10}+\frac{14}{10}$와 $\frac{14}{10}+\frac{10}{10}$은 같은 덧셈식으로 생각합니다.)

( )

4 받아내림이 없는 대분수의 뺄셈

- $3\frac{4}{7}-1\frac{1}{7}$의 계산

  방법1 자연수 부분과 진분수 부분으로 나누어 계산하기

  $$3\frac{4}{7}-1\frac{1}{7}=(3-1)+\left(\frac{4}{7}-\frac{1}{7}\right)=2+\frac{3}{7}=2\frac{3}{7}$$

  방법2 대분수를 가분수로 바꾸어 계산하기

  $$3\frac{4}{7}-1\frac{1}{7}=\frac{25}{7}-\frac{8}{7}=\frac{17}{7}=2\frac{3}{7}$$

개념 PLUS⁺

$3\frac{4}{7}-1\frac{1}{7}$은 자연수 부분끼리 빼면 $3-1=2$이고, $\frac{4}{7}$가 $\frac{1}{7}$보다 크므로 계산 결과는 2보다 크다고 예상할 수 있습니다.

5 (자연수)−(분수)

- $5-2\frac{1}{3}$의 계산

  방법1 자연수에서 1만큼을 분수로 바꾸어 계산하기

  $$5-2\frac{1}{3}=4\frac{3}{3}-2\frac{1}{3}=2\frac{2}{3}$$

  방법2 자연수와 대분수를 모두 가분수로 바꾸어 계산하기

  $$5-2\frac{1}{3}=\frac{15}{3}-\frac{7}{3}=\frac{8}{3}=2\frac{2}{3}$$

6 받아내림이 있는 대분수의 뺄셈

- $3\frac{1}{4}-1\frac{2}{4}$의 계산

  방법1 자연수에서 1만큼을 분수로 바꾸어 계산하기

  $$3\frac{1}{4}-1\frac{2}{4}=2\frac{5}{4}-1\frac{2}{4}=(2-1)+\left(\frac{5}{4}-\frac{2}{4}\right)=1+\frac{3}{4}=1\frac{3}{4}$$

  방법2 대분수를 가분수로 바꾸어 계산하기

  $$3\frac{1}{4}-1\frac{2}{4}=\frac{13}{4}-\frac{6}{4}=\frac{7}{4}=1\frac{3}{4}$$

개념 PLUS⁺

$3\frac{1}{4}-1\frac{2}{4}$는 자연수 부분끼리 빼면 $3-1=2$이고, $\frac{1}{4}$이 $\frac{2}{4}$보다 작으므로 계산 결과는 2보다 작다고 예상할 수 있습니다.

1 어림한 결과가 2와 3 사이인 뺄셈식에 ○표 하시오.

$4\frac{8}{9}-1\frac{7}{9}$	$4\frac{2}{3}-\frac{7}{3}$	$8\frac{4}{5}-7\frac{1}{5}$

2 $3-1\frac{1}{4}$ 을 두 가지 방법으로 계산해 보시오.

방법1 _____

_____

방법2 _____

_____

3 과수원에서 사과를 준호는 $5\frac{3}{8}$ kg 땄고, 현수는 $11\frac{2}{8}$ kg 땄습니다. 누가 사과를 몇 kg 더 많이 땄습니까?

(,   )

4 두 수의 차를 구해 보시오.

> • 가장 큰 한 자리 수
> • 분모가 7인 가장 큰 진분수

(   )

5 다음 분수 중 2개를 선택하여 차가 가장 큰 뺄셈식을 만들고 계산해 보시오.

$$3\frac{1}{5} \qquad \frac{3}{5} \qquad 1\frac{2}{5} \qquad 2\frac{4}{5}$$

$$\boxed{} - \boxed{} = \boxed{}$$

6 대분수로만 만들어진 뺄셈식에서 ★ ＋ ▲ 가 가장 큰 때의 값을 구해 보시오.

$$5\frac{★}{6} - 4\frac{▲}{6} = 1\frac{2}{6}$$

(   )

대표유형 1 □ 안에 들어갈 수 있는 수 구하기

□ 안에 들어갈 수 있는 자연수를 모두 구해 보시오.

$$\frac{\square}{11} < 1\frac{1}{11} - \frac{7}{11}$$

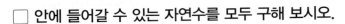

(1) $1\frac{1}{11} - \frac{7}{11}$ 은 얼마입니까?

(   )

(2) □ 안에 들어갈 수 있는 자연수를 모두 구해 보시오.

(   )

> **비법 PLUS +**
>
> 먼저 $1\frac{1}{11} - \frac{7}{11}$ 을 계산하여 주어진 식을 간단하게 만듭니다.

유제 1 □ 안에 들어갈 수 있는 자연수 중에서 가장 큰 수를 구해 보시오.

$$\frac{\square}{8} < 2 - 1\frac{4}{8}$$

(   )

유제 2 • 서술형 문제 •

□ 안에 들어갈 수 있는 자연수를 모두 구하려고 합니다. 풀이 과정을 쓰고 답을 구해 보시오.

$$5 - 1\frac{2}{6} > \square\frac{5}{6}$$

풀이 _____

_____

_____

답 _____

★ 빠른 정답 2쪽, 정답과 풀이 8쪽

대표유형 2 바르게 계산한 값 구하기

어떤 수에서 $\dfrac{2}{7}$ 를 빼야 할 것을 잘못하여 더했더니 $\dfrac{6}{7}$ 이 되었습니다. 바르게 계산하면 얼마인지 구해 보시오.

(1) 어떤 수는 얼마입니까?

(   )

(2) 바르게 계산하면 얼마입니까?

(   )

비법 PLUS ✚

덧셈과 뺄셈의 관계를 이용하여 어떤 수를 구할 수 있습니다.

(어떤 수)＋■＝▲

⇨ ▲－■＝(어떤 수)

유제 3 어떤 수에 $1\dfrac{2}{10}$ 를 더해야 할 것을 잘못하여 뺐더니 $5\dfrac{3}{10}$ 이 되었습니다. 바르게 계산하면 얼마인지 구해 보시오.

(   )

유제 4 어떤 수에서 $2\dfrac{3}{5}$ 을 빼야 할 것을 잘못하여 더했더니 $11\dfrac{4}{5}$ 가 되었습니다. 바르게 계산하면 얼마인지 구해 보시오.

(   )

대표유형 ③ 계산 결과가 가장 크거나 작은 뺄셈식 만들기

2, 4, 6 중에서 두 수를 골라 ☐ 안에 써넣어 계산 결과가 가장 큰 뺄셈식을 만들려고 합니다. 이때의 계산 결과를 구해 보시오.

$$7 - \boxed{}\frac{\boxed{}}{9}$$

(1) ㉮와 ㉯에 알맞은 수는 각각 얼마입니까?

$$7 - \boxed{㉮}\frac{㉯}{9}$$

㉮ (   )

㉯ (   )

(2) 계산 결과가 가장 큰 때의 계산 결과를 구해 보시오.

(   )

비법 PLUS +

• 계산 결과가 가장 크게 되려면 빼지는 수는 가장 크게, 빼는 수는 가장 작게 만들어야 합니다.
• 계산 결과가 가장 작게 되려면 빼지는 수는 가장 작게, 빼는 수는 가장 크게 만들어야 합니다.

유제 5 1, 4, 8 중에서 두 수를 골라 ☐ 안에 써넣어 계산 결과가 가장 큰 뺄셈식을 만들려고 합니다. 이때의 계산 결과를 구해 보시오.

$$9\frac{\boxed{}}{12} - 3\frac{\boxed{}}{12}$$

(   )

유제 6 3, 5, 7 중에서 두 수를 골라 ☐ 안에 써넣어 계산 결과가 가장 작은 뺄셈식을 만들려고 합니다. 이때의 계산 결과를 구해 보시오.

$$4\frac{\boxed{}}{8} - 2\frac{\boxed{}}{8}$$

(   )

대표유형 ④　합과 차가 주어진 두 진분수 구하기

분모가 9인 진분수가 2개 있습니다. 합이 $\dfrac{8}{9}$, 차가 $\dfrac{4}{9}$인 두 진분수를 구해 보시오.

(1) 큰 진분수를 $\dfrac{\blacksquare}{9}$, 작은 진분수를 $\dfrac{\blacktriangle}{9}$라 할 때, □ 안에 알맞은 수를 써넣으시오.

$$\dfrac{\blacksquare}{9} + \dfrac{\blacktriangle}{9} = \boxed{} \rightarrow \blacksquare + \blacktriangle = \boxed{}$$

$$\dfrac{\blacksquare}{9} - \dfrac{\blacktriangle}{9} = \boxed{} \rightarrow \blacksquare - \blacktriangle = \boxed{}$$

$$\Rightarrow \blacksquare = \boxed{}, \quad \blacktriangle = \boxed{}$$

(2) 두 진분수를 구해 보시오.

(　　　　　　　　　　　　)

비법 PLUS ✚

분모가 9인 두 진분수를 $\dfrac{\blacksquare}{9}$, $\dfrac{\blacktriangle}{9}$($\blacksquare > \blacktriangle$)라 하고, 두 진분수의 합과 차를 이용하여 두 진분수의 분자를 구합니다.

유제 ⑦　분모가 11인 진분수가 2개 있습니다. 합이 $1\dfrac{3}{11}$, 차가 $\dfrac{2}{11}$인 두 진분수를 구해 보시오.

(　　　　　　　　　　　　)

유제 ⑧　• 서술형 문제 •

분모가 8인 진분수가 2개 있습니다. 합이 $1\dfrac{3}{8}$, 차가 $\dfrac{3}{8}$인 두 진분수를 구하려고 합니다. 풀이 과정을 쓰고 답을 구해 보시오.

　풀이

_____

_____

 답 _____

대표유형 5 수 카드로 만든 두 분수의 합 또는 차 구하기

5장의 수 카드 중에서 3장을 뽑아 한 번씩만 사용하여 분모가 9인 대분수를 만들려고 합니다. 만들 수 있는 가장 큰 대분수와 가장 작은 대분수의 합을 구해 보시오.

| 1 | 3 | 5 | 8 | 9 |

비법 PLUS +

분모가 같은 대분수는 자연수 부분이 클수록, 자연수 부분이 같으면 분자가 클수록 큰 수입니다.

(1) 만들 수 있는 가장 큰 대분수와 가장 작은 대분수는 각각 얼마입니까?

가장 큰 대분수 (   )

가장 작은 대분수 (   )

(2) 위 (1)에서 구한 두 대분수의 합은 얼마입니까?

(   )

유제 9

5장의 수 카드 중에서 3장을 뽑아 한 번씩만 사용하여 분모가 12인 대분수를 만들려고 합니다. 만들 수 있는 가장 큰 대분수와 가장 작은 대분수의 차를 구해 보시오.

| 1 | 4 | 7 | 8 | 12 |

(   )

유제 10

4장의 수 카드 중에서 2장을 뽑아 만들 수 있는 가장 작은 진분수와 3장을 뽑아 만들 수 있는 가장 작은 대분수의 합과 차를 각각 구해 보시오.

| 2 | 5 | 9 | 13 |

합 (   )

차 (   )

대표유형 6 이어 붙인 색 테이프의 전체 길이 구하기

길이가 8 cm인 색 테이프 3장을 $\dfrac{5}{11}$ cm씩 겹쳐지도록 한 줄로 길게 이어 붙였습니다.

이어 붙인 색 테이프의 전체 길이는 몇 cm인지 구해 보시오.

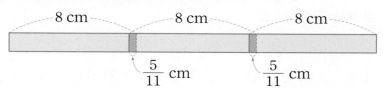

(1) 색 테이프 3장의 길이의 합은 몇 cm입니까?

( )

(2) 겹쳐진 부분의 길이의 합은 몇 cm입니까?

( )

(3) 이어 붙인 색 테이프의 전체 길이는 몇 cm입니까?

( )

비법 PLUS ➕

색 테이프 ▇장을 겹쳐서 한 줄로 길게 이어 붙이면 겹쳐진 부분은 (▇－1)군데 입니다.

유제 11 길이가 $1\dfrac{2}{7}$ m인 색 테이프 3장을 $\dfrac{3}{7}$ m씩 겹쳐지도록 한 줄로 길게 이어 붙였습니다.

이어 붙인 색 테이프의 전체 길이는 몇 m인지 구해 보시오.

( )

유제 12 길이가 $2\dfrac{3}{8}$ m인 색 테이프 4장을 $\dfrac{2}{8}$ m씩 겹쳐지도록 한 줄로 길게 이어 붙였습니다.

이어 붙인 색 테이프의 전체 길이는 몇 m인지 구해 보시오.

( )

대표유형 7 시계가 가리키는 시각 구하기

하루에 $1\frac{1}{4}$분씩 늦게 가는 시계가 있습니다. 이 시계를 1월 1일 오전 9시에 정확한 시각으로 맞추어 놓았다면 같은 달 5일 오전 9시에 이 시계가 가리키는 시각은 오전 몇 시 몇 분인지 구해 보시오.

(1) 1월 1일 오전 9시부터 같은 달 5일 오전 9시까지는 며칠입니까?

(   )

(2) 이 시계는 1월 1일 오전 9시부터 같은 달 5일 오전 9시까지 몇 분 늦어집니까?

(   )

(3) 같은 달 5일 오전 9시에 이 시계가 가리키는 시각은 오전 몇 시 몇 분입니까?

(   )

비법 PLUS +

• **시계가 늦게 가는 경우**
(시계가 가리키는 시각)
＝(정확한 시각)
－(늦어진 시간)

• **시계가 빨리 가는 경우**
(시계가 가리키는 시각)
＝(정확한 시각)
＋(빨라진 시간)

유제 13 하루에 $1\frac{2}{5}$분씩 늦게 가는 시계가 있습니다. 이 시계를 3월 4일 오전 11시에 정확한 시각으로 맞추어 놓았다면 같은 달 9일 오전 11시에 이 시계가 가리키는 시각은 오전 몇 시 몇 분인지 구해 보시오.

(   )

유제 14 하루에 $1\frac{1}{60}$분씩 빨리 가는 시계가 있습니다. 이 시계를 4월 7일 오후 2시에 정확한 시각으로 맞추어 놓았다면 같은 달 12일 오후 2시에 이 시계가 가리키는 시각은 오후 몇 시 몇 분 몇 초인지 구해 보시오.

(   )

신유형 **8** **몇 번 뺄 수 있는지 구하기**

하영이는 어머니와 함께 고구마 피자를 만들려고 합니다. 피자 치즈가 $\frac{13}{20}$ kg 있다면 고구마 피자를 몇 판까지 만들 수 있고, 남는 피자 치즈는 몇 kg인지 구해 보시오. (단, 다른 재료의 양은 충분합니다.)

> **고구마 피자 만들기**
>
> **재료** (한 판 기준)
>
> 고구마 $\frac{2}{20}$ kg, 피자 치즈 $\frac{4}{20}$ kg, 양파 $\frac{1}{20}$ kg,

(1) 고구마 피자를 몇 판까지 만들 수 있습니까?

(   )

(2) 남는 피자 치즈는 몇 kg입니까?

(   )

신유형 PLUS **+**

전체 피자 치즈의 양에서 피자 한 판을 만드는 데 필요한 피자 치즈의 양을 몇 번까지 뺄 수 있는지 알아봅니다.

유제 **15** 페트병을 재활용하는 방법은 다양한데 그중 옷을 만드는 방법도 있습니다. 우리나라 축구 국가 대표 팀은 페트병을 재활용하여 만든 유니폼을 입고 월드컵에 출전하기도 했습니다. 옷 한 벌을 만드는 데 필요한 페트병의 양은 $\frac{3}{10}$ kg입니다. 페트병이 $1\frac{4}{10}$ kg 있다면 옷을 몇 벌까지 만들 수 있고, 남는 페트병은 몇 kg인지 구해 보시오.

(,   )

비법 PLUS ➕

1 옥수수는 감자보다는 $\frac{2}{13}$ kg 더 무겁고, 호박보다는 $3\frac{9}{13}$ kg 더 가볍습니다. 호박이 4 kg이라면 감자는 몇 kg인지 구해 보시오.

(   )

• 서술형 문제 •

2 분모가 12인 진분수 중에서 $\frac{7}{12}$보다 큰 분수들의 합은 얼마인지 풀이 과정을 쓰고 답을 구해 보시오.

풀이 _____

_____

답 _____

○ 분모가 ■인 진분수
$\Rightarrow \frac{1}{■}, \frac{2}{■} \cdots\cdots \frac{■-1}{■}$

3 ☐ 안에 들어갈 수 있는 자연수 중에서 가장 큰 수를 구해 보시오.

$$6\frac{5}{10} - 2\frac{\square}{10} > 3\frac{7}{10}$$

(   )

○ $6\frac{5}{10} - 2\frac{\square}{10} = 3\frac{7}{10}$일 때 ☐ 안에 알맞은 수를 먼저 구합니다.

4 가로가 세로보다 $2\frac{2}{5}$ cm 더 짧은 직사각형이 있습니다. 이 직사각형의 세로가 $4\frac{1}{5}$ cm라면 네 변의 길이의 합은 몇 cm인지 구해 보시오.

(   )

5 계산 결과가 가장 큰 수가 되도록 4장의 수 카드 [3], [4], [5], [6]을 한 번씩만 사용하여 □ 안에 알맞은 수를 써넣고, 계산 결과를 구해 보시오.

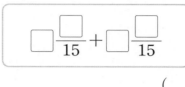

(   )

비법 PLUS +

◎ 계산 결과가 가장 큰 수가 되려면 두 대분수의 자연수 부분의 합이 가장 커야 합니다.

● 서술형 문제 ●

6 상자 안에 똑같은 책 4권을 넣고 무게를 재어 보니 $3\frac{3}{14}$ kg이었습니다. 책 2권을 꺼내고 다시 상자의 무게를 재어 보니 $1\frac{9}{14}$ kg이었다면 책 한 권의 무게는 몇 kg인지 풀이 과정을 쓰고 답을 구해 보시오.

풀이

답

7 분모가 8인 대분수가 2개 있습니다. 합이 $3\frac{5}{8}$, 차가 $1\frac{3}{8}$인 두 대분수를 구해 보시오.

(   )

비법 PLUS +

8 ㉢에서 ㉣까지의 거리는 몇 km인지 구해 보시오.

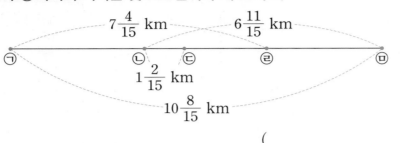

(   )

9 승주가 소설책을 어제는 전체의 $\frac{3}{10}$ 을 읽었고, 오늘은 전체의 $\frac{4}{10}$ 를 읽었습니다. 어제와 오늘 읽은 소설책의 쪽수가 140쪽이라면 승주가 읽은 소설책의 전체 쪽수는 몇 쪽인지 구해 보시오.

(   )

10 길이가 15 cm인 양초에 불을 붙이고, 15분이 지난 뒤에 양초의 길이를 재어 보니 $12\frac{5}{9}$ cm가 되었습니다. 길이가 같은 새 양초에 불을 붙인 지 한 시간이 지난 뒤 양초의 길이를 재어 보면 몇 cm가 되는지 구해 보시오. (단, 양초는 일정한 빠르기로 탑니다.)

(   )

● 한 시간은 60분이고, 60분은 15분의 4배이므로 한 시간 동안 타는 양초의 길이는 15분 동안 타는 양초의 길이의 4배입니다.

창의융합형 문제

11 장대높이뛰기 경기에서 가, 나, 다 선수가 금, 은, 동메달을 나누어 가졌습니다. 가 선수의 기록은 $4\frac{2}{6}$ m이고, 나 선수의 기록은 가 선수의 기록보다 $1\frac{2}{6}$ m 더 높습니다. 다 선수의 기록이 나 선수의 기록보다 $\frac{5}{6}$ m 더 낮다고 할 때, 금, 은, 동메달의 기록을 각각 구해 보시오.

금메달 기록 (　　　　　　　　　　)
은메달 기록 (　　　　　　　　　　)
동메달 기록 (　　　　　　　　　　)

창의융합 PLUS +

○ 장대높이뛰기
일정한 거리를 달려온 후 장대를 이용하여 도약해 가능한 한 높은 가로대를 뛰어 넘는 육상 경기입니다.

12 은빈, 진주, 석민이는 두레를 조직하여 모내기를 함께 하려고 합니다. 은빈이는 하루에 전체의 $\frac{2}{22}$ 만큼, 진주는 하루에 전체의 $\frac{1}{22}$ 만큼, 석민이는 하루에 전체의 $\frac{4}{22}$ 만큼 모를 심습니다. 은빈, 진주, 석민이가 함께 2일 동안 모내기를 한 후 나머지는 석민이가 혼자서 한다면 모내기를 시작한 지 며칠 만에 모두 끝낼 수 있는지 구해 보시오.

(　　　　　　　　　　)

○ 두레
농민들이 농번기에 농사일을 공동으로 하기 위하여 마을 단위로 만든 조직을 말합니다.

1 규칙에 따라 분수를 늘어놓은 것입니다. 늘어놓은 분수들의 합을 구해 보시오.

$$2\frac{1}{12}, \ 4\frac{3}{12}, \ 6\frac{5}{12} \ \cdots\cdots \ 12\frac{11}{12}$$

( )

2 우유가 가득 들어 있는 병의 무게를 재어 보니 $4\frac{2}{6}$ kg이었습니다. 우유를 전체의 $\frac{2}{6}$만큼 마시고 다시 병의 무게를 재어 보니 3 kg이었다면 빈 병의 무게는 몇 kg 인지 구해 보시오.

( )

3 길이가 $7\frac{2}{9}$ m인 막대로 연못의 깊이를 재었습니다. 막대를 기울어지지 않게 똑 바로 연못의 바닥까지 넣었다가 꺼낸 뒤 반대로 뒤집어 다시 바닥까지 넣었다가 꺼냈더니 막대에서 물에 젖지 않은 부분의 길이가 $2\frac{3}{9}$ m였습니다. 연못의 깊이 는 몇 m인지 구해 보시오. (단, 연못 바닥은 평평합니다.)

( )

4 수족관에 물이 20 L 들어 있습니다. 1분 동안 $6\frac{8}{11}$ L의 물이 빠져나가는 배수구를 열고, 1분 동안 $3\frac{7}{11}$ L의 물이 나오는 수도를 동시에 틀어 물을 받으면 5분 뒤 수족관에 남아 있는 물은 몇 L인지 구해 보시오.

(   )

5 수 카드 5장 중에서 2장을 골라 계산한 결과가 4에 가장 가까운 뺄셈식을 만들어 보시오.

$$\boxed{\frac{5}{7}} \quad \boxed{4\frac{2}{7}} \quad \boxed{2\frac{3}{7}} \quad \boxed{1\frac{1}{7}} \quad \boxed{5}$$

식 $\boxed{} - \boxed{} = \boxed{}$

6 세 수 ㉮, ㉯, ㉰가 있습니다. ㉮와 ㉯의 합은 $6\frac{1}{8}$, ㉯와 ㉰의 합은 9, ㉮와 ㉰의 합은 $8\frac{7}{8}$입니다. ㉮, ㉯, ㉰를 각각 구해 보시오.

㉮ (   ), ㉯ (   ), ㉰ (   )

최석정 (崔錫鼎)

- **출생~사망:** 1646~1715
- **국적:** 조선
- **업적:** 명문가 집안에서 태어나 우의정, 좌의정, 영의정을 모두 지낸 최고의 정치가입니다. 수학에도 뛰어나 『구수략』이란 수학책을 저술하였으며 이 책에 실린 9 × 9 마방진은 세계 최초의 9차 마방진으로 스위스의 위대한 수학자 오일러보다 무려 67년이나 빨리 소개된 것입니다.

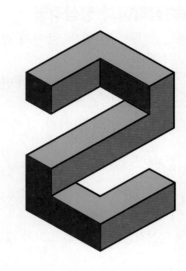

2

삼각형

1 이등변삼각형과 정삼각형

- **이등변삼각형**: 두 변의 길이가 같은 삼각형

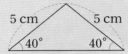

⇨ 이등변삼각형은 두 각의 크기가 같습니다.

- **정삼각형**: 세 변의 길이가 같은 삼각형

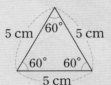

⇨ 정삼각형은 세 각의 크기가 같습니다.
정삼각형은 세 각의 크기가 모두 60°입니다.

참고 정삼각형도 두 변의 길이가 같으므로 이등변삼각형이라고 할 수 있습니다.

개념 PLUS

삼각형의 세 각의 크기의 합이 180°이므로 정삼각형의 한 각의 크기는 180°÷3＝60°입니다.

2 예각삼각형과 둔각삼각형

- **예각삼각형**: 세 각이 모두 예각인 삼각형

- **둔각삼각형**: 한 각이 둔각인 삼각형

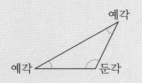

개념 PLUS

★ 삼각형의 종류에 따른 각의 수

예각삼각형	예각 3개
직각삼각형	직각 1개, 예각 2개
둔각삼각형	둔각 1개, 예각 2개

3 삼각형을 두 가지 기준으로 분류하기

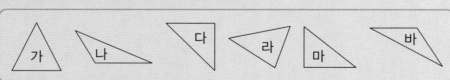

	예각삼각형	직각삼각형	둔각삼각형
이등변삼각형	가	다	바
세 변의 길이가 모두 다른 삼각형	라	마	나

1 ☐ 안에 알맞은 수를 써넣으시오.

(1)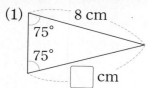

(2)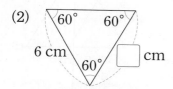

2 세 변의 길이의 합이 22 cm인 이등변삼각형입니다. ☐ 안에 알맞은 수를 써넣으시오.

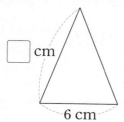

3 직사각형 모양의 종이띠를 점선을 따라 잘랐습니다. 이때 만들어지는 예각삼각형은 둔각삼각형보다 몇 개 더 많습니까?

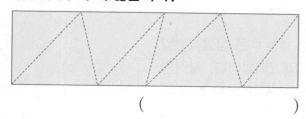

( )

4 오른쪽 삼각형의 이름이 될 수 있는 것을 모두 고르시오.

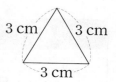

( )

① 이등변삼각형   ② 정삼각형
③ 예각삼각형   ④ 직각삼각형
⑤ 둔각삼각형

5 삼각형의 두 각의 크기를 나타낸 것입니다. 예각삼각형을 찾아 기호를 써 보시오.

| ㉠ 45°, 45° | ㉡ 60°, 15° |
| ㉢ 35°, 65° | ㉣ 40°, 25° |

( )

6 삼각형 ㄱㄴㄷ은 이등변삼각형입니다. 각 ㄱㄴㄷ의 크기를 구해 보시오.

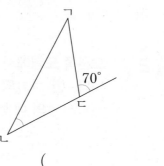

( )

대표유형 ① 정삼각형 2개로 만들어지는 도형에서 길이 구하기

오른쪽 도형에서 삼각형 ㄱㄴㄷ과 삼각형 ㄹㄴㅁ은 정삼각형입니다. 사각형 ㄱㄹㅁㄷ의 네 변의 길이의 합은 몇 cm인지 구해 보시오.

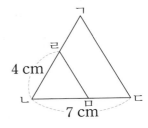

비법 PLUS ➕

정삼각형의 세 변의 길이가 같음을 이용하여 사각형 ㄱㄹㅁㄷ의 네 변의 길이를 각각 알아봅니다.

(1) 변 ㄹㅁ과 변 ㄱㄷ은 각각 몇 cm입니까?

변 ㄹㅁ (   ), 변 ㄱㄷ (   )

(2) 변 ㄱㄹ과 변 ㅁㄷ은 각각 몇 cm입니까?

변 ㄱㄹ (   ), 변 ㅁㄷ (   )

(3) 사각형 ㄱㄹㅁㄷ의 네 변의 길이의 합은 몇 cm입니까?

(   )

유제 ① 오른쪽 도형에서 삼각형 ㄱㄴㄷ과 삼각형 ㄱㄹㅁ은 정삼각형입니다. 사각형 ㄹㄴㄷㅁ의 네 변의 길이의 합은 몇 cm인지 구해 보시오.

(   )

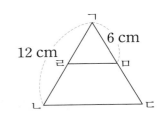

유제 ② 오른쪽 도형에서 삼각형 ㄱㄴㄷ과 삼각형 ㄹㅁㄷ은 정삼각형입니다. 변 ㄱㄹ의 길이는 변 ㄹㄷ의 길이의 2배입니다. 사각형 ㄱㄴㅁㄹ의 네 변의 길이의 합은 몇 cm인지 구해 보시오.

(   )

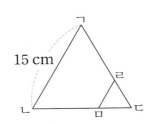

대표유형 2 삼각형을 이어 붙여 만든 도형을 둘러싼 선의 길이 구하기

오른쪽 도형은 세 변의 길이의 합이 15 cm인 정삼각형 8개를 겹치지 않게 이어 붙여 만든 것입니다. 이 도형에서 빨간색 선의 길이는 몇 cm인지 구해 보시오.

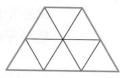

비법 PLUS +

정삼각형은 세 변의 길이가 같습니다.
(한 변)
＝(세 변의 길이의 합)÷3

(1) 정삼각형의 한 변은 몇 cm입니까?

(   )

(2) 빨간색 선의 길이는 정삼각형의 한 변의 몇 배입니까?

(   )

(3) 빨간색 선의 길이는 몇 cm입니까?

(   )

유제 3 오른쪽 도형은 세 변의 길이의 합이 21 cm인 정삼각형 8개를 겹치지 않게 이어 붙여 만든 것입니다. 이 도형에서 빨간색 선의 길이는 몇 cm인지 구해 보시오.

(   )

 ● 서술형 문제 ●

유제 4 오른쪽 도형은 세 변의 길이의 합이 24 cm인 이등변삼각형 6개를 겹치지 않게 이어 붙여 만든 것입니다. 이 도형에서 빨간색 선의 길이는 몇 cm인지 풀이 과정을 쓰고 답을 구해 보시오.

7 cm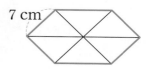

풀이

_____

_____

_____

답 _____

대표유형 3 찾을 수 있는 크고 작은 삼각형의 수 구하기

오른쪽 도형에서 찾을 수 있는 크고 작은 예각삼각형은 모두 몇 개인지 구해 보시오.

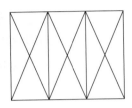

비법 PLUS +

도형에서 찾을 수 있는 예각삼각형의 종류
• 삼각형 1개로 이루어진 예각삼각형

• 삼각형 4개로 이루어진 예각삼각형

(1) 삼각형 1개로 이루어진 예각삼각형은 몇 개입니까?

(   )

(2) 삼각형 4개로 이루어진 예각삼각형은 몇 개입니까?

(   )

(3) 도형에서 찾을 수 있는 크고 작은 예각삼각형은 모두 몇 개입니까?

(   )

유제 5 도형에서 찾을 수 있는 크고 작은 둔각삼각형은 모두 몇 개인지 구해 보시오.

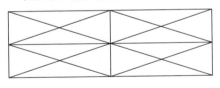

(   )

유제 6 오른쪽 도형에서 찾을 수 있는 크고 작은 정삼각형은 모두 몇 개인지 구해 보시오.

(   )

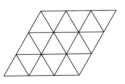

대표유형 4 삼각형을 이어 붙여 만든 도형에서 길이 구하기

오른쪽 도형은 이등변삼각형 ㄱㄴㄷ과 정삼각형 ㄱㄷㄹ을 겹치지 않게 이어 붙여 만든 사각형입니다. 삼각형 ㄱㄴㄷ의 세 변의 길이의 합이 35 cm일 때 사각형 ㄱㄴㄷㄹ의 네 변의 길이의 합은 몇 cm인지 구해 보시오.

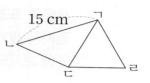

(1) 이등변삼각형 ㄱㄴㄷ에서 변 ㄴㄷ과 변 ㄱㄷ의 길이는 각각 몇 cm입니까?

　변 ㄴㄷ (　　　　　　　), 변 ㄱㄷ (　　　　　　　)

(2) 정삼각형 ㄱㄷㄹ의 한 변은 몇 cm입니까?

(　　　　　　　)

(3) 사각형 ㄱㄴㄷㄹ의 네 변의 길이의 합은 몇 cm입니까?

(　　　　　　　)

비법 PLUS +

변 ㄱㄷ은 이등변삼각형 ㄱㄴㄷ과 정삼각형 ㄱㄷㄹ 의 공통인 변입니다.

유제 7 오른쪽 도형은 정삼각형 ㄱㄴㄹ과 이등변삼각형 ㄴㄷㄹ을 겹치지 않게 이어 붙여 만든 사각형입니다. 이등변삼각형 ㄴㄷㄹ의 세 변의 길이의 합이 29 cm일 때 사각형 ㄱㄴㄷㄹ의 네 변의 길이의 합은 몇 cm인지 구해 보시오.

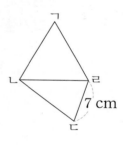

(　　　　　　　)

유제 8 오른쪽 도형은 정삼각형 ㄱㄴㄷ과 이등변삼각형 ㄱㄷㄹ을 겹치지 않게 이어 붙여 만든 사각형입니다. 삼각형 ㄱㄷㄹ의 세 변의 길이의 합이 23 cm일 때 사각형 ㄱㄴㄷㄹ의 네 변의 길이의 합은 몇 cm인지 구해 보시오.

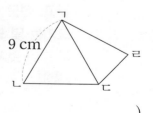

(　　　　　　　)

대표유형 5 삼각형을 이어 붙여 만든 도형에서 각도 구하기

오른쪽 도형은 이등변삼각형 ㄱㄹㄷ과 이등변삼각형 ㄹㄴㄷ을 겹치지 않게 이어 붙여 만든 삼각형입니다. 각 ㄴㄷㄱ의 크기를 구해 보시오.

비법 PLUS +

직선 위의 한 점을 꼭짓점으로 하는 각의 크기는 180°입니다.

(1) 각 ㄹㄷㄴ의 크기는 몇 도입니까?

(　　　　　)

(2) 각 ㄱㄹㄷ의 크기는 몇 도입니까?

(　　　　　)

(3) 각 ㄴㄷㄱ의 크기는 몇 도입니까?

(　　　　　)

유제 9 오른쪽 도형은 정삼각형 ㄱㄴㄷ과 이등변삼각형 ㄱㄷㄹ을 겹치지 않게 이어 붙여 만든 삼각형입니다. 각 ㄴㄱㄹ의 크기를 구해 보시오.

(　　　　　)

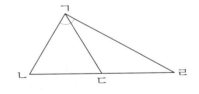

● 서술형 문제 ●

유제 10 오른쪽 삼각형 ㄱㄴㄷ에서 선분 ㄱㄷ과 선분 ㄴㄷ의 길이가 같고, 선분 ㄱㄹ과 선분 ㄷㄹ의 길이가 같습니다. 각 ㄴㄱㄹ의 크기는 몇 도인지 풀이 과정을 쓰고 답을 구해 보시오.

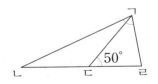

풀이 _____

_____

_____

답 _____

신유형 6   **점을 이어 조건을 만족하는 삼각형 만들기**

나무판에 그려진 원 위에 같은 간격으로 못을 10개 박았습니다. 이 중 3개의 못에 실을 연결하여 만들 수 있는 삼각형 중에서 이등변삼 각형이면서 둔각삼각형인 것은 모두 몇 개인지 구해 보시오. (단, 다른 못에 연결하여 만든 삼각형은 서로 다른 삼각형으로 생각합니다.)

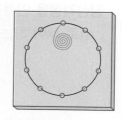

신유형 PLUS +

원의 한 점에서 같은 거리만큼 떨어진 두 점을 이어 만든 삼각형은 이등변삼각형입니다.

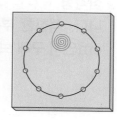

(1) 점 ㄱ에서 같은 거리만큼 떨어진 두 점을 이어 만든 삼각형 중에서 이등변삼각형이면서 둔각삼각형인 것은 모두 몇 개입니까?

(   )

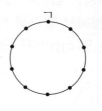

(2) 만들 수 있는 삼각형 중에서 이등변삼각형이면서 둔각삼 각형인 것은 모두 몇 개입니까?

(   )

유제 11   나무판에 그려진 원 위에 같은 간격으로 못을 10개 박았습니다. 이 중 3개의 못에 실을 연결하여 만들 수 있는 삼각형 중에서 이등변삼각형 이면서 예각삼각형인 것은 모두 몇 개인지 구해 보시오. (단, 다른 못에 연결하여 만든 삼각형은 서로 다른 삼각형으로 생각합니다.)

(   )

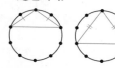

유제 12   나무판에 그려진 정사각형 위에 같은 간격으로 못을 16개 박았습니다. 오른쪽과 같이 3개의 못을 꼭짓점으로 하고 삼각형의 한 변이 정사각형의 변 위에 있도록 실을 연결하여 삼각형을 만들려고 합니다. 만들 수 있는 삼각형 중에서 이등변삼각형이면서 예각삼각형인 것은 모두 몇 개인지 구해 보시오. (단, 다른 못에 연결하여 만든 삼각형은 서로 다른 삼각형으로 생각합니다.)

(   )

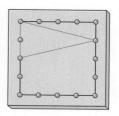

1 오른쪽 이등변삼각형과 세 변의 길이의 합이 같은 정삼각형을 만들려고 합니다. 정삼각형의 한 변은 몇 cm로 해야 하는지 구해 보시오.

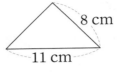

(   )

비법 PLUS +

2 크기가 같은 정삼각형을 겹치지 않게 이어 붙여서 다음과 같은 도형을 만들었습니다. 가 도형에서 빨간색 선의 길이가 30 cm일 때 나 도형에서 파란색 선의 길이는 몇 cm인지 구해 보시오.

가   나

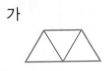

(   )

○ 가 도형에서 빨간색 선의 길이가 정삼각형의 한 변의 몇 배인지를 이용하여 정삼각형의 한 변을 구합니다.

3 오른쪽 도형에서 삼각형 ㄱㄴㄷ은 정삼각형이고, 삼각형 ㄹㄴㄷ의 세 변의 길이의 합은 30 cm입니다. 색칠한 부분의 모든 변의 길이의 합은 몇 cm인지 구해 보시오.

(   )

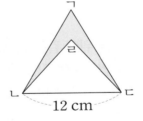

4 정삼각형 ㄱㄴㅂ과 이등변삼각형 ㄴㄷㄹ의 세 변의 길이의 합은 같습니다. 사각형 ㄴㄹㅁㅂ의 네 변의 길이의 합은 몇 cm인지 구해 보시오.

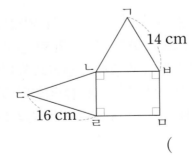

(   )

○ 네 각이 모두 직각인 사각형은 직사각형입니다. 직사각형은 마주 보는 변의 길이가 같습니다.

5 긴 변의 길이가 짧은 변의 길이의 2배인 이등변삼각형입니다. 삼각형의 세 변의 길이의 합이 30 cm일 때 긴 변의 길이는 몇 cm인지 구해 보시오.

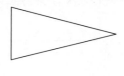

(   )

비법 PLUS +

○ 이등변삼각형의 짧은 변의 길이를 □cm라 하면 긴 변의 길이는 (□+□) cm입니다.

● 서술형 문제 ●

6 삼각형 ㄱㄹㄷ은 정삼각형입니다. 변 ㄱㄴ의 길이는 몇 cm인지 풀이 과정을 쓰고 답을 구해 보시오.

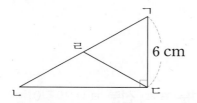

6 cm

○ 삼각형 ㄹㄴㄷ이 어떤 삼각형인지 알아봅니다.

풀이 _____

_____

_____

답 _____

7 도형에서 찾을 수 있는 크고 작은 둔각삼각형은 예각삼각형보다 몇 개 더 많은지 구해 보시오.

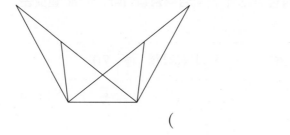

(   )

● 서술형 문제 ●

8 오른쪽 도형에서 삼각형 ㄱㄴㄷ과 삼각형 ㅁㄴㄹ은 이등변삼각형입니다. 각 ㄴㅂㄷ의 크기는 몇 도인지 풀이 과정을 쓰고 답을 구해 보시오.

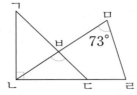

비법 PLUS +
● 삼각형 ㅁㄴㄹ에서 각 ㅁㄴㄹ의 크기를, 삼각형 ㄱㄴㄷ에서 각 ㄴㄷㄱ의 크기를 각각 구합니다.

풀이 _____

_____

_____

답 _____

9 삼각형 ㄱㄴㅁ에서 선분 ㄱㄴ, 선분 ㄱㄷ, 선분 ㄹㄷ, 선분 ㄹㅁ의 길이는 모두 같습니다. 각 ㄱㄴㄷ의 크기를 구해 보시오.

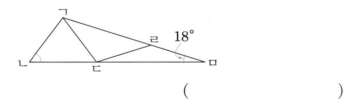

(   )

10 가와 나 삼각형의 두 각의 크기를 나타낸 것입니다. ♥에 알맞은 각도는 같고, 가 삼각형은 이등변삼각형이면서 둔각삼각형입니다. ♥에 알맞은 각도를 구해 보시오.

> • 가 삼각형: ♥, 26°   • 나 삼각형: ♥, 70°

(   )

● 가 삼각형은 이등변삼각형 이므로 세 각의 크기가 ♥, ♥, 26°이거나 ●, 26°, 26° 입니다.

창의융합형 문제

11 칠교판은 직각삼각형이면서 이등변삼각형인 삼각형 5조각과 정사각형 1조각, 마주 보는 두 쌍의 변이 나란한 사각형 1조각으로 이루어져 있습니다. 정사각형 모양으로 놓인 왼쪽 칠교판의 조각을 모두 사용하여 오른쪽과 같이 새 모양을 만들었습니다. ㉠과 ㉡의 각도의 차를 구해 보시오.

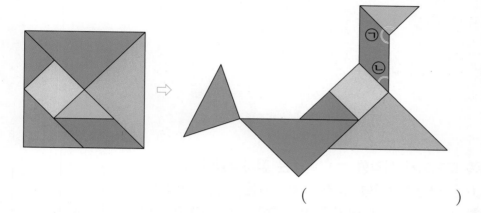

(   )

창의융합 PLUS +

○ 칠교판
칠교판은 7개의 조각으로 이루어져 있으며 이 조각들로 여러 가지 형태를 만드는 놀이를 합니다.
옛날에는 집에 손님이 왔을 때 음식을 준비하는 동안 지루하지 않게 기다릴 수 있도록 칠교판을 내어 놓았습니다.

12 시어핀스키 삼각형은 다음과 같은 규칙으로 만드는 프랙털 도형입니다. 첫 번째 정삼각형의 세 변의 길이의 합이 72 cm라면 네 번째 그림에서 색칠한 정삼각형의 세 변의 길이의 합을 모두 더하면 몇 cm인지 구해 보시오.

① 정삼각형을 한 개 그린 다음 색칠합니다.
② 정삼각형의 세 변의 한가운데에 점을 찍고 찍은 점을 연결합니다.
③ 한가운데 있는 작은 정삼각형 한 개의 색을 지웁니다.
④ 색칠된 각각의 정삼각형에 대해 ②와 ③을 반복합니다.

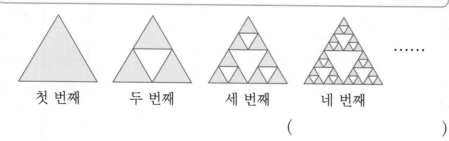

첫 번째   두 번째   세 번째   네 번째

(   )

○ 프랙털
프랙털은 작은 구조가 전체 구조와 닮은 형태로 끝없이 되풀이되는 구조를 말합니다. 프랙털 구조는 자연에서 쉽게 찾을 수 있습니다. 고사리와 같은 양치류 식물, 공작의 깃털 무늬, 눈의 결정 등이 모두 프랙털 구조입니다.

▲ 고사리

1 길이가 9 cm인 철사를 남기거나 겹치는 부분이 없도록 구부려 각 변의 길이가 자연수인 이등변삼각형을 1개 만들려고 합니다. 만들 수 있는 이등변삼각형은 몇 가지인지 구해 보시오.

( )

2 오른쪽 도형에서 사각형 ㄱㄴㄷㄹ은 정사각형이고, 삼각형 ㄱㄴㅁ은 이등변삼각형, 삼각형 ㅁㄴㅂ은 정삼각형입니다. 사각형 ㄱㄴㄷㄹ의 네 변의 길이의 합이 84 cm이고, 삼각형 ㄱㄴㅁ의 세 변의 길이의 합이 45 cm일 때, 사각형 ㄱㅂㄷㄹ의 네 변의 길이의 합은 몇 cm인지 구해 보시오.

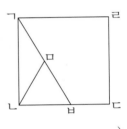

( )

3 오른쪽 도형에서 사각형 ㄱㄴㄷㄹ은 정사각형이고, 삼각형 ㄱㄴㅁ은 정삼각형입니다. 각 ㄹㅁㄷ의 크기를 구해 보시오.

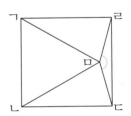

( )

4 오른쪽 도형에서 사각형 ㄱㄴㄷㄹ은 정사각형이고, 삼각형 ㄱㅁㄹ은 이등변삼각형입니다. 각 ㄹㅁㅂ의 크기를 구해 보시오.

(　　　　　)

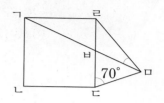

5 오른쪽 도형에서 삼각형 ㄱㄴㄷ, 삼각형 ㄴㄷㄹ, 삼각형 ㄷㄹㅁ, 삼각형 ㄹㅁㄱ, 삼각형 ㅁㄱㄴ은 모양과 크기가 같은 이등변삼각형입니다. 각 ㄴㅁㄷ의 크기를 구해 보시오.

(　　　　　)

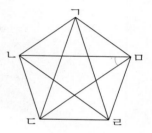

6 삼각형 ㄱㄴㄷ은 정삼각형, 사각형 ㄱㄷㅁㅂ은 정사각형, 삼각형 ㄱㄷㄹ은 이등변삼각형입니다. 각 ㄱㅅㅂ의 크기를 구해 보시오.

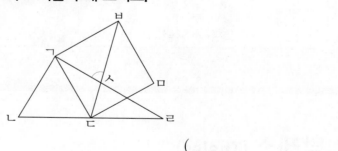

(　　　　　)

탈레스 (Thales)

- **출생~사망:** 기원전 624?~기원전 547
- **국적:** 그리스
- **업적:** 고대 그리스의 수학자이자 철학자입니다. '이등변삼각형의 두 각의 크기는 같습니다.'를 비롯한 5가지 정리를 증명하여 기하학(도형 및 공간의 성질에 대해 연구하는 학문)이 탄생하는 데 크게 기여했습니다.

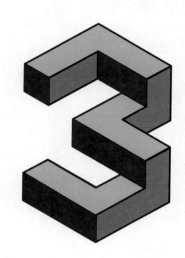

3

소수의 덧셈과 뺄셈

① 소수 두 자리 수

분수		$\dfrac{1}{100}$	$\dfrac{29}{100}$	$3\dfrac{57}{100}$
소수	쓰기	0.01	0.29	3.57
	읽기	영 점 영일	영 점 이구	삼 점 오칠

3.57에서
- 3은 일의 자리 숫자, 나타내는 수: 3
- 5는 소수 첫째 자리 숫자, 나타내는 수: 0.5
- 7은 소수 둘째 자리 숫자, 나타내는 수: 0.07

② 소수 세 자리 수

분수		$\dfrac{1}{1000}$	$\dfrac{471}{1000}$	$2\dfrac{849}{1000}$
소수	쓰기	0.001	0.471	2.849
	읽기	영 점 영영일	영 점 사칠일	이 점 팔사구

2.849에서
- 2는 일의 자리 숫자, 나타내는 수: 2
- 8은 소수 첫째 자리 숫자, 나타내는 수: 0.8
- 4는 소수 둘째 자리 숫자, 나타내는 수: 0.04
- 9는 소수 셋째 자리 숫자, 나타내는 수: 0.009

③ 소수의 크기 비교

- 0.2와 0.20은 같은 수입니다. 소수는 필요한 경우 오른쪽 끝자리에 0을 붙여서 나타낼 수 있습니다.

  $$0.2 = 0.20$$

- 소수의 크기 비교하기
  ① 자연수 부분이 다를 때 ⇨ 자연수 부분 비교 ⇨ 2.5 < 3.1
  ② 자연수 부분이 같을 때
  - 소수 첫째 자리 비교 ⇨ 0.42 > 0.28
  - 소수 첫째 자리까지 같다면 소수 둘째 자리 비교 ⇨ 1.534 < 1.562
  - 소수 둘째 자리까지 같다면 소수 셋째 자리 비교 ⇨ 3.408 > 3.401

④ 소수 사이의 관계

| 1 | ←10배 / →$\dfrac{1}{10}$ | 0.1 | ←10배 / →$\dfrac{1}{10}$ | 0.01 | ←10배 / →$\dfrac{1}{10}$ | 0.001 |

개념 PLUS+

★ 소수 읽기
소수의 자연수 부분은 수와 자릿값을 모두 읽고, 소수점 아래의 수는 자릿값을 읽지 않고 수만 차례대로 읽습니다.
예 86.05 ⇨ 팔십육 점 영오

개념 PLUS+

★ 자릿수가 다른 소수의 크기 비교
예 0.5와 0.46의 크기 비교
0.5 = 0.50
⇨ 0.50 > 0.46
└5 > 4┘

개념 PLUS+

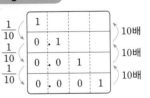

- 소수를 10배 하면 소수점을 기준으로 수가 왼쪽으로 한 자리씩 이동합니다.
- 소수의 $\dfrac{1}{10}$을 하면 소수점을 기준으로 수가 오른쪽으로 한 자리씩 이동합니다.

1 소수 둘째 자리 수가 가장 큰 수를 찾아 쓰고 읽어 보시오.

| 0.36 | 5.47 | 10.24 | 4.951 |

쓰기 (   )

읽기 (   )

2 구슬 한 개의 무게는 2.03 g입니다. 같은 구슬 10개의 무게는 몇 g입니까?

(   )

3 소수에서 7이 나타내는 수가 작은 수부터 차례 대로 기호를 써 보시오.

| ㉠ 7.503 | ㉡ 9.174 |
| ㉢ 5.827 | ㉣ 0.766 |

(   )

4 ㉠이 나타내는 수는 ㉡이 나타내는 수의 몇 배입니까?

5.95
↑ ↑
㉠ ㉡

(   )

5 0부터 9까지의 수 중에서 ☐ 안에 들어갈 수 있는 수를 모두 구해 보시오.

6.4☐3 > 6.459

(   )

6 마법 주머니가 두 개 있습니다. 파랑 주머니에 들어갔다 나오면 길이가 들어가기 전 길이의 10배가 되고, 노랑 주머니에 들어갔다 나오면 길이가 들어가기 전 길이의 $\frac{1}{10}$ 이 됩니다. 민수가 8.7 cm인 장난감 트럭을 파랑 주머니에 2번, 노랑 주머니에 1번 들어갔다 나오게 했습니다. 지금 민수의 장난감 트럭은 몇 cm인지 구해 보시오.

(   )

❺ 소수의 덧셈

소수점의 자리를 맞추어 세로로 쓰고 같은 자리 수끼리 더한 후 소수점을 그대로 내려 찍습니다.

◉ 소수 한 자리 수의 덧셈

$$\begin{array}{r} 0.4 \\ +\ 0.3 \\ \hline 0.7 \end{array} \qquad \begin{array}{r} {}^{1}\ \ \\ 0.9 \\ +\ 1.6 \\ \hline 2.5 \end{array}$$

◉ 소수 두 자리 수의 덧셈

$$\begin{array}{r} {}^{1}\ \ \ \\ 0.4\,7 \\ +\ 0.3\,5 \\ \hline 0.8\,2 \end{array} \qquad \begin{array}{r} {}^{1}\ \ \ \\ 1.3\,6 \\ +\ 3.7\,1 \\ \hline 5.0\,7 \end{array}$$

◉ 자릿수가 다른 소수의 덧셈

$$\begin{array}{r} {}^{1}\ \ \ \\ 0.7\,3 \\ +\ 0.4\,0 \\ \hline 1.1\,3 \end{array}$$
• 소수 끝자리 뒤에 0이 있다고 생각합니다.

❻ 소수의 뺄셈

소수점의 자리를 맞추어 세로로 쓰고 같은 자리 수끼리 뺀 후 소수점을 그대로 내려 찍습니다.

◉ 소수 한 자리 수의 뺄셈

$$\begin{array}{r} 0.8 \\ -\ 0.3 \\ \hline 0.5 \end{array} \qquad \begin{array}{r} {}^{0}\ \ {}^{10} \\ 1.5 \\ -\ 0.7 \\ \hline 0.8 \end{array}$$

◉ 소수 두 자리 수의 뺄셈

$$\begin{array}{r} {}^{6}\ \ {}^{10} \\ 0.7\,2 \\ -\ 0.3\,4 \\ \hline 0.3\,8 \end{array} \qquad \begin{array}{r} {}^{4}\ \ {}^{10} \\ 5.0\,8 \\ -\ 2.2\,5 \\ \hline 2.8\,3 \end{array}$$

◉ 자릿수가 다른 소수의 뺄셈

$$\begin{array}{r} {}^{2}\ \ {}^{14}\ \ {}^{10} \\ 3.5\,0 \\ -\ 1.6\,3 \\ \hline 1.8\,7 \end{array}$$
• 소수 끝자리 뒤에 0이 있다고 생각합니다.

초 5-2 연계 ↻

★ 소수의 곱셈

(소수)×(자연수)는 소수의 덧셈을 이용하여 계산할 수 있습니다.

예 0.6×4의 계산

0.6×4
$= 0.6 + 0.6 + 0.6 + 0.6$
$= 2.4$

초 6-2 연계 ↻

★ 소수의 나눗셈

(소수)÷(소수)는 소수의 뺄셈을 이용하여 계산할 수 있습니다.

예 2.7÷0.9의 계산

$2.7 - 0.9 - 0.9 - 0.9 = 0$

⇨ 2.7에서 0.9를 3번 빼면 0이 되므로 2.7÷0.9=3 입니다.

1 빈칸에 알맞은 수를 써넣으시오.

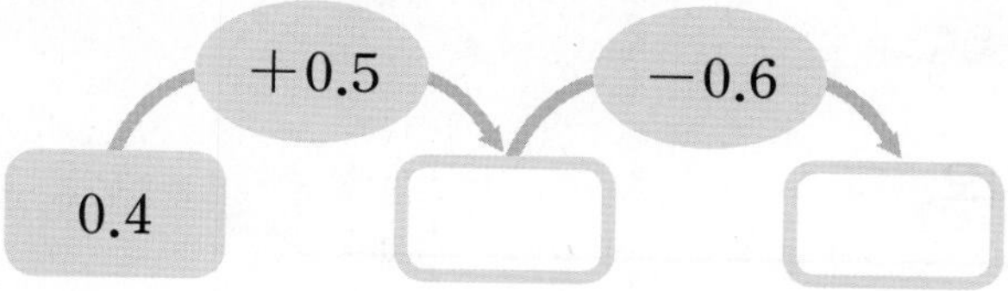

$+0.5$ -0.6

0.4 □ □

2 잘못 계산한 곳을 찾아 이유를 쓰고, 바르게 계산해 보시오.

$$\begin{array}{r} 0.7\ 8 \\ -\ \ \ 0.5 \\ \hline 0.7\ 3 \end{array} \Rightarrow$$

이유
_____
_____
_____

3 민지는 오늘 물을 오전에 0.26 L 마셨고 오후에 0.37 L 마셨습니다. 민지가 오늘 마신 물은 모두 몇 L입니까?

( )

4 계산 결과가 큰 것부터 차례대로 기호를 써 보시오.

㉠ $2.7+2.25$ ㉡ $11.26-6.3$
㉢ $0.51+4.6$ ㉣ $5.84-1.2$

( )

5 □ 안에 알맞은 수를 구해 보시오.

$0.95-□=0.46$

( )

6 파란색 공의 무게는 34.25 g이고 빨간색 공은 파란색 공보다 4.77 g 더 가볍습니다. 파란색 공과 빨간색 공의 무게의 합은 몇 g입니까?

( )

대표유형 1 수직선에서 나타내는 수 구하기

수직선에서 ㉠이 나타내는 수를 구해 보시오.

8.3 _____ ㉠ _____ 8.4

(1) 8.3과 8.4 사이를 10등분하면 작은 눈금 한 칸의 크기는
얼마입니까?

8.3 _____ ㉠ _____ 8.4

(　　　　　　　)

(2) ㉠이 나타내는 수는 얼마입니까?

(　　　　　　　)

비법 PLUS +

수직선에서 두 수 사이의
크기

■ _____ ▲

⇨ ▲ ― ■

유제 1 수직선에서 ㉠이 나타내는 수를 구해 보시오.

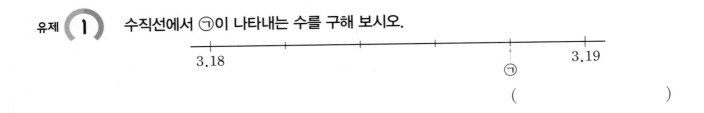

3.18　　　　　　　　　　　　　　　　　㉠　　3.19

(　　　　　　　　　　　　　　　)

유제 2 수직선에서 ㉠과 ㉡이 나타내는 수의 합을 구해 보시오.

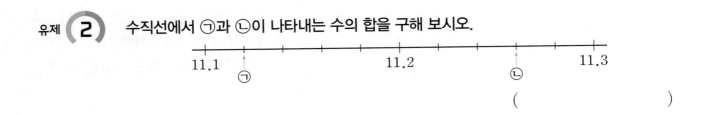

11.1　㉠　　　　　　　11.2　　　　　　㉡　　11.3

(　　　　　　　　　　　　　　　)

★ 빠른 정답 3쪽, 정답과 풀이 20쪽

대표유형 2 ☐ 안에 들어갈 수 있는 수 구하기

0부터 9까지의 수 중에서 ☐ 안에 들어갈 수 있는 수를 모두 구해 보시오.

$$3.8 - 0.39 > 3.\square 7$$

비법 PLUS ✚

(1) $3.8 - 0.39$를 계산해 보시오.

(   )

주어진 덧셈 또는 뺄셈을 먼저 계산한 다음, 소수의 크기를 비교합니다.

(2) ☐ 안에 들어갈 수 있는 수를 모두 구해 보시오.

(   )

유제 3 0부터 9까지의 수 중에서 ☐ 안에 들어갈 수 있는 수를 모두 구해 보시오.

$$2.38 + 4.2 < 6.\square 4$$

(   )

유제 4 0부터 9까지의 수 중에서 ☐ 안에 들어갈 수 있는 수는 모두 몇 개인지 구해 보시오.

$$9.46 - 4.82 < 4.\square 3 < 1.76 + 3.14$$

(   )

대표유형 3 어떤 수 구하기

어떤 수를 10배 한 수는 1이 4개, 0.1이 23개, 0.01이 18개인 수와 같습니다. 어떤 수를 구해 보시오.

(1) 1이 4개, 0.1이 23개, 0.01이 18개인 수는 얼마입니까?

(   )

(2) 어떤 수는 얼마입니까?

(   )

비법 PLUS ✚

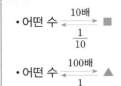

유제 5 어떤 수의 $\frac{1}{10}$인 수는 1이 7개, 0.1이 14개, 0.01이 20개, 0.001이 31개인 수와 같습니다. 어떤 수를 구해 보시오.

(   )

• 서술형 문제 •

유제 6 어떤 수의 $\frac{1}{100}$인 수는 10이 2개, 1이 8개, 0.1이 25개, 0.01이 17개인 수와 같습니다. 어떤 수는 얼마인지 풀이 과정을 쓰고 답을 구해 보시오.

풀이 _____

_____

_____

답 _____

대표유형 4 **덧셈식 또는 뺄셈식 완성하기**

㉠, ㉡, ㉢, ㉣에 알맞은 수를 각각 구해 보시오.

$$
\begin{array}{r}
㉠.7\ 9 \\
+\ 1.㉡\ 5\ ㉢ \\
\hline
6.4\ ㉣\ 8
\end{array}
$$

(1) 소수 셋째 자리 계산에서 ㉢에 알맞은 수를 구해 보시오.

(　　　　　　　　)

(2) 소수 둘째 자리 계산에서 ㉣에 알맞은 수를 구해 보시오.

(　　　　　　　　)

(3) 소수 첫째 자리 계산에서 ㉡에 알맞은 수를 구해 보시오.

(　　　　　　　　)

(4) 일의 자리 계산에서 ㉠에 알맞은 수를 구해 보시오.

(　　　　　　　　)

비법 PLUS +

· 덧셈식 완성하기
같은 자리에서 더한 결과의 수가 더해지는 수보다 작으면 받아올림이 있는 식입니다.
· 뺄셈식 완성하기
같은 자리에서 뺀 결과의 수가 빼지는 수보다 크면 받아내림이 있는 식입니다.

유제 7 □ 안에 알맞은 수를 써넣으시오.

$$
\begin{array}{r}
\boxed{}.\boxed{} \\
-\ 2.7\ \boxed{} \\
\hline
1.7\ 3
\end{array}
$$

유제 8 ㉠, ㉡, ㉢에 알맞은 수를 각각 구해 보시오. (단, 같은 기호는 같은 수를 나타냅니다.)

$$
\begin{array}{r}
㉠\ ㉡.㉢ \\
-\ \ ㉠.㉡\ ㉢ \\
\hline
2\ 9.4\ 3
\end{array}
$$

㉠ (　　　　　　　), ㉡ (　　　　　　　), ㉢ (　　　　　　　)

대표유형 5 바르게 계산한 값 구하기

어떤 수에 4.3을 더해야 할 것을 잘못하여 뺐더니 8.8이 되었습니다. 바르게 계산한 값을 구해 보시오.

(1) 어떤 수는 얼마입니까?

(   )

(2) 바르게 계산한 값은 얼마입니까?

(   )

> **비법 PLUS +**
>
> 덧셈과 뺄셈의 관계를 이용하여 어떤 수를 구할 수 있습니다.
> (어떤 수)−■=▲
> ⇨ (어떤 수)=▲+■

유제 9 어떤 수에서 2.95를 빼야 할 것을 잘못하여 더했더니 9.28이 되었습니다. 바르게 계산한 값을 구해 보시오.

(   )

● 서술형 문제 ●

유제 10 5.46에 어떤 수를 더해야 할 것을 잘못하여 뺐더니 3.97이 되었습니다. 바르게 계산한 값은 얼마인지 풀이 과정을 쓰고 답을 구해 보시오.

풀이 _____

_____

_____

답 _____

★ 빠른 정답 3쪽, 정답과 풀이 20쪽

대표유형 6 두 지점 사이의 거리 구하기

⊙에서 ㉣까지의 거리가 3.53 km일 때 ⓛ에서 ㉢까지의 거리는 몇 km인지 구해 보시오.

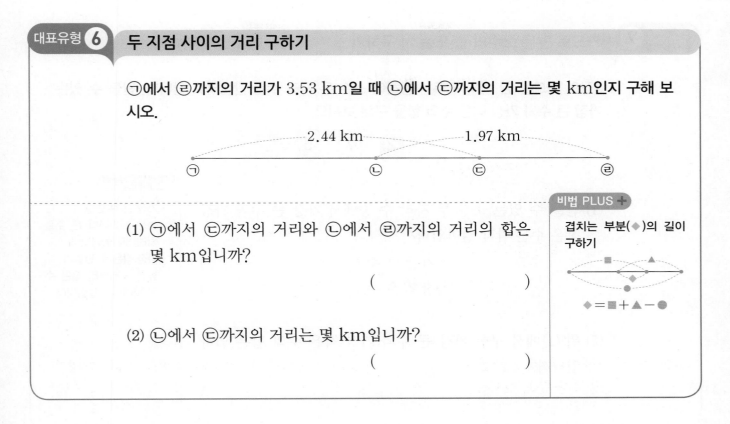

비법 PLUS +

겹치는 부분(◆)의 길이 구하기

◆ = ■ + ▲ − ●

(1) ⊙에서 ㉢까지의 거리와 ⓛ에서 ㉣까지의 거리의 합은 몇 km입니까?

( )

(2) ⓛ에서 ㉢까지의 거리는 몇 km입니까?

( )

유제 11 ⊙에서 ㉣까지의 거리가 8.15 km일 때 ⓛ에서 ㉢까지의 거리는 몇 km인지 구해 보시오.

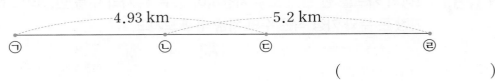

( )

유제 12 ⊙에서 ㉤까지의 거리는 몇 km인지 구해 보시오.

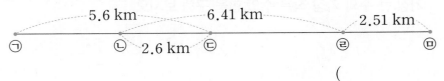

( )

대표유형 7 카드로 만든 소수의 합 또는 차 구하기

4장의 카드를 한 번씩 모두 사용하여 소수 두 자리 수를 만들려고 합니다. 만들 수 있는 가장 큰 수와 가장 작은 수의 합을 구해 보시오.

| 2 | 7 | 5 | . |

비법 PLUS +

(1) 만들 수 있는 소수 두 자리 수 중에서 가장 큰 수와 가장 작은 수는 각각 얼마입니까?

가장 큰 수 (   )

가장 작은 수 (   )

(2) 위 (1)에서 구한 가장 큰 수와 가장 작은 수의 합은 얼마입니까?

(   )

- **가장 큰 수 만들기**
  높은 자리부터 큰 수를 차례대로 놓습니다.
- **가장 작은 수 만들기**
  높은 자리부터 작은 수를 차례대로 놓습니다.

유제 13 4장의 카드를 한 번씩 모두 사용하여 소수 두 자리 수를 만들려고 합니다. 만들 수 있는 가장 큰 수와 가장 작은 수의 차를 구해 보시오.

| 9 | 1 | 4 | . |

(   )

유제 14 4장의 카드를 한 번씩 모두 사용하여 소수 한 자리 수를 만들려고 합니다. 만들 수 있는 가장 큰 수와 가장 작은 수의 합을 구해 보시오.

| 8 | 5 | 6 | . |

(   )

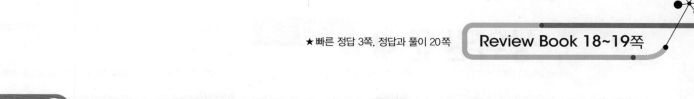

신유형 8 규칙에 알맞은 수 구하기

규칙 에 맞게 ㉢에 알맞은 수를 구해 보시오.

규칙

[　] 안의 수는 이웃한 두 ( ) 안의 수의 합이 되어야 합니다.

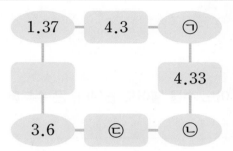

1.37　4.3　㉠

4.33

3.6　㉢　㉡

신유형 PLUS +

이웃한 두 ( ) 중 한 곳에 수가 없을 때에는 [　] 안의 수와 수가 있는 ( ) 안의 수의 차를 구하여 빈 ( ) 안에 써넣습니다.

(1) ㉠과 ㉡에 알맞은 수를 각각 구해 보시오.

㉠ (　　　　　　　　)

㉡ (　　　　　　　　)

(2) ㉢에 알맞은 수를 구해 보시오.

(　　　　　　　　)

유제 15 규칙 에 맞게 ▲에 알맞은 수를 구해 보시오.

규칙

[　] 안의 수는 이웃한 두 ( ) 안의 수의 합이 되어야 합니다.

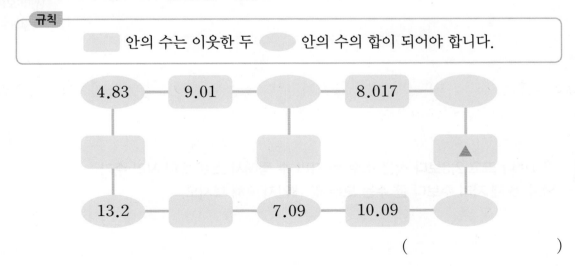

4.83　9.01　　8.017

13.2　　7.09　10.09

▲

(　　　　　　　　)

1 ㉠이 나타내는 수는 ㉡이 나타내는 수의 몇 배인지 구해 보시오.

$$58.204$$
㉠ ㉡

(   )

비법 PLUS +

2 □ 안에는 0부터 9까지 어느 수를 넣어도 됩니다. 큰 수부터 차례대로 기호를 써 보시오.

㉠ 10.0□8   ㉡ 1□.367   ㉢ 19.74□

(   )

○ □ 안에 가장 작은 수인 0 또는 가장 큰 수인 9를 넣어 높은 자리의 수부터 차례대로 크기를 비교해 봅니다.

• 서술형 문제 •

3 떨어뜨린 높이의 $\frac{1}{10}$ 만큼씩 튀어 오르는 공이 있습니다. 이 공을 15 m 높이에서 떨어뜨렸다면 세 번째로 튀어 오른 공의 높이는 몇 m인지 풀이 과정을 쓰고 답을 구해 보시오.

풀이

답

○ 공을 떨어뜨린 높이의 $\frac{1}{10}$ 만큼 튀어 오른 높이

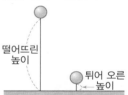

떨어뜨린 높이
튀어 오른 높이

(튀어 오른 높이)
= 떨어뜨린 높이의 $\frac{1}{10}$

4 2.1보다 크고 2.3보다 작은 소수 두 자리 수 중에서 소수 둘째 자리 수가 소수 첫째 자리 수보다 큰 수는 모두 몇 개인지 구해 보시오.

(   )

5 조건을 모두 만족하는 소수를 구해 보시오.

> • 소수 세 자리 수이며 소수의 각 자리 수는 서로 다릅니다.
> • 4보다 크고 5보다 작은 소수입니다.
> • 소수 셋째 자리 수는 7입니다.
> • 소수 첫째 자리 수는 3으로 나누어떨어지는 수 중 가장 큰 수입니다.
> • 이 소수를 10배 하면 소수 첫째 자리 수는 0이 됩니다.

(　　　　　　　　)

6 ☐ 안에 들어갈 수 있는 수 중에서 가장 큰 소수 세 자리 수를 구해 보시오.

$$9.04 - \square > 3.82 + 3.475$$

(　　　　　　　　)

7 영우네 집에서 학교까지 가려고 합니다. 병원과 도서관 중에서 어느 곳을 지나가는 것이 몇 km 더 가까운지 구해 보시오.

병원　—— 1.18 km ——　학교
190 m
영우네 집
420 m　　0.9 km
도서관

○ 길이 단위 사이의 관계
$1\,mm = 0.1\,cm$
$1\,cm = 0.01\,m$
$1\,m = 0.001\,km$

(　　　　,　　　　)

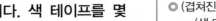

8 길이가 9.27 cm인 색 테이프 3장을 같은 길이씩 겹쳐서 한 줄로 길게 이어 붙였더니 전체 길이가 23.13 cm가 되었습니다. 색 테이프를 몇 cm씩 겹쳐서 이어 붙였는지 구해 보시오.

(   )

9 5장의 수 카드 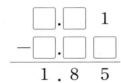 3 , 4 , 5 , 6 , 7 을 한 번씩 모두 사용하여 뺄셈식을 완성해 보시오.

$$\begin{array}{r} \boxed{}.\boxed{}\;1 \\ -\boxed{}.\boxed{}\boxed{} \\ \hline 1\,.\,8\quad5 \end{array}$$

• 서술형 문제 •

10 규칙에 따라 수를 뛰어서 셀 때 ㉠에 알맞은 수는 얼마인지 풀이 과정을 쓰고 답을 구해 보시오.

| 5.32 | | 8.12 | | | ㉠ |

풀이 _____

_____

_____

답 _____

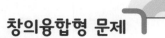

창의융합형 문제

11 나트륨은 우리 몸에서 노폐물과 다른 영양소를 운반하는 중요한 영양소 입니다. 하지만 너무 많이 섭취할 경우 각종 질병의 원인이 될 수 있으므로 세계보건기구(WHO)에서는 하루 나트륨 섭취량을 2 g으로 권장하고 있습니다. 인애는 점심에 냉면 한 그릇과 케이크 한 조각을 먹었고 저녁에 햄버거 한 개와 콜라 한 컵을 먹었습니다. 인애가 섭취한 나트륨 양은 점심과 저녁 중 언제가 몇 g 더 많은지 구해 보시오.

음식별 나트륨 양

음식	햄버거 한 개	냉면 한 그릇	라면 한 그릇	케이크 한 조각	콜라 한 컵
나트륨 양(g)	0.5	0.48	0.21	0.3	0.015

(,   )

창의융합 PLUS ➕

◌ 나트륨

체중이 50 kg일 때 체내에 있는 나트륨의 양은 약 75 g이라고 합니다. 나트륨을 권장량보다 많이 섭취하였을 경우에는 고혈압이나 뇌졸중, 암에 걸릴 위험이 크고, 권장량보다 부족하게 섭취하였을 경우에는 현기증이나 근육 경련이 생기거나 혼수상태에 빠지기도 합니다. 그러므로 적절한 나트륨 섭취가 필요합니다.

12 길이의 단위로 우리나라에서는 mm, cm, m, km를 사용하지만 다른 나라에서는 inch(인치), feet(피트), yard(야드), mile(마일)을 사용하기도 합니다. 4 feet 10 inch는 몇 cm인지 구해 보시오.

1 inch(1 in, 1 인치)＝2.54 cm
1 feet(1 ft, 1 피트)＝30.48 cm
1 yard(1 yd, 1 야드)＝91.44 cm
1 mile(1 mi, 1 마일)＝160934.4 cm

(   )

◌ 길이 단위 사이의 관계

1 feet＝12 inch
1 yard＝3 feet
     ＝36 inch
1 mile＝1760 yard
     ＝5280 feet
     ＝63360 inch

1 소수 세 자리 수를 크기가 작은 수부터 차례대로 쓴 것입니다. 0부터 9까지의 수 중에서 ☐ 안에 알맞은 수를 써넣으시오.

$$38.1\boxed{}8 \qquad 38.10\boxed{} \qquad 3\boxed{}.051$$

2 '가 ▣ 나＝가－나＋가'라고 약속할 때 다음을 계산해 보시오. (단, 앞에서부터 두 수씩 차례대로 계산합니다.)

$$6.43 ▣ 2.26 ▣ 8.057$$

(   )

3 똑같은 무게의 사과 10개가 들어 있는 상자의 무게를 재었더니 3.1 kg이었습니다. 이 상자에서 사과 1개를 빼낸 후 다시 무게를 재었더니 2.81 kg이었습니다. 빈 상자의 무게는 몇 kg인지 구해 보시오.

(   )

★ 빠른 정답 3쪽, 정답과 풀이 23쪽

4 자전거를 타고 일정한 빠르기로 헤미는 20분에 1.25 km를 가고 태수는 15분에 0.96 km를 갑니다. 두 사람이 같은 곳에서 서로 반대 방향으로 동시에 출발하면 한 시간 후에 두 사람 사이의 거리는 몇 km인지 구해 보시오.

( )

5 규칙에 따라 수를 늘어놓았습니다. 첫 번째 수부터 아홉 번째 수까지의 합을 구해 보시오.

> 11.11, 22.22, 33.33, 44.44……

( )

6 진우, 경태, 연수의 몸무게를 재었더니 진우와 경태의 몸무게의 합은 70.1 kg, 경태와 연수의 몸무게의 합은 72.2 kg, 연수와 진우의 몸무게의 합은 66.3 kg이었습니다. 가장 무거운 사람과 가장 가벼운 사람의 몸무게의 차는 몇 kg인지 구해 보시오.

( )

레오나르도 피보나치

- **출생~사망:** 1170?~1250?
- **국적:** 이탈리아
- **업적:** 아라비아에서 발달한 수학을 섭렵하여 이를 정리하고 소개함으로써 그리스도교 여러 나라의 수학을 부흥시킨 최초의 인물입니다. 또한 아라비아 숫자를 처음으로 유럽에 소개한 것으로도 유명합니다.

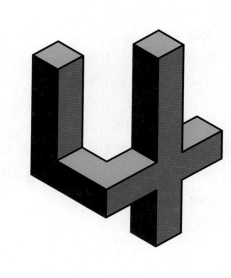

사각형

핵심 개념과 문제

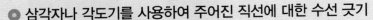

❶ 수직

◉ 수직과 수선

- 두 직선이 만나서 이루는 각이 직각일 때, 두 직선은 서로 수직이라고 합니다.
- 두 직선이 서로 수직으로 만나면 한 직선을 다른 직선에 대한 수선이라고 합니다.

◉ 삼각자나 각도기를 사용하여 주어진 직선에 대한 수선 긋기

- 삼각자를 사용하여 수선 긋기

- 각도기를 사용하여 수선 긋기

❷ 평행

◉ 평행과 평행선

- 한 직선에 수직인 두 직선을 그었을 때, 그 두 직선은 서로 만나지 않습니다. 이와 같이 서로 만나지 않는 두 직선을 평행하다고 합니다.
- 평행한 두 직선을 평행선이라고 합니다.

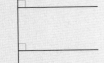

◉ 삼각자를 사용하여 주어진 직선과 평행한 직선 긋기

- 주어진 직선과 평행한 직선 긋기

- 점 ㄱ을 지나고 주어진 직선과 평행한 직선 긋기

> 참고 ▸ 평행선과 한 직선이 만날 때 생기는 각

- 같은 위치에 있는 각의 크기는 같습니다.

- 엇갈린 위치에 있는 각의 크기는 같습니다.

◉ 평행선 사이의 거리

평행선의 한 직선에서 다른 직선에 수선을 긋습니다. 이때 이 수선의 길이를 평행선 사이의 거리라고 합니다.

> 참고 ▸ 평행선 사이에 그은 선분 중에서 수선의 길이가 가장 짧고, 수선의 길이는 모두 같습니다.

개념 PLUS

- 한 직선에 대한 수선은 셀 수 없이 많이 그을 수 있습니다.

- 한 점을 지나고 한 직선에 수직인 직선은 1개만 그을 수 있습니다.

개념 PLUS

- 한 직선과 평행한 직선은 셀 수 없이 많이 그을 수 있습니다.

- 한 점을 지나고 한 직선과 평행한 직선은 1개만 그을 수 있습니다.

중1 연계

- 동위각: 서로 다른 두 직선과 한 직선이 만날 때 생기는 같은 위치에 있는 두 각
- 엇각: 서로 다른 두 직선과 한 직선이 만날 때 생기는 엇갈린 위치에 있는 두 각

★ 빠른 정답 3쪽, 정답과 풀이 24쪽

1 직선 라에 수직인 직선을 모두 찾아 써 보시오.

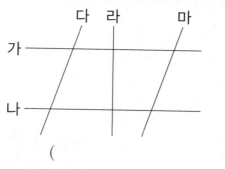

( )

2 각도기를 사용하여 주어진 직선에 대한 수선을 그어 보시오.

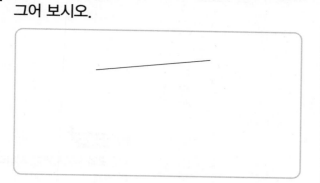

3 수선도 있고 평행선도 있는 도형을 찾아 기호를 써 보시오.

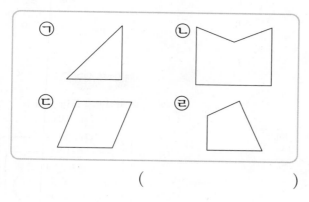

( )

4 도형에서 평행선을 찾아 평행선 사이의 거리를 재어 보시오.

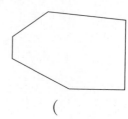

( )

5 주어진 직선과 평행선 사이의 거리가 1 cm가 되도록 직선을 2개 그어 보시오.

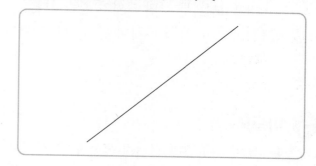

6 평행선은 모두 몇 쌍입니까?

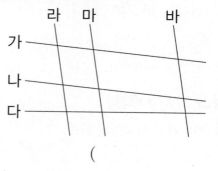

( )

③ 사다리꼴

사다리꼴: 평행한 변이 한 쌍이라도 있는 사각형

④ 평행사변형

◉ 평행사변형: 마주 보는 두 쌍의 변이 서로 평행한
사각형

◉ 평행사변형의 성질
- 마주 보는 두 변의 길이가 같습니다.
- 마주 보는 두 각의 크기가 같습니다.
- 이웃한 두 각의 크기의 합이 180°입니다.

개념 PLUS⁺

★ **평행사변형과 사다리꼴의 관계**
- 평행사변형은 평행한 변이 있으므로 사다리꼴입니다.
- 사다리꼴은 마주 보는 두 쌍의 변이 서로 평행한 것은 아니므로 평행사변형이 아닙니다.

⑤ 마름모

◉ 마름모: 네 변의 길이가 모두 같은 사각형

◉ 마름모의 성질
- 마주 보는 두 각의 크기가 같습니다.
- 이웃한 두 각의 크기의 합이 180°입니다.
- 마주 보는 꼭짓점끼리 이은 선분이 서로 수직으로 만나고 이등분합니다.

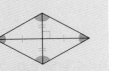

개념 PLUS⁺

★ **마름모와 평행사변형, 사다리꼴의 관계**
- 마름모는 마주 보는 두 쌍의 변이 서로 평행하므로 평행사변형, 사다리꼴입니다.
- 평행사변형, 사다리꼴은 네 변의 길이가 모두 같은 것은 아니므로 마름모가 아닙니다.

⑥ 여러 가지 사각형

◉ 여러 가지 사각형의 관계

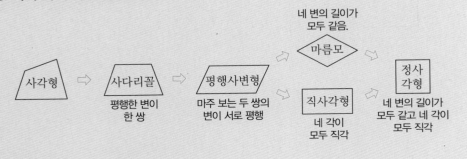

개념 PLUS⁺

★ **사각형의 포함 관계**

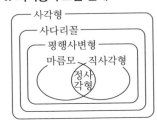

1 주어진 선분을 한 변으로 하는 사다리꼴과 평행사변형을 각각 완성해 보시오.

사다리꼴

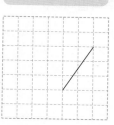
평행사변형

2 사각형에 대한 설명으로 옳은 것을 모두 찾아 기호를 써 보시오.

> ㉠ 사다리꼴은 평행사변형입니다.
> ㉡ 마름모는 사다리꼴입니다.
> ㉢ 직사각형은 정사각형입니다.
> ㉣ 정사각형은 마름모입니다.
> ㉤ 직사각형은 평행사변형입니다.

( )

3 다음 도형은 사다리꼴입니까? 그렇게 생각한 이유를 써 보시오.

답

4 마름모의 네 변의 길이의 합은 몇 cm입니까?

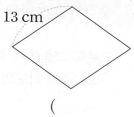
13 cm

( )

5 평행사변형에서 ㉠의 각도를 구해 보시오.

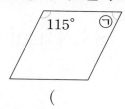
115° ㉠

( )

6 직사각형 ㄱㄴㄷㄹ에서 각 ㄷㄱㅁ의 크기는 몇 도입니까?

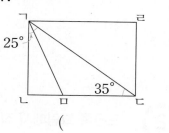
25°
35°

( )

STEP 2 상위권 문제

대표유형 1 수직을 이용하여 각도 구하기

오른쪽 그림에서 직선 가와 직선 나는 서로 수직입니다.
㉠과 ㉡의 각도의 합을 구해 보시오.

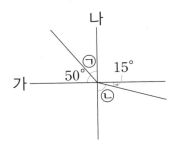

비법 PLUS ➕

직선 가와 직선 나가 서로 수직이면 직선 가와 직선 나가 만나서 이루는 각도는 90°입니다.

(1) ㉠의 각도를 구해 보시오.

(   )

(2) ㉡의 각도를 구해 보시오.

(   )

(3) ㉠과 ㉡의 각도의 합을 구해 보시오.

(   )

유제 1 오른쪽 그림에서 직선 가와 직선 나는 서로 수직입니다.
㉠과 ㉡의 각도의 합을 구해 보시오.

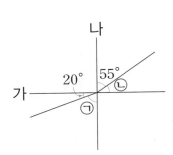

(   )

유제 2 오른쪽 그림에서 직선 가와 직선 나는 서로 수직입니다.
㉠과 ㉡의 각도의 차를 구해 보시오.

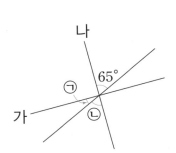

(   )

대표유형 2 평행선 사이의 거리 구하기

오른쪽 그림에서 직선 가, 직선 나, 직선 다는 서로 평행합니다. 직선 가와 직선 다 사이의 거리는 몇 cm인지 구해 보시오.

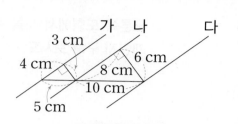

비법 PLUS +

(평행선 사이의 거리)
＝(평행선 사이의 수선의 길이)

(1) 직선 가와 직선 나 사이의 거리는 몇 cm입니까?

(   )

(2) 직선 나와 직선 다 사이의 거리는 몇 cm입니까?

(   )

(3) 직선 가와 직선 다 사이의 거리는 몇 cm입니까?

(   )

유제 3 오른쪽 그림에서 직선 가, 직선 나, 직선 다는 서로 평행합니다. 직선 나와 직선 다 사이의 거리는 몇 cm인지 구해 보시오.

(   )

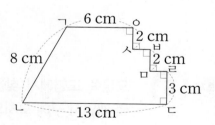

• 서술형 문제 •

유제 4 오른쪽 도형에서 변 ㄱㅇ과 변 ㄴㄷ은 서로 평행합니다. 변 ㄱㅇ과 변 ㄴㄷ 사이의 거리는 몇 cm인지 풀이 과정을 쓰고 답을 구해 보시오.

풀이 _____

_____

_____

답 _____

대표유형 **3** 찾을 수 있는 크고 작은 사각형의 수 구하기

오른쪽 도형에서 찾을 수 있는 크고 작은 평행사변형은 모두 몇 개인지 구해 보시오.

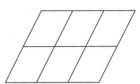

비법 PLUS +

도형에서 찾을 수 있는 평행사변형의 종류

(1) 도형에서 찾을 수 있는 크고 작은 평행사변형의 종류에 따라 그 수를 세어 표의 빈칸에 알맞게 써넣으시오.

작은 사각형 1개짜리	작은 사각형 2개짜리	작은 사각형 3개짜리	작은 사각형 4개짜리	작은 사각형 6개짜리

- 작은 사각형 1개짜리

- 작은 사각형 2개짜리

- 작은 사각형 3개짜리

- 작은 사각형 4개짜리

- 작은 사각형 6개짜리

(2) 도형에서 찾을 수 있는 크고 작은 평행사변형은 모두 몇 개입니까?

( )

유제 **5** 오른쪽 도형에서 찾을 수 있는 크고 작은 사다리꼴은 모두 몇 개인지 구해 보시오.

( )

유제 **6** 오른쪽 도형에서 찾을 수 있는 크고 작은 마름모는 모두 몇 개인지 구해 보시오.

( )

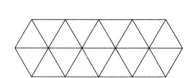

대표유형 4 평행선과 한 직선이 만날 때 생기는 각도 구하기

오른쪽 그림에서 직선 ㄱㄴ과 직선 ㄷㄹ은 서로 평행합니다.
각 ㄱㅈㅊ의 크기를 구해 보시오.

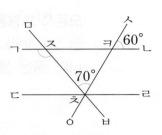

(1) 각 ㅅㅈㅋ의 크기는 몇 도입니까?

(   )

(2) 각 ㅁㅈㄹ의 크기는 몇 도입니까?

(   )

(3) 각 ㄱㅈㅊ의 크기는 몇 도입니까?

(   )

비법 PLUS ✚

• 평행선과 한 직선이 만날 때 생기는 같은 위치에 있는 각의 크기는 같습니다.

• 평행선과 한 직선이 만날 때 생기는 엇갈린 위치에 있는 각의 크기는 같습니다.

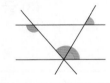

유제 7 오른쪽 그림에서 직선 가와 직선 나는 서로 평행합니다.
㉠의 각도를 구해 보시오.

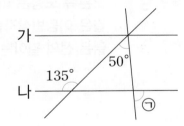

(   )

• 서술형 문제 •

유제 8 오른쪽 그림에서 직선 가와 직선 나는 서로 평행합니다. ㉠의 각도는 얼마인지 풀이 과정을 쓰고 답을 구해 보시오.

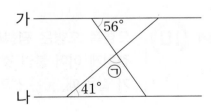

풀이 _____

_____

_____

답 _____

대표유형 5 도형을 둘러싼 굵은 선의 길이 구하기

오른쪽 도형은 변 ㄱㄴ과 변 ㄱㄷ의 길이가 같은 이등변삼각형 ㄱㄴㄷ과 마름모 ㄱㄷㄹㅁ을 겹치지 않게 이어 붙인 것입니다. 굵은 선의 길이는 몇 cm인지 구해 보시오.

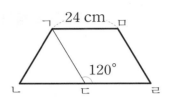

비법 PLUS +

이등변삼각형은 두 변의 길이가 같고, 마름모는 네 변의 길이가 모두 같으므로 빨간색으로 표시한 변의 길이는 모두 같습니다.

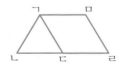

(1) 변 ㄷㄹ과 변 ㅁㄹ의 길이는 각각 몇 cm입니까?

변 ㄷㄹ (   ), 변 ㅁㄹ (   )

(2) 변 ㄱㄴ과 변 ㄴㄷ의 길이는 각각 몇 cm입니까?

변 ㄱㄴ (   ), 변 ㄴㄷ (   )

(3) 굵은 선의 길이는 몇 cm입니까?

(   )

유제 9 오른쪽 도형은 마름모 ㄱㄴㄷㅁ과 변 ㅁㄷ, 변 ㅁㄹ의 길이가 같은 이등변삼각형 ㅁㄷㄹ을 겹치지 않게 이어 붙인 것입니다. 굵은 선의 길이는 몇 cm인지 구해 보시오.

(   )

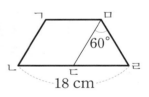

유제 10 오른쪽 도형은 평행사변형 ㄱㄴㄷㄹ과 마름모 ㅁㅂㄷㄹ을 겹치게 이어 붙인 것입니다. 선분 ㄱㅂ과 선분 ㅁㅂ의 길이가 같을 때, 굵은 선의 길이는 몇 cm인지 구해 보시오.

(   )

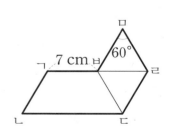

★ 빠른 정답 4쪽, 정답과 풀이 24쪽

대표유형 6 이어 붙인 도형에서 각의 크기 구하기

오른쪽 도형은 마름모 ㄱㄴㄷㄹ과 정삼각형 ㄹㄷㅁ을 겹치지 않게 이어 붙인 후 선분 ㄱㅁ을 그은 것입니다. 각 ㄹㄱㅁ의 크기를 구해 보시오.

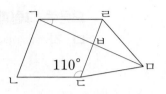

비법 PLUS ➕

마름모에서 이웃한 두 각의 크기의 합은 180°입니다.

(1) 각 ㄱㄹㄷ의 크기는 몇 도입니까?

(   )

(2) 각 ㄱㄹㅁ의 크기는 몇 도입니까?

(   )

(3) 각 ㄹㄱㅁ의 크기는 몇 도입니까?

(   )

유제 11 오른쪽 도형은 이등변삼각형 ㄱㄴㄷ과 마름모 ㄱㄷㄹㅁ을 겹치지 않게 이어 붙인 후 선분 ㅁㄷ을 그은 것입니다. 각 ㄴㄷㅁ의 크기를 구해 보시오.

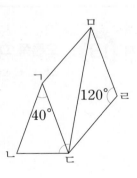

(   )

유제 12 오른쪽 도형은 평행사변형 ㄱㄴㄷㄹ과 직사각형 ㄹㄷㅁㅂ을 겹치지 않게 이어 붙인 후 선분 ㄴㅂ을 그은 것입니다. 각 ㅅㄴㄷ의 크기를 구해 보시오.

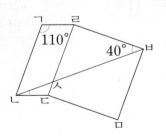

(   )

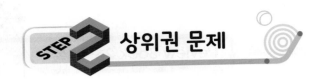

대표유형 7 종이를 접었을 때 생기는 각의 크기 구하기

오른쪽 그림과 같이 평행사변형 모양의 종이를 접었습니다. 각 ㄱㅅㅂ의 크기를 구해 보시오.

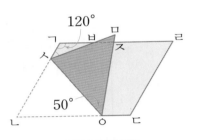

(1) 각 ㄱㄴㄷ의 크기는 몇 도입니까?

(   )

(2) 각 ㄴㅅㅁ의 크기는 몇 도입니까?

(   )

(3) 각 ㄱㅅㅂ의 크기는 몇 도입니까?

(   )

비법 PLUS ✚

종이를 접었을 때 접은 부분과 접힌 부분은 모양과 크기가 같으므로 접은 각과 접힌 각의 크기는 같습니다.

유제 13 오른쪽 그림과 같이 마름모 모양의 종이를 접었습니다. 각 ㄴㅂㅁ의 크기를 구해 보시오.

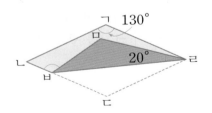

(   )

유제 14 오른쪽 그림과 같이 평행사변형 모양의 종이를 접었습니다. 각 ㅂㅁㄷ의 크기를 구해 보시오.

(   )

신유형 8 평행선의 수 구하기

직선만을 이용하여 여러 가지 모양을 만들어 내는 것을 스트링아트라고 합니다. 연후는 미술 시간에 스트링아트 작품을 만들었습니다. 원 위에 일정한 간격으로 누름 못을 8개 꽂은 다음 1부터 시작하여 각 수에서 3번째에 있는 누름 못끼리 실로 연결했습니다. 연결한 모양에서 평행선은 모두 몇 쌍인지 구해 보시오.

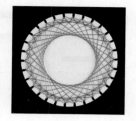

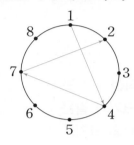

(1) 1부터 시작하여 각 수에서 3번째에 있는 수를 연결한 모양을 그려 보시오.

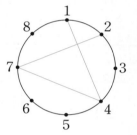

신유형 PLUS ＋

스트링아트
선 위에 일정한 간격으로 점을 찍고 두 점을 일정한 간격으로 연결하면 다양한 모양의 스트링아트 작품을 만들 수 있습니다.

(2) 위 (1)의 연결한 모양에서 평행선은 모두 몇 쌍입니까?

(   )

유제 15 지은이는 미술 시간에 스트링아트 작품을 만들었습니다. 원 위에 일정한 간격으로 누름 못을 10개 꽂은 다음 1부터 시작하여 각 수에서 3번째에 있는 누름 못끼리 실로 연결했습니다. 연결한 모양에서 평행선은 모두 몇 쌍인지 구해 보시오.

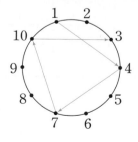

(   )

비법 PLUS +

1 수선도 있고 평행선도 있는 알파벳은 모두 몇 개인지 구해 보시오.

E F L T H N

(   )

• 서술형 문제 •

2 오른쪽 그림에서 직선 ㄱㄴ과 직선 ㄷㄹ은 서로 수직입니다. 각 ㄷㄹㄴ을 크기가 같은 각 3개로 나누었을 때, 각 ㄱㄹㅁ의 크기를 구하려고 합니다. 풀이 과정을 쓰고 답을 구해 보시오.

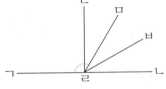

○ 각 ㄷㄹㄴ을 크기가 같은 각 3개로 나눈 각 중 한 각의 크기를 먼저 구합니다.

풀이 _____

_____

_____

답 _____

3 직선 가, 직선 나, 직선 다, 직선 라는 서로 평행합니다. 직선 나와 직선 다 사이의 거리는 몇 cm인지 구해 보시오.

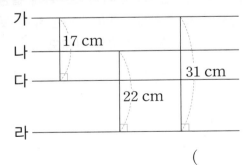

(   )

4 오른쪽 도형은 모양과 크기가 같고 네 변의 길이의 합이 40 cm인 평행사변형 3개를 겹치지 않게 이어 붙여서 만든 마름모입니다. 굵은 선의 길이는 몇 cm인지 구해 보시오.

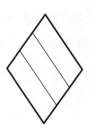

(   )

5 오른쪽 평행사변형 ㄱㄴㄷㄹ에서 각 ㄴㄷㅁ과 각 ㄹㄷㅁ의 크기가 같을 때, 각 ㄱㅁㄷ의 크기를 구해 보시오.

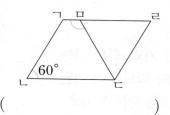

(   )

○ 평행사변형에서 이웃한 두 각의 크기의 합은 180°임을 이용하여 먼저 각 ㄴㄱㄹ과 각 ㄴㄷㄹ의 크기를 구합니다.

6 오른쪽은 사다리꼴 ㄱㄴㄷㄹ의 한 변 ㄱㄹ을 한쪽으로 늘인 것입니다. 각 ㄹㄱㄴ의 크기가 각 ㄹㄷㄴ의 크기의 2배일 때, 각 ㄱㄴㄷ의 크기를 구해 보시오.

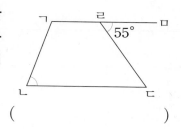

(   )

○ 사다리꼴 ㄱㄴㄷㄹ에서 변 ㄱㄹ과 변 ㄴㄷ은 서로 평행합니다.

7 도형에서 찾을 수 있는 크고 작은 정삼각형과 크고 작은 마름모의 수의 합은 모두 몇 개인지 구해 보시오.

(   )

8 오른쪽 사다리꼴 ㄱㄴㄷㄹ에서 변 ㄱㄹ의 길이는 몇 cm인지 구해 보시오.

(   )

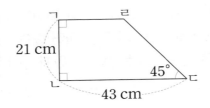

비법 PLUS ＋

○ 사다리꼴에 수선을 그어 직사각형과 삼각형으로 나누고, 길이가 같은 변을 찾아봅니다.

• 서술형 문제 •

9 오른쪽 그림에서 직선 가와 직선 나는 서로 평행합니다. ㉠의 각도는 얼마인지 풀이 과정을 쓰고 답을 구해 보시오.

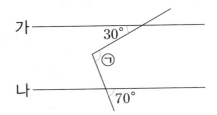

○ 각도가 ㉠인 각의 꼭짓점을 지나고 직선 가, 직선 나와 평행한 직선을 그어 봅니다.

풀이 _____

_____

_____

답 _____

10 오른쪽은 평행사변형 ㄱㄴㄷㄹ에 선분을 2개 그은 것입니다. 각 ㅅㅈㅂ의 크기를 구해 보시오.

(   )

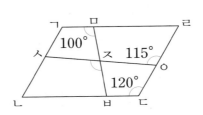

창의융합형 문제

11 빛이 공기 중에서 물속으로 들어갈 때 빛의 진행 방향이 바뀌거나 꺾여서 그림과 같이 여러 각이 생깁니다. 이때 공기와 물의 경계선에 수직인 선분 가와 빛이 이루는 각을 입사각, 반사각, 굴절각이라고 하고 입사각과 반사각의 크기는 같습니다. 그림에서 입사각은 70°, 굴절각은 45°일 때 ㉠과 ㉡의 각도의 차를 구해 보시오.

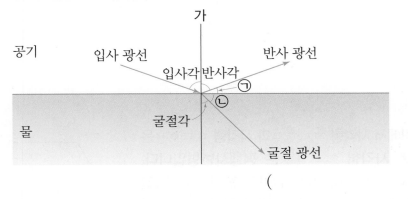

(   )

12 스테인드글라스는 색유리를 이어 붙이거나 유리에 색을 칠하여 무늬나 그림을 나타낸 장식용 판유리입니다. 색유리 창으로 빛이 통과하여 시간에 따라 변화하는 모습은 빛과 색채의 예술이라고 할 수 있습니다. 다음은 스테인드글라스 무늬의 일부분입니다. 나누어진 4개의 사각형이 모두 정사각형일 때, 직사각형 ㄱㄴㄷㄹ의 네 변의 길이의 합은 몇 cm인지 구해 보시오.

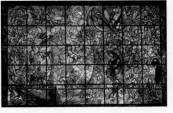

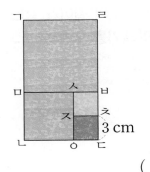

(   )

1 오른쪽 평행사변형 ㄱㄴㄷㄹ의 네 변의 길이의 합은 몇 cm인지 구해 보시오.

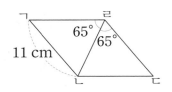

(   )

2 오른쪽 그림에서 사각형 ㄱㄴㄷㄹ과 사각형 ㅁㄷㅇㅂ은 마름모이고, 사각형 ㄹㅁㅂㅅ은 평행사변형입니다. 마름모 ㄱㄴㄷㄹ의 네 변의 길이의 합이 64 cm일 때, 평행사변형 ㄹㅁㅂㅅ의 네 변의 길이의 합은 몇 cm인지 구해 보시오.

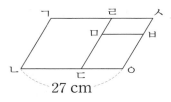

(   )

3 오른쪽 그림에서 사각형 ㄱㄴㄷㄹ은 사다리꼴이고, 삼각형 ㄱㄴㄹ은 변 ㄱㄴ과 변 ㄱㄹ의 길이가 같은 이등변삼각형입니다. 각 ㄴㄱㄹ의 크기를 구해 보시오.

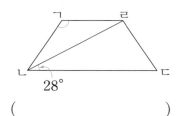

(   )

4 오른쪽 그림에서 직선 가와 직선 나는 서로 수직이고, 직선 다와 직선 라는 서로 평행합니다. ㉠의 각도를 구해 보시오.

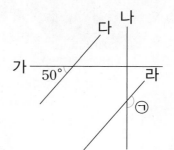

(   )

5 오른쪽 그림에서 사각형 ㄱㄴㄷㄹ은 평행사변형이고, 삼각형 ㄱㄴㅁ은 이등변삼각형입니다. 각 ㄱㅁㅂ의 크기가 각 ㅂㅁㄷ의 크기의 3배일 때, 각 ㅁㅂㄷ의 크기를 구해 보시오.

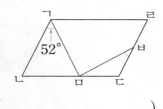

(   )

6 직선 가와 직선 나는 서로 평행합니다. 사각형 ㄱㄴㄷㄹ이 정사각형일 때, ㉠의 각도를 구해 보시오.

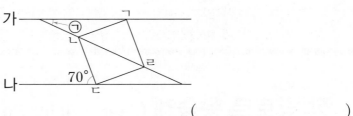

(   )

장 빅토르 퐁슬레 (Jean-Victor Poncelet)

- **출생~사망:** 1788~1867
- **국적:** 프랑스
- **업적:** 근세 종합 기하학(도형 및 공간의 성질에 대해 연구하는 학문)의 창립자로, 나폴레옹 제정 러시아 원정에 종군하였다가 포로가 되어 수용소에서 사영 기하학(도형에 빛을 비추어 생긴 학문)을 연구하여 『도형의 사영적 성질론』을 발표하였습니다.

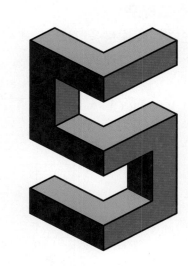

꺾은선그래프

1 꺾은선그래프

꺾은선그래프: 수량을 점으로 표시하고, 그 점들을 선분으로 이어 그린 그래프

하루 기온

- 가로는 시각, 세로는 기온을 나타냅니다.
- 세로 눈금 한 칸은 1 ℃를 나타냅니다.
- 꺾은선은 하루 기온의 변화를 나타냅니다.

개념 PLUS⁺

★ 그래프별 특징
- 그림그래프: 자료의 특징을 나타내는 그림으로 항목별 크기를 한눈에 쉽게 비교할 수 있습니다.
- 막대그래프: 항목별 크기를 한눈에 쉽게 비교할 수 있습니다.
- 꺾은선그래프: 시간에 따른 자료의 변화를 파악하기 쉽습니다.

2 꺾은선그래프의 내용

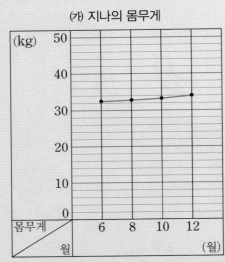

(가) 지나의 몸무게

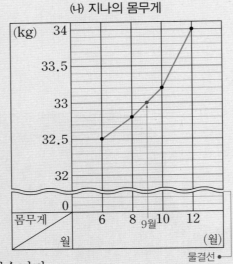

(나) 지나의 몸무게

물결선

- 지나의 몸무게는 계속 늘어나고 있습니다.
- 지나의 몸무게가 가장 많이 변한 때는 10월과 12월 사이입니다.
- 9월의 몸무게는 33 kg이었을 것이라고 예상할 수 있습니다.
  └ 8월과 10월의 몸무게의 중간으로 예상할 수 있습니다.
- (가) 그래프: 세로 눈금이 0부터 시작합니다.
- (나) 그래프: 물결선이 있고 물결선 위로 32부터 시작합니다.
- ⇨ 필요 없는 부분을 줄여서 나타내면 변화하는 모습을 잘 나타낼 수 있습니다.

개념 PLUS⁺

★ 꺾은선그래프에서 변화하는 모양과 정도

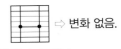 ⇨ 변화 없음.

증가 | 감소
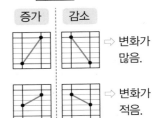 ⇨ 변화가 많음.

⇨ 변화가 적음.

[1~2] 어느 하루 교실의 온도를 조사하여 나타낸 꺾은선그래프입니다. 물음에 답하시오.

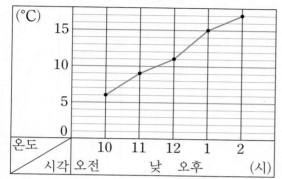

1 오후 2시의 온도는 오전 11시의 온도보다 몇 °C 더 높습니까?

( )

2 교실의 온도가 가장 많이 변한 때는 몇 시와 몇 시 사이입니까?

( )

3 토마토 싹의 키를 4일마다 조사하여 나타낸 꺾은선그래프입니다. 11일의 토마토 싹의 키는 몇 cm였을지 예상해 보시오.

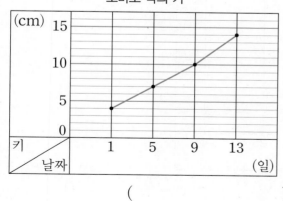

( )

[4~6] 어느 회사의 월별 자전거 생산량을 조사하여 나타낸 꺾은선그래프입니다. 물음에 답하시오.

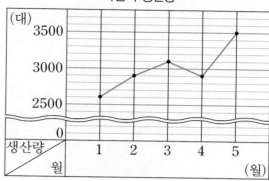

4 그래프를 보고 알 수 있는 내용을 두 가지 써 보시오.

답 _____

_____

_____

5 자전거 생산량이 전월에 비해 가장 많이 늘어난 때는 몇 월입니까?

( )

6 1월부터 5월까지 생산한 자전거는 모두 몇 대 입니까?

( )

③ 꺾은선그래프 그리기

① 가로와 세로 중 어느 쪽에 조사한 수를 나타낼 것인가를 정합니다.

② 눈금 한 칸의 크기를 정하고, 조사한 수 중에서 가장 큰 수를 나타낼 수 있도록 눈금의 수를 정합니다.

③ 가로 눈금과 세로 눈금이 만나는 자리에 점을 찍습니다.

④ 점들을 선분으로 잇습니다.

⑤ 꺾은선그래프에 알맞은 제목을 붙입니다.

강아지의 몸무게

월(월)	4	5	6	7
몸무게(kg)	3	8	10	13

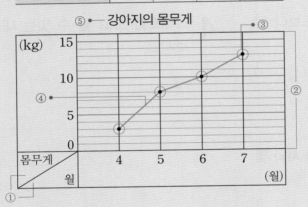

개념 PLUS

★ 물결선을 이용하여 꺾은선그 래프 그리기

달리기 기록

월(월)	5	6	7
기록(초)	19	24	21

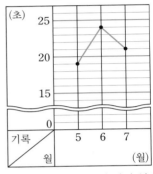

0과 19 사이에 자료의 값이 없으 므로 물결선을 이용하여 세로 눈 금을 생략할 수 있습니다.

④ 두 꺾은선그래프 비교하기

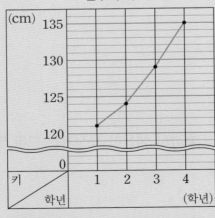

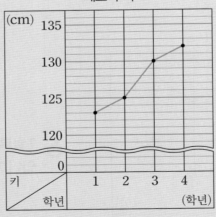

• 민주와 세호의 키는 점점 자라고 있습니다.

• 세호의 키가 전 학년에 비해 가장 많이 자란 때는 3학년입니다.

• 키의 변화가 더 크게 나타난 사람은 민주입니다.

1 선영이가 키우고 있는 월별 고양이의 몸무게를 조사하여 나타낸 표입니다. 표를 보고 꺾은선 그래프로 나타내어 보시오.

고양이의 몸무게

월(월)	4	5	6	7	8
몸무게(kg)	5	8	12	13	15

고양이의 몸무게

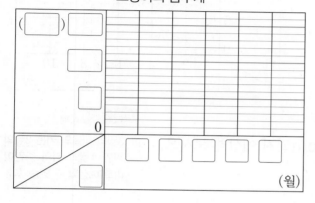

2 어느 지역의 하루 중 최저 기온을 조사하여 나타낸 표입니다. 표를 보고 꺾은선그래프로 나타내어 보시오.

하루 중 최저 기온

날짜(일)	2	4	6	8	10
기온(℃)	7.1	7.6	7.7	8.1	8.5

하루 중 최저 기온

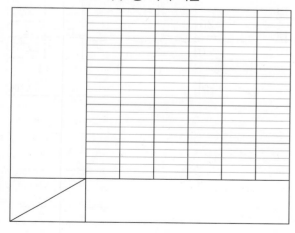

[3~5] 10월 한 달 동안 어느 지역의 해 뜨는 시각과 해 지는 시각을 조사하여 나타낸 꺾은선그래프입니다. 물음에 답하시오.

해 뜨는 시각

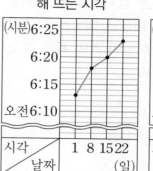

해 지는 시각

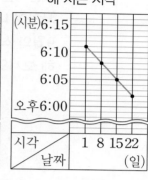

3 해 뜨는 시각은 어떻게 변하고 있습니까?

( )

4 일주일 후인 10월 29일의 해 지는 시각은 몇 시 몇 분일지 예상해 보시오.

( )

5 10월 8일의 낮의 길이는 몇 시간 몇 분입니까?

( )

대표유형 1 꺾은선그래프에서 측정하지 않은 값 예상하기

오른쪽은 영지가 식물의 키를 2달마다 조사하여 나타낸 꺾은선그래프입니다. 3월과 9월의 식물의 키의 차는 몇 cm일지 예상해 보시오.

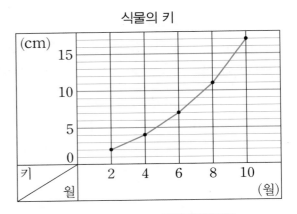

(1) 3월과 9월의 식물의 키는 각각 몇 cm일지 예상해 보시오.

3월 (   )

9월 (   )

(2) 3월과 9월의 식물의 키의 차는 몇 cm일지 예상해 보시오.

(   )

비법 PLUS +

3월의 식물의 키는 2월의 키와 4월의 키의 중간이라고 예상할 수 있습니다.

유제 1

• 서술형 문제 •

오른쪽은 승철이의 몸무게를 매년 1월에 조사하여 나타낸 꺾은선그래프입니다. 승철이가 8살인 해의 7월의 몸무게와 10살인 해의 7월의 몸무게의 차는 몇 kg일지 예상해 보려고 합니다. 풀이 과정을 쓰고 답을 구해 보시오.

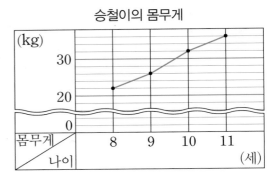

풀이

답

대표유형 2 두 가지 자료를 나타낸 꺾은선그래프의 자료의 값 비교하기

오른쪽은 어느 하루 바닷가의 기온과 수온을 조사하여 나타낸 꺾은선그래프입니다. 기온과 수온의 온도의 차가 가장 큰 때는 몇 시이고, 이때의 온도의 차는 몇 °C인지 구해 보시오.

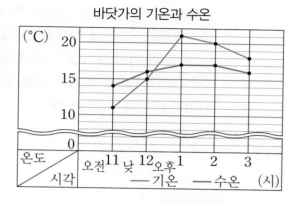

바닷가의 기온과 수온

(1) 기온과 수온의 온도의 차가 가장 큰 때는 몇 시입니까?

(   )

(2) 기온과 수온의 온도 차가 가장 큰 때의 온도의 차는 몇 °C 입니까?

(   )

비법 PLUS +

- 두 자료의 값의 차가 가장 큰 때
  ⇨ 두 자료를 나타내는 점의 사이가 가장 많이 벌어진 때
- 두 자료의 값의 차가 가장 작은 때
  ⇨ 두 자료를 나타내는 점의 사이가 가장 적게 벌어진 때

유제 2 오른쪽은 아름이와 민지의 요일별 윗몸 일으키기 횟수를 조사하여 나타낸 꺾은선그래프입니다. 두 사람의 윗몸 일으키기 횟수의 차가 가장 작은 때는 무슨 요일이고, 이때의 횟수의 차는 몇 회인지 구해 보시오.

(,   )

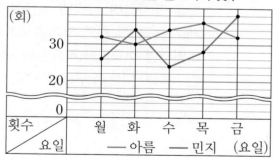

아름이와 민지의 윗몸 일으키기 횟수

유제 3 오른쪽은 ㉮와 ㉯ 회사의 월별 자동차 판매량을 조사하여 나타낸 꺾은선그래프입니다. 두 회사의 자동차 판매량의 차가 가장 큰 때는 몇 월이고, 이때의 판매량의 차는 몇 대인지 구해 보시오.

(,   )

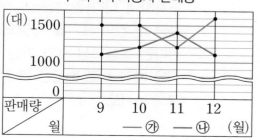

두 회사의 자동차 판매량

대표유형 **3** **세로 눈금 한 칸의 크기를 바꾸어 나타내기**

오른쪽은 은선이가 4일 동안 마신 우유의 양을 조사하여 나타낸 꺾은선그래프입니다. 세로 눈금 한 칸의 크기를 10 mL로 하여 다시 그린다면 14일과 15일의 세로 눈금은 몇 칸 차이가 나는지 구해 보시오.

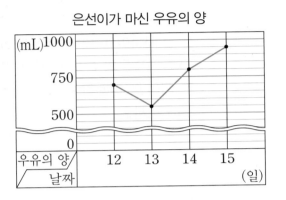
은선이가 마신 우유의 양

(1) 14일과 15일에 마신 우유의 양의 차는 몇 mL입니까?

( )

(2) 세로 눈금 한 칸의 크기를 10 mL로 하여 다시 그린다면 14일과 15일의 세로 눈금은 몇 칸 차이가 나겠습니까?

( )

비법 PLUS +

(세로 눈금 칸 수의 차)
＝(자료의 값의 차)
÷(세로 눈금 한 칸의 크기)

유제 **4** 오른쪽은 성진이의 요일별 오래 매달리기 기록을 조사하여 나타낸 꺾은선그래프입니다. 세로 눈금 한 칸의 크기를 4초로 하여 다시 그린다면 수요일과 목요일의 세로 눈금은 몇 칸 차이가 나는지 구해 보시오.

( )

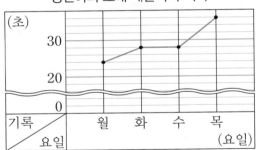
성진이의 오래 매달리기 기록

유제 **5** 오른쪽은 어느 지역의 연도별 초등학생 수를 조사하여 나타낸 꺾은선그래프입니다. 세로 눈금 한 칸의 크기를 20명으로 하여 다시 그린다면 초등학생 수가 가장 많은 때와 가장 적은 때의 세로 눈금은 몇 칸 차이가 나는지 구해 보시오.

( )

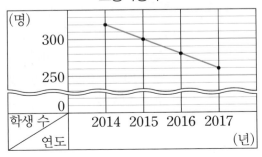
초등학생 수

대표유형 **4** **변화량이 일정할 때 자료의 값 예상하기**

오른쪽은 개미가 일정한 빠르기로 움직인 거리를 3초마다 조사하여 나타낸 꺾은선그래프입니다. 개미가 같은 빠르기로 움직인다면 15초 동안 움직이는 거리는 모두 몇 cm인지 구해 보시오.

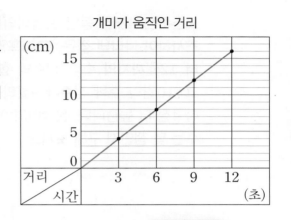

개미가 움직인 거리

(1) 개미는 3초마다 몇 cm씩 움직입니까?

(   )

(2) 15초 동안 개미가 움직이는 거리는 모두 몇 cm입니까?

(   )

비법 PLUS **+**

일정한 시간이 지날 때마다 개미는 몇 cm씩 움직이는지 알아봅니다.

유제 **6** 오른쪽은 일정한 빠르기로 물탱크에 채운 물의 양을 10초마다 조사하여 나타낸 꺾은선그래프입니다. 1분 동안 물탱크에 채우는 물의 양은 모두 몇 L인지 구해 보시오.

(   )

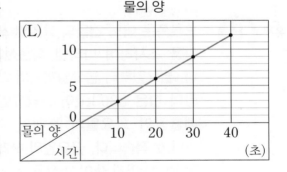

물의 양

유제 **7** 오른쪽은 현수가 훌라후프를 돌린 횟수를 조사하여 나타낸 꺾은선그래프입니다. 현수가 매일 일정한 횟수만큼 늘려 가며 훌라후프를 돌린다면 같은 달 20일에 돌리는 훌라후프 횟수는 모두 몇 회인지 구해 보시오.

(   )

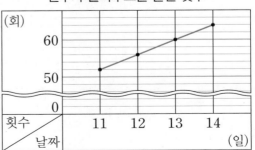

현수가 훌라후프를 돌린 횟수

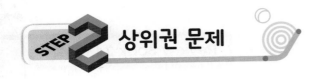
대표유형 5 꺾은선그래프에서 모르는 자료의 값 구하기

오른쪽은 4개월 동안 은성이의 수학 점수를 조사하여 나타낸 꺾은선그래프입니다. 9월부터 12월까지의 수학 점수의 합은 352점이고, 10월의 수학 점수가 9월의 수학 점수보다 4점 더 높습니다. 은성이의 9월의 수학 점수는 몇 점인지 구해 보시오.

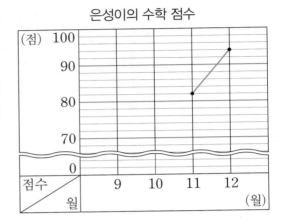

은성이의 수학 점수

(1) 9월과 10월의 수학 점수의 합은 몇 점입니까?

(   )

(2) 9월의 수학 점수는 몇 점입니까?

(   )

비법 PLUS +

9월의 수학 점수: ☐점
⇨ 10월의 수학 점수:
(☐+4)점

유제 8

• 서술형 문제 •

오른쪽은 어느 건물의 요일별 쓰레기 배출량을 조사하여 나타낸 꺾은선그래프입니다. 월요일부터 금요일까지의 쓰레기 배출량의 합은 830 kg이고 금요일의 쓰레기 배출량이 화요일의 쓰레기 배출량보다 20 kg 적습니다. 금요일의 쓰레기 배출량은 몇 kg인지 풀이 과정을 쓰고 답을 구해 보시오.

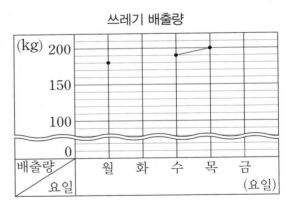

쓰레기 배출량

풀이

_____

_____

_____

답 _____

신유형 **6** 눈금의 크기가 주어지지 않은 꺾은선그래프에서 세로 눈금 한 칸의 크기 구하기

양초에 불을 붙이고 1분마다 양초의 길이를 조사하여 두 꺾은선그래프로 나타내었습니다. ㈜ 그래프의 세로 눈금 한 칸의 크기는 몇 cm인지 구해 보시오.

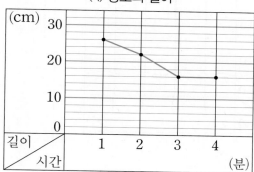
㈜ 양초의 길이

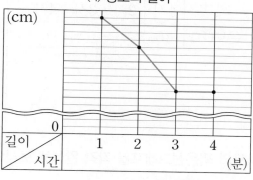
㈜ 양초의 길이

(1) ㈜ 그래프의 1분과 2분의 양초의 길이의 차는 몇 cm입니까?

(   )

(2) ㈜ 그래프의 1분과 2분의 양초의 길이의 차는 세로 눈금 몇 칸입니까?

(   )

(3) ㈜ 그래프의 세로 눈금 한 칸의 크기는 몇 cm입니까?

(   )

신유형 PLUS ✚

두 그래프의 1분과 2분의 양초의 길이의 차는 같습니다.

유제 **9** 준호와 지안이가 어느 지역의 1인당 쌀 소비량을 조사하여 나타낸 꺾은선그래프입니다. 지안이가 나타낸 꺾은선그래프의 세로 눈금 한 칸의 크기는 몇 kg인지 구해 보시오.

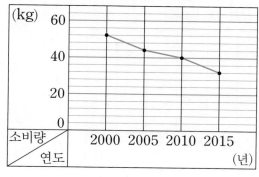
(준호) 1인당 쌀 소비량

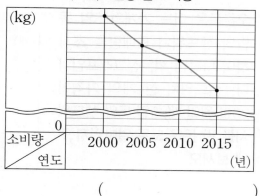
(지안) 1인당 쌀 소비량

(   )

[1~2] 어느 하루 운동장의 온도를 조사하여 나타낸 표와 꺾은선그래프입니다. 오후 3시의 온도가 오후 4시의 온도보다 2 ℃ 더 높습니다. 물음에 답하시오.

운동장의 온도

시각	오후 1시	오후 2시	오후 3시	오후 4시
온도(℃)	15			

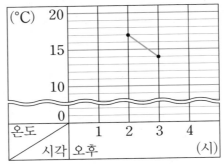

운동장의 온도

1 표와 꺾은선그래프를 각각 완성해 보시오.

2 운동장의 온도가 13 ℃인 때는 언제일지 예상해 보시오.

( )

3 오른쪽은 태주네와 석희네가 기르고 있는 강아지의 몸무게를 매월 1일에 조사하여 나타낸 꺾은선그래프입니다. 태주네와 석희네의 강아지의 몸무게가 같은 때는 모두 몇 번인지 구해 보시오.

( )

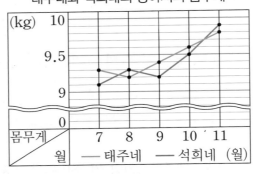

태주네와 석희네의 강아지의 몸무게

4 오른쪽은 어느 가게의 5일 동안의 샌드위치 판매량을 조사하여 나타낸 꺾은선그래프입니다. 샌드위치 한 개의 가격이 2000원일 때, 5일 동안 샌드위치를 판 돈은 모두 얼마인지 구해 보시오.

( )

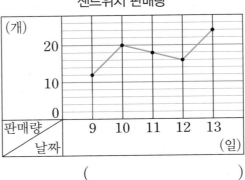

샌드위치 판매량

비법 PLUS ✚

○ 세로 눈금이 13 ℃인 때의 가로 선과 꺾은선이 만나는 점에서 세로 선을 그어 가로 눈금의 시각을 알아본다.

○ 두 가지 자료를 나타낸 꺾은선그래프에서 자료의 값이 같은 때
⇨ 두 꺾은선이 만난 때

5 오른쪽은 지은이의 발 길이를 매년 1월에 조사하여 나타낸 꺾은선그래프입니다. 지은이가 9살인 해의 7월의 발 길이와 10살인 해의 7월의 발 길이의 차는 몇 mm일지 예상해 보시오.

(   )

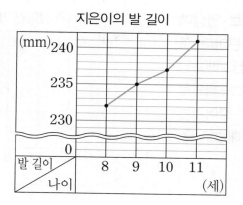

비법 PLUS ✛

6 오른쪽은 어느 과수원의 연도별 사과 생산량을 조사하여 나타낸 꺾은선그래프입니다. 4년 동안의 사과 생산량의 합이 980 kg일 때, ㉠과 ㉡에 각각 알맞은 수를 차례대로 써 보시오.

(,   )

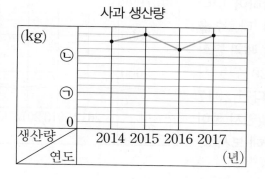

○ (세로 눈금 한 칸의 크기)
 ＝980
 ÷(4년 동안의 사과 생산량의 세로 눈금 칸 수의 합)

● 서술형 문제 ●

7 오른쪽은 서희와 우주의 몸무게를 3개월마다 조사하여 나타낸 꺾은선그래프입니다. 우주가 서희보다 0.2 kg 더 무거운 때의 두 사람의 몸무게의 합은 몇 kg인지 풀이 과정을 쓰고 답을 구해 보시오.

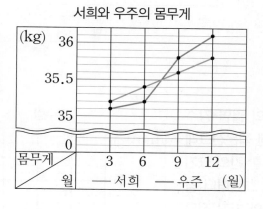

○ 우주가 서희보다 0.2 kg 더 무거운 때는 우주의 몸무게를 나타내는 점이 서희의 몸무게를 나타내는 점보다 몇 칸 더 위에 있는 때인지 알아봅니다.

풀이 _____

_____

_____

답 _____

8 오른쪽은 현서가 경보 연습에서 걸어간 거리를 2분마다 조사하여 나타낸 꺾은선그래프입니다. 현서가 일정한 규칙으로 걸었다면 12분 동안 걸어가는 거리는 몇 m인지 구해 보시오.

(   )

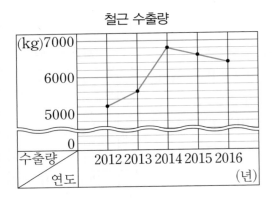

현서가 걸어간 거리

● 서술형 문제 ●

9 오른쪽은 어느 공장의 연도별 철근 수출량을 조사하여 나타낸 꺾은선그래프입니다. 수출량이 가장 많이 변한 때의 변화량만큼 2016년과 2017년 사이에 수출량이 줄었다면 2017년의 수출량은 몇 kg인지 풀이 과정을 쓰고 답을 구해 보시오.

철근 수출량

풀이

답

10 오른쪽은 어느 지역의 월별 강수량을 조사하여 나타낸 꺾은선그래프입니다. 세로 눈금 한 칸의 크기를 다르게 하여 다시 그렸더니 강수량이 가장 많은 때와 가장 적은 때의 세로 눈금의 칸 수의 차가 18칸이었습니다. 다시 그린 그래프는 세로 눈금 한 칸의 크기를 몇 mm로 한 것인지 구해 보시오.

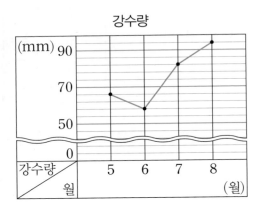

강수량

(   )

비법 PLUS ✚

◉ 강수량이 가장 많은 때와 가장 적은 때의 세로 눈금 칸 수의 차를 이용하여 강수량의 차를 먼저 알아봅니다.

창의융합형 문제

11 우리나라의 인구 문제 중 하나는 출생아 수는 줄고 사망자 수는 늘고 있다는 것입니다. 우리나라의 연도별 출생아 수와 사망자 수를 조사하여 나타낸 꺾은선그래프입니다. 사망자 수가 전년도에 비해 가장 많이 늘어난 때에 출생아 수는 전년도에 비해 몇 명 늘었는지, 줄었는지 구해 보시오.

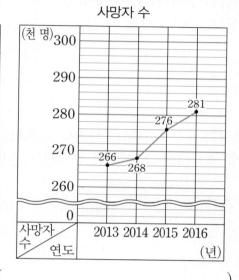

(　　　　　　　　　　)

창의융합 PLUS ✚

○ 인구 자연증가
인구 자연증가란 출생아 수에서 사망자 수를 뺀 값입니다. 우리나라는 출생아 수가 점점 줄고 사망자 수는 점점 늘면서 인구 자연증가의 폭이 점점 줄어들고 있습니다.

12 영재는 물체의 무게에 따른 용수철의 길이 변화를 알아보기 위하여 무게가 100 g인 추를 한 개씩 매달면서 늘어난 용수철의 길이를 재어 오른쪽과 같은 꺾은선그래프로 나타내었습니다. 용수철의 길이가 59 cm일 때, 용수철에 매단 추의 무게는 몇 kg인지 구해 보시오.

(　　　　　　　)

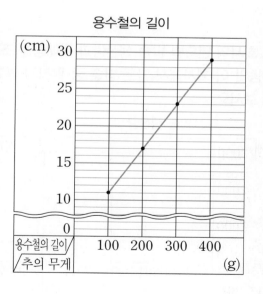

○ 용수철 저울
용수철이 늘어나는 길이를 이용하여 무게를 측정하는 저울로 매단 물체의 무게가 무거울수록 길이가 늘어납니다.

1 오른쪽은 어느 회사에서 만든 세탁기 ㉮, ㉯, ㉰의 월별 판매량을 조사하여 나타낸 꺾은선그래프입니다. 판매량이 가장 많은 때와 가장 적은 때의 판매량의 차가 가장 큰 세탁기는 어느 것인지 구해 보시오.

(   )

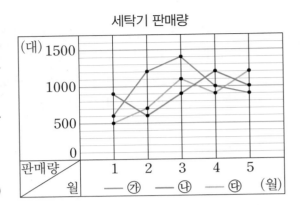

세탁기 판매량

2 어느 지역의 오후 3시부터 8시까지 시간대별 적설량을 조사하여 나타낸 표와 누적 적설량을 조사하여 나타낸 꺾은선그래프입니다. 꺾은선그래프를 완성해 보시오.

시간대별 적설량

시간	적설량(mm)
3시~4시	2
4시~5시	6
5시~6시	
6시~7시	2
7시~8시	3

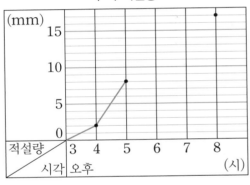

누적 적설량

3 어느 회사의 연도별 밥솥 생산량과 판매량을 조사하여 나타낸 꺾은선그래프입니다. 4년 동안 이 회사에서 만든 밥솥 중 팔리지 않고 남아 있는 밥솥은 모두 몇 개인지 구해 보시오.

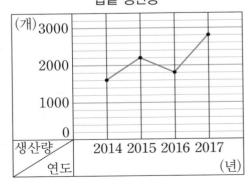

밥솥 생산량

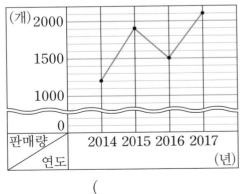

밥솥 판매량

(   )

4 오른쪽은 예지의 월별 저축액을 조사하여 나타낸 꺾은선그래프입니다. 5개월 동안의 저축액의 합은 51600원이고, 1월의 저축액이 3월의 저축액보다 2400원 더 많습니다. 또 3월의 저축액이 2월의 저축액보다 1200원 더 많을 때 꺾은선그래프를 완성해 보시오.

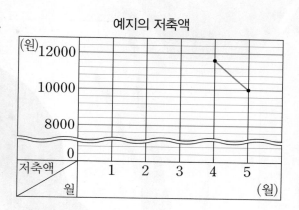

예지의 저축액

5 어느 도시의 월별 관광객 수와 관광 수입액을 조사하여 나타낸 꺾은선그래프입니다. 전월에 비해 관광객 수는 늘었지만 관광 수입액은 줄어든 때의 관광 수입액은 전월에 비해 얼마가 줄었는지 구해 보시오.

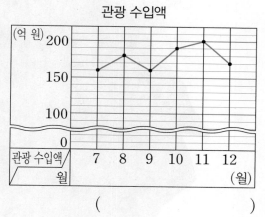

관광객 수   관광 수입액

(   )

6 오른쪽은 기차와 버스가 일정한 빠르기로 달린 거리를 5분마다 조사하여 나타낸 꺾은선그래프입니다. 기차와 버스가 동시에 출발하여 각각 일정한 빠르기로 45분 동안 달린다면 기차와 버스가 달린 거리의 차는 몇 km인지 구해 보시오.

(   )

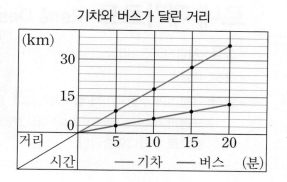

기차와 버스가 달린 거리

르네 데카르트 (René Descartes)

- **출생~사망:** 1596~1650
- **국적:** 프랑스
- **업적:** 프랑스의 수학자이자 철학자입니다. 평면 위의 어떤 점의 위치를 정확하게 설명하기 위해 좌표평면(가로축과 세로축으로 이루어진 평면)을 만들었고 이 좌표평면을 활용해서 직선이나 곡선을 선으로 나타내었습니다.

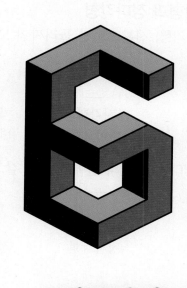

6

다각형

1 다각형과 정다각형

● 다각형: 선분으로만 둘러싸인 도형

사각형　　　　오각형　　　　육각형
(변이 4개)　　(변이 5개)　　(변이 6개)

● 정다각형: 변의 길이가 모두 같고 각의 크기가 모두 같은 다각형

정사각형　　　정오각형　　　정육각형

개념 PLUS+

★ 정■각형의 모든 각의 크기의 합과 한 각의 크기
정■각형은 (■−2)개의 삼각형으로 나눌 수 있고 삼각형의 세 각의 크기의 합은 180°입니다.
· (정■각형의 모든 각의 크기의 합)
　＝180°×(■−2)
· (정■각형의 한 각의 크기)
　＝(정■각형의 모든 각의 크기의 합)÷■

2 대각선

● 대각선: 다각형에서 서로 이웃하지 않는 두 꼭짓점을 이은 선분

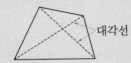

대각선

참고 ▶ 대각선의 수 구하기

■각형의 꼭짓점은 ■개이므로 한 꼭짓점에서 그을 수 있는 대각선은 (■−3)개입니다. 이때, 각 꼭짓점에서 대각선을 그으면 2번씩 겹치므로 ■각형의 대각선의 수는 (■−3)×■를 2로 나누어 구합니다.

● 대각선의 성질

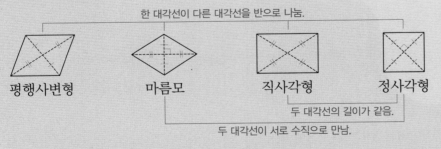

한 대각선이 다른 대각선을 반으로 나눔.

평행사변형　　마름모　　　직사각형　　　정사각형

두 대각선의 길이가 같음.

두 대각선이 서로 수직으로 만남.

3 모양 만들기와 채우기

● 모양 조각으로 모양 만들기

 ⇨

● 모양 조각으로 모양 채우기

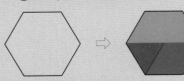

개념 PLUS+

★ 모양 조각의 이름

정삼각형　　사다리꼴

마름모　　　마름모

정사각형　　정육각형

★ 빠른 정답 5쪽, 정답과 풀이 35쪽

1 도형에 대각선을 모두 그어 보고, 대각선은 모두 몇 개인지 써 보시오.

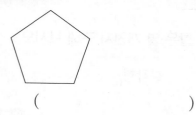

(   )

2 다음 도형은 다각형이 아닙니다. 그 이유를 써 보시오.

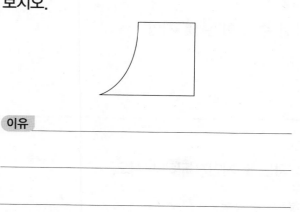

이유 _____

_____

_____

3 사각형 ㄱㄴㄷㄹ은 마름모입니다. ☐ 안에 알맞은 수를 써넣으시오.

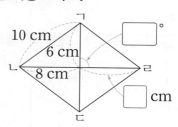

4 수아는 길이가 56 cm인 철사를 겹치지 않게 모두 사용하여 한 변이 7 cm인 정다각형을 한 개 만들었습니다. 수아가 만든 도형의 이름을 써 보시오.

(   )

[5~6] 모양 조각을 보고 물음에 답하시오.

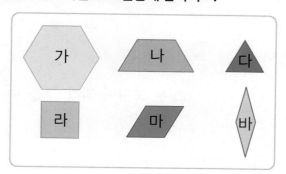

5 모양 조각을 모두 사용하여 다음 모양을 채워 보시오. (단, 같은 모양 조각을 여러 번 사용할 수 있습니다.)

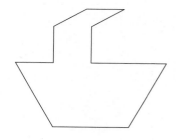

6 다 모양 조각을 사용하여 나 모양 조각 5개를 만들려고 합니다. 다 모양 조각은 모두 몇 개 필요합니까?

(   )

대표유형 **1** 다각형에서 대각선의 수 구하기

두 도형에 각각 그을 수 있는 대각선 수의 합은 몇 개인지 구해 보시오.

> 사각형   칠각형

비법 PLUS ✛

다각형의 대각선 수
(한 꼭짓점에서 그을 수 있는 대각선 수)×(꼭짓점의 수)를 2로 나눕니다.

(1) 사각형과 칠각형에 그을 수 있는 대각선은 각각 몇 개입니까?

사각형 (   )

칠각형 (   )

(2) 두 도형에 각각 그을 수 있는 대각선 수의 합은 몇 개입니까?

(   )

유제 1 두 도형에 각각 그을 수 있는 대각선 수의 차는 몇 개인지 구해 보시오.

> 육각형   팔각형

(   )

유제 2 유라가 그린 다각형에 그을 수 있는 대각선은 27개입니다. 유라가 그린 다각형의 이름을 써 보시오.

(   )

대표유형 ② 대각선의 성질을 이용하여 변의 길이의 합 구하기

오른쪽 직사각형 ㄱㄴㄷㄹ에서 삼각형 ㄱㄴㅁ의 세 변의 길이의 합은 몇 cm인지 구해 보시오.

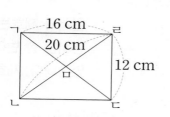

(1) 선분 ㄱㅁ, 선분 ㄴㅁ의 길이는 각각 몇 cm입니까?

선분 ㄱㅁ (   )

선분 ㄴㅁ (   )

(2) 삼각형 ㄱㄴㅁ의 세 변의 길이의 합은 몇 cm입니까?

(   )

비법 PLUS ✚

직사각형은 두 대각선의 길이가 같고, 한 대각선이 다른 대각선을 반으로 나눕니다.

유제 ③ 오른쪽 평행사변형 ㄱㄴㄷㄹ에서 두 대각선의 길이가 각각 14 cm, 18 cm일 때, 삼각형 ㄱㄴㅁ의 세 변의 길이의 합은 몇 cm인지 구해 보시오.

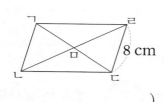

(   )

• 서술형 문제 •

유제 ④ 오른쪽 그림에서 사각형 ㄱㄴㄷㄹ은 직사각형이고, 사각형 ㅁㅂㄷㅅ은 정사각형입니다. 선분 ㄱㅂ과 선분 ㅂㄹ의 길이가 같을 때, 직사각형 ㄱㄴㄷㄹ의 네 변의 길이의 합은 몇 cm인지 풀이 과정을 쓰고 답을 구해 보시오.

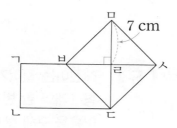

풀이

_____

_____

_____

답 _____

6. 다각형 **103**

대표유형 3 정다각형에서 변의 길이 구하기

현서와 재호는 철사를 똑같이 나누어 가졌습니다. 이 철사를 겹치지 않게 모두 사용하여 현서는 한 변이 10 cm인 정팔각형을 1개 만들었고 재호는 똑같은 정오각형을 4개 만들었습니다. 재호가 만든 정오각형의 한 변은 몇 cm인지 구해 보시오.

비법 PLUS ➕

(정다각형의 모든 변의 길이의 합)
＝(한 변의 길이)
×(변의 수)

(1) 현서와 재호가 나누어 가진 철사의 길이는 각각 몇 cm입니까?

(,   )

(2) 재호가 정오각형을 1개 만드는 데 사용한 철사의 길이는 몇 cm입니까?

(   )

(3) 재호가 만든 정오각형의 한 변은 몇 cm입니까?

(   )

유제 5 승우는 철사를 겹치지 않게 모두 사용하여 한 변이 9 cm인 정십각형을 1개 만든 다음 다시 폈습니다. 이 철사를 겹치지 않게 모두 사용하여 똑같은 정육각형을 3개 만든다면 정육각형의 한 변은 몇 cm가 되는지 구해 보시오.

(   )

유제 6 예진이는 길이가 1 m인 철사를 겹치지 않게 모두 사용하여 한 변이 5 cm인 정십이각형 1개와 한 변이 8 cm인 정다각형을 1개 만들었습니다. 한 변이 8 cm인 정다각형의 이름을 구해 보시오.

(   )

대표유형 4 정다각형에서 각의 크기 구하기

오른쪽 정팔각형에서 각 ㄱㄴㅅ의 크기를 구해 보시오.

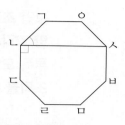

---

(1) 정팔각형의 여덟 각의 크기의 합은 몇 도입니까?

　　　　　　　　　(　　　　　　　　)

(2) 각 ㄱㄴㄷ의 크기는 몇 도입니까?

　　　　　　　　　(　　　　　　)

(3) 각 ㄱㄴㅅ의 크기는 몇 도입니까?

　　　　　　　　　(　　　　　　　　)

비법 PLUS ＋

(정다각형의 모든 각의
크기의 합)
＝180°×(정다각형이
　　　　나눠지는 삼각형의 수)

유제 **7** 오른쪽 정육각형에서 각 ㄹㄷㅁ의 크기를 구해 보시오.

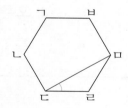

　　　　　　　　(　　　　　　)

● 서술형 문제 ●

유제 **8** 오른쪽 정오각형에서 각 ㄷㄱㄹ의 크기는 몇 도인지 풀이 과정을 쓰고 답을 구해 보시오.

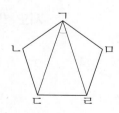

풀이 _____

_____

_____

　　　　　　　　　　　　　　　　　　　　답 _____

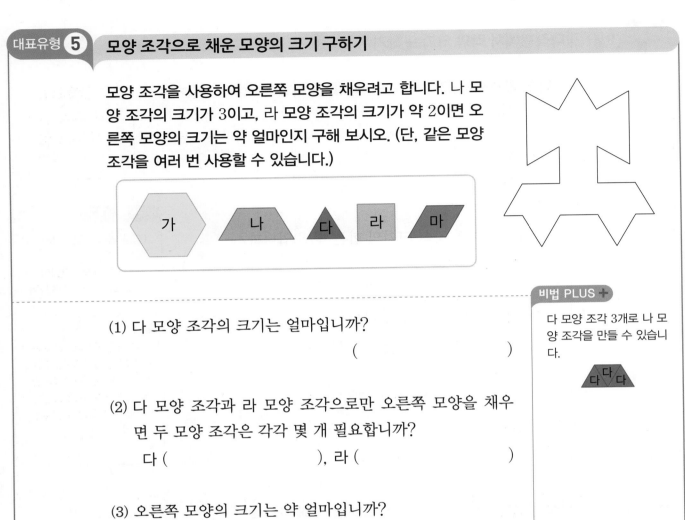

대표유형 **5** 모양 조각으로 채운 모양의 크기 구하기

모양 조각을 사용하여 오른쪽 모양을 채우려고 합니다. 나 모양 조각의 크기가 3이고, 라 모양 조각의 크기가 약 2이면 오른쪽 모양의 크기는 약 얼마인지 구해 보시오. (단, 같은 모양 조각을 여러 번 사용할 수 있습니다.)

비법 PLUS +

다 모양 조각 3개로 나 모양 조각을 만들 수 있습니다.

(1) 다 모양 조각의 크기는 얼마입니까?

( )

(2) 다 모양 조각과 라 모양 조각으로만 오른쪽 모양을 채우면 두 모양 조각은 각각 몇 개 필요합니까?

다 ( ), 라 ( )

(3) 오른쪽 모양의 크기는 약 얼마입니까?

( )

유제 **9** 위 대표유형 **5** 의 모양 조각을 사용하여 주어진 모양을 채우려고 합니다. 가 모양 조각의 크기가 6이고, 라 모양 조각의 크기가 약 2이면 주어진 모양의 크기는 약 얼마인지 구해 보시오. (단, 같은 모양 조각을 여러 번 사용할 수 있습니다.)

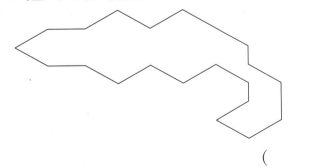

( )

★ 빠른 정답 5쪽, 정답과 풀이 35쪽

신유형 6 | 다각형의 변과 대각선의 수 구하기

어느 버스 회사에서는 그림과 같은 마을에 두 마을 사이를 다니는 버스 노선을 만들기로 했습니다. 서로 이웃한 마을끼리는 마을 버스 노선을, 서로 이웃하지 않는 마을끼리는 일반 버스 노선을 만든다면 일반 버스 노선은 마을 버스 노선보다 몇 개 더 많은지 구해 보시오. (단, 두 마을을 왕복하는 노선은 1개로 생각합니다.)

가 마을   바 마을

나 마을   마 마을

다 마을   라 마을

(1) 마을 버스 노선은 몇 개 만들어야 합니까?

(   )

(2) 일반 버스 노선은 몇 개 만들어야 합니까?

(   )

(3) 일반 버스 노선은 마을 버스 노선보다 몇 개 더 많습니까?

(   )

신유형 PLUS +

각 마을을 꼭짓점으로 하는 육각형을 생각하면 마을 버스 노선은 육각형의 변이 되고, 일반 버스 노선은 육각형의 대각선이 됩니다.

유제 10 지영이는 그림과 같이 스티로폼에 나무젓가락을 끼우고 두 나무젓가락 사이를 고무줄로 연결하려고 합니다. 서로 이웃한 나무젓가락에는 노란색 고무줄을, 서로 이웃하지 않는 나무젓가락에는 빨간색 고무줄을 연결한다면 어느 색 고무줄이 몇 개 더 필요한지 구해 보시오.

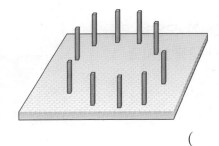

(,   )

1 직사각형 ㄱㄴㄷㄹ에서 각 ㄱㄴㄹ의 크기를 구해 보시오.

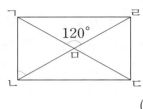

(   )

2 철사로 한 변이 18 cm인 정육각형을 1개 만들었습니다. 이 철사를 다시 펴서 똑같은 정오각형을 5개 만들었더니 8 cm가 남았습니다. 만든 정오각형의 한 변은 몇 cm인지 구해 보시오. (단, 철사를 겹치지 않게 사용합니다.)

(   )

3 정오각형에 평행선을 그은 것입니다. 평행선이 정오각형의 꼭짓점을 지날 때 ㉠의 각도를 구해 보시오.

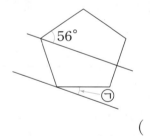

○ 먼저 정오각형의 한 각의 크기를 구해 봅니다.

(   )

4 모양 조각을 사용하여 오른쪽 모양을 만들었습니다. ㉠과 ㉡의 각도를 각각 구해 보시오.

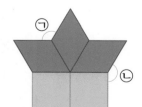

㉠ (   )

㉡ (   )

5 모양 조각을 사용하여 한 변이 $3 \, cm$인 정삼각형을 만들려고 합니다. 모양 조각을 가장 많이 사용하는 방법과 가장 적게 사용하는 방법으로 정삼각형을 각각 만들어 보시오. (단, 같은 모양 조각을 여러 번 사용할 수 있습니다.)

비법 PLUS +

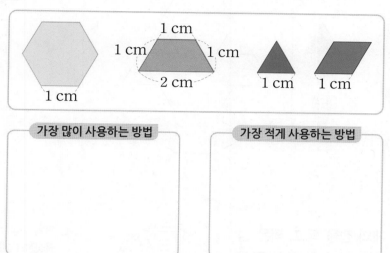

가장 많이 사용하는 방법	가장 적게 사용하는 방법

6 오른쪽 정육각형에서 각 ㄷㅅㅂ의 크기를 구해 보시오.

(　　　　　　　　)

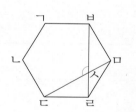

● 정육각형의 한 각의 크기를 구한 다음 삼각형 ㄷㄹㅁ과 삼각형 ㅂㅁㄹ이 이등변삼각형임을 이용합니다.

● 서술형 문제 ●

7 오른쪽 도형에서 ㉠의 각도는 몇 도인지 풀이 과정을 쓰고 답을 구해 보시오.

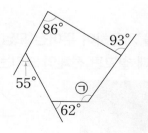

● 직선 위의 한 점을 꼭짓점으로 하는 각의 크기는 $180°$임을 이용하여 오각형의 나머지 각의 크기를 구해 봅니다.

풀이 _____

_____

_____

답 _____

8 모양 조각을 사용하여 주어진 모양을 채우려고 합니다. 모양 조각을 가장 많이 사용할 때와 가장 적게 사용할 때의 모양 조각 수의 차는 몇 개인지 구해 보시오. (단, 같은 모양 조각을 여러 번 사용할 수 있습니다.)

비법 PLUS +

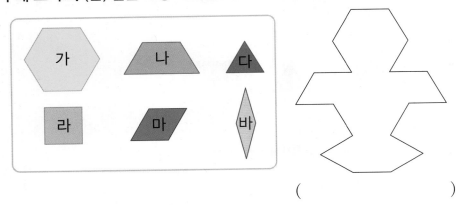

(   )

• 서술형 문제 •

9 오른쪽 그림은 원 위에 여덟 개의 점을 찍고, 찍은 점을 연결하여 정팔각형을 그린 것입니다. 원의 중심 ㅇ과 정팔각형의 꼭짓점을 선분으로 연결하였을 때, ㉠과 ㉡의 각도의 합은 몇 도인지 풀이 과정을 쓰고 답을 구해 보시오.

○ 원의 중심 ㅇ과 정팔각형의 꼭짓점을 선분으로 연결하면 모양과 크기가 같은 이등변 삼각형이 8개 만들어집니다.

풀이 _____

_____

_____

답 _____

10 칠교판의 모양 조각을 사용하여 주어진 모양을 채우려고 합니다. 주어진 모양의 크기가 32일 때 칠교판 전체의 크기는 얼마인지 구해 보시오.

○ 칠교판 모양 조각 중에서 한 가지 모양 조각만 사용하여 주어진 모양을 채워 보고 그 수를 세어 봅니다.

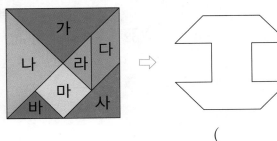

(   )

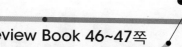

창의융합형 문제

11 타일은 점토를 구워서 만든 겉이 반들반들한 얇고 작은 도자기 판입니다. 서준이는 한 가지 모양의 타일을 사용하여 서로 겹치거나 틈이 생기지 않게 늘어놓아 바닥을 덮으려고 합니다. 다음 중 바닥을 덮을 수 <u>없는</u> 타일의 모양을 모두 찾아 기호를 써 보시오.

| ㉠ 정사각형　　㉡ 정오각형　　㉢ 정육각형　　㉣ 정팔각형 |

(　　　　　　　　)

12 1970년 FIFA 월드컵부터 사용된 축구공은 외부 모양이 검은색 정오각형 가죽 12장과 흰색 정육각형 가죽 20장으로 이루어진 공이었습니다. 그림과 같이 축구공의 굽은 면에 있는 정오각형과 정육각형을 평평한 면에 펼치면 ㉠의 각도만큼 틈이 생깁니다. ㉠의 각도를 구해 보시오.

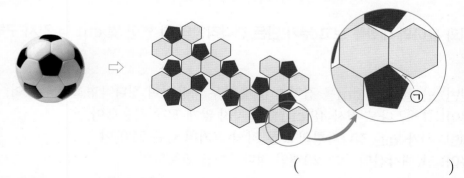

(　　　　　　　　)

1 오른쪽 도형에서 ㉠, ㉡, ㉢, ㉣, ㉤, ㉥의 각도의 합을 구해 보시오.

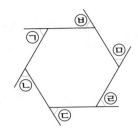

(   )

2 두 정다각형에 대한 설명입니다. 두 정다각형의 이름을 각각 구해 보시오.

> • 두 정다각형의 한 변의 길이는 서로 같습니다.
> • 두 정다각형의 꼭짓점 수의 차는 4개입니다.
> • 두 정다각형의 모든 변의 길이의 합은 각각 42 cm, 70 cm입니다.

(,   )

3 선빈이와 윤아의 대화를 보고 누가 만든 정다각형의 한 변이 몇 cm 더 긴지 구해 보시오.

> • 선빈: 난 철사 48 cm를 겹치지 않게 모두 사용하여 정다각형을 만들었어.
> • 윤아: 그래? 나도 철사 48 cm를 겹치지 않게 모두 사용했어.
> • 선빈: 내가 만든 정다각형의 모든 각의 크기의 합은 720°야.
> • 윤아: 난 대각선의 수가 20개인 정다각형을 만들었어.

(,   )

★ 빠른 정답 5쪽, 정답과 풀이 38쪽

Review Book 48~49쪽

4 오른쪽 그림은 반지름이 7 cm인 원에 정팔각형을 그린 것입니다. 정팔각형에서 대각선 ㄱㄴ의 길이는 약 13 cm이고 대각선 ㄴㄷ의 길이는 약 10 cm입니다. 이 정팔각형에 그을 수 있는 모든 대각선의 길이의 합은 약 몇 cm인지 구해 보시오.

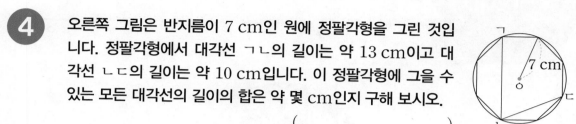

(   )

5 오른쪽 그림은 정십이각형의 일부입니다. 두 대각선이 이루는 ㉡의 각도는 ㉠의 각도의 몇 배인지 구해 보시오.

(   )

6 모든 변의 길이의 합이 42 cm인 정육각형을 다음과 같은 규칙으로 겹치지 않게 이어 붙였습니다. 정육각형을 24개 이어 붙인 도형의 둘레는 몇 cm인지 구해 보시오.

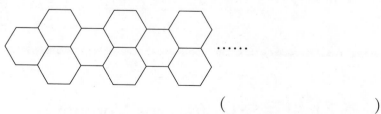

......

(   )

조지 보로노이 (George Voronoy)

- **출생~사망:** 1868~1908
- **국적:** 러시아
- **업적:** 보로노이는 평면을 똑같지 않은 다각형으로 분할한 그림에 대해 본격적으로 연구한 수학자 입니다. 이 그림은 그의 이름을 따서 '보로노이 다이어그램'으로 불립니다. 보로노이 다이어 그램은 공학이나 생물학, 지리학, 건축과 예술까지 여러 분야에 쓰이고 있습니다.

Memo

개념 + 유형

최상위 탑

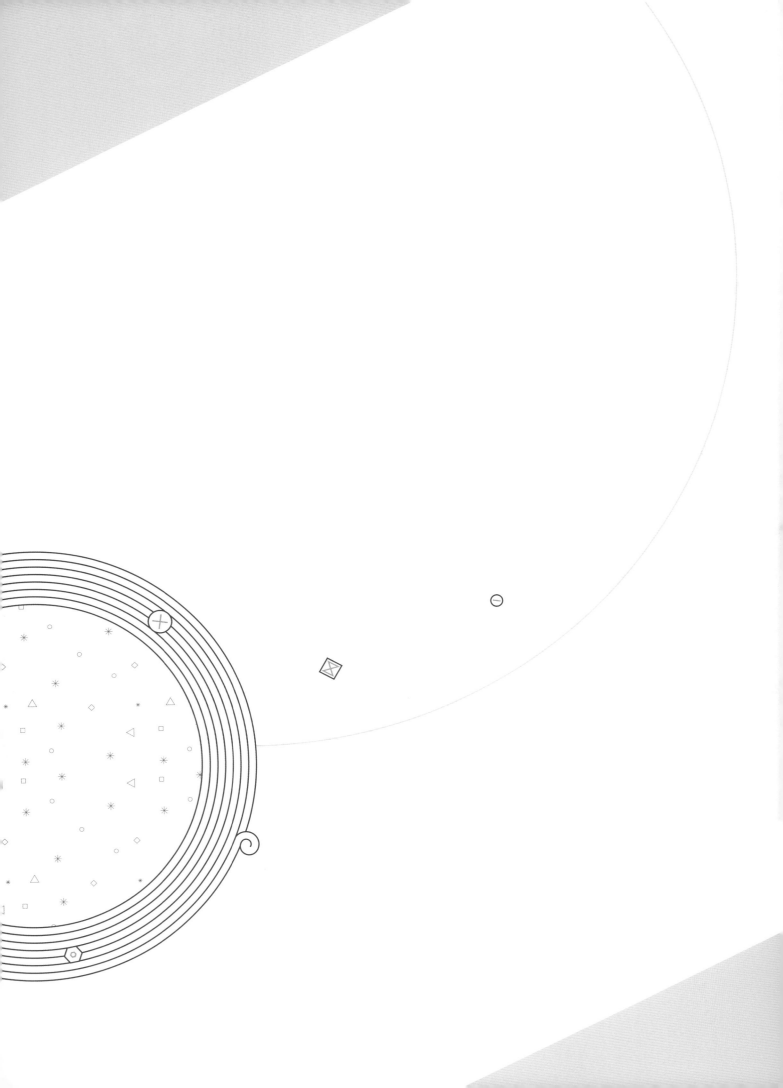

개념+유형 최상위탑

정답과 풀이

초등 수학

4·2

ABOVE IMAGINATION

우리는 남다른 상상과 혁신으로
교육 문화의 새로운 전형을 만들어
모든 이의 행복한 경험과 성장에 기여한다

개념+유형 최상위 탑

정답과 풀이

4·2

Top Book

- 빠른 정답 ················· 2
- 정답과 풀이 ··············· 8

Review Book

- 빠른 정답 ················· 6
- 정답과 풀이 ··············· 40

Top Book

1 분수의 덧셈과 뺄셈

7쪽 핵심 개념과 문제

1 $\dfrac{7}{8}$, $1\dfrac{1}{8}(=\dfrac{9}{8})$ **2** >

3 $2\dfrac{5}{6}$ L **4** $\dfrac{2}{13}$

5 1, 2, 3, 4

6 $\dfrac{10}{10}+\dfrac{14}{10}$, $\dfrac{11}{10}+\dfrac{13}{10}$, $\dfrac{12}{10}+\dfrac{12}{10}$

9쪽 핵심 개념과 문제

1 (그림)

2 방법1 예 자연수에서 1만큼을 분수로 바꾸어 계산합니다.

$$3-1\dfrac{1}{4}=2\dfrac{4}{4}-1\dfrac{1}{4}=1\dfrac{3}{4}$$

방법2 예 자연수와 대분수를 모두 가분수로 바꾸어 계산합니다.

$$3-1\dfrac{1}{4}=\dfrac{12}{4}-\dfrac{5}{4}=\dfrac{7}{4}=1\dfrac{3}{4}$$

3 현수, $5\dfrac{7}{8}$ kg **4** $8\dfrac{1}{7}(=\dfrac{57}{7})$

5 $3\dfrac{1}{5}$, $\dfrac{3}{5}$, $2\dfrac{3}{5}$ **6** 8

10~17쪽 상위권 문제

유형❶ (1) $\dfrac{5}{11}$ (2) 1, 2, 3, 4

유제 **1** 3 유제 **2** 1, 2

유형❷ (1) $\dfrac{4}{7}$ (2) $\dfrac{2}{7}$

유제 **3** $7\dfrac{7}{10}$ 유제 **4** $6\dfrac{3}{5}$

유형❸ (1) 2, 4 (2) $4\dfrac{5}{9}(=\dfrac{41}{9})$

유제 **5** $6\dfrac{7}{12}$ 유제 **6** $1\dfrac{4}{8}$

유형❹ (1) (왼쪽에서부터) $\dfrac{8}{9}$, $\dfrac{4}{9}$, 8, 4 / 6, 2 (2) $\dfrac{6}{9}$, $\dfrac{2}{9}$

유제 **7** $\dfrac{8}{11}$, $\dfrac{6}{11}$ 유제 **8** $\dfrac{7}{8}$, $\dfrac{4}{8}$

유형❺ (1) $8\dfrac{5}{9}$, $1\dfrac{3}{9}$ (2) $9\dfrac{8}{9}$

유제 **9** $7\dfrac{3}{12}$ 유제 **10** $2\dfrac{7}{13}$, $2\dfrac{3}{13}$

유형❻ (1) 24 cm (2) $\dfrac{10}{11}$ cm

  (3) $23\dfrac{1}{11}$ cm$(=\dfrac{254}{11}$ cm$)$

유제 **11** 3 m 유제 **12** $8\dfrac{6}{8}$ m

유형❼ (1) 4일 (2) 5분 (3) 오전 8시 55분

유제 **13** 오전 10시 53분 유제 **14** 오후 2시 5분 5초

유형❽ (1) 3판 (2) $\dfrac{1}{20}$ kg

유제 **15** 4벌, $\dfrac{2}{10}$ kg

18~21쪽 상위권 문제 | 확인과 응용

1 $\dfrac{2}{13}$ kg **2** $3\dfrac{2}{12}(=\dfrac{38}{12})$

3 7 **4** 12 cm

5 예 6, 4, 5, 3 / $11\dfrac{7}{15}$ **6** $\dfrac{11}{14}$ kg

7 $2\dfrac{4}{8}$, $1\dfrac{1}{8}$ **8** $2\dfrac{5}{15}$ km

9 200쪽 **10** $5\dfrac{2}{9}$ cm$(=\dfrac{47}{9}$ cm$)$

11 $5\dfrac{4}{6}$ m, $4\dfrac{5}{6}$ m, $4\dfrac{2}{6}$ m **12** 4일

22~23쪽 최상위권 문제

1 45 **2** $\dfrac{2}{6}$ kg

3 $2\dfrac{4}{9}$ m **4** $4\dfrac{6}{11}$ L$(=\dfrac{50}{11}$ L$)$

5 5, $1\dfrac{1}{7}$, $3\dfrac{6}{7}(=\dfrac{27}{7})$

6 3, $3\dfrac{1}{8}(=\dfrac{25}{8})$, $5\dfrac{7}{8}(=\dfrac{47}{8})$

2 삼각형

27쪽 핵심 개념과 문제

1 (1) 8 (2) 6 **2** 8 **3** 2개

4 ①, ②, ③ **5** ㉢ **6** 35°

| 28~33쪽 | 상위권 문제 |

유형 ❶ (1) 4 cm, 7 cm (2) 3 cm, 3 cm (3) 17 cm

유제 **1** 30 cm   유제 **2** 40 cm

유형 ❷ (1) 5 cm (2) 8배 (3) 40 cm

유제 **3** 70 cm   유제 **4** 48 cm

유형 ❸ (1) 6개 (2) 4개 (3) 10개

유제 **5** 12개   유제 **6** 28개

유형 ❹ (1) 10 cm, 10 cm (2) 10 cm (3) 45 cm

유제 **7** 40 cm   유제 **8** 32 cm

유형 ❺ (1) 35° (2) 70° (3) 105°

유제 **9** 90°   유제 **10** 75°

유형 ❻ (1) 2개 (2) 20개

유제 **11** 20개   유제 **12** 16개

| 34~37쪽 | 상위권 문제 | 확인과 응용 |

1 9 cm   **2** 48 cm

3 42 cm   **4** 48 cm

5 12 cm   **6** 12 cm

7 3개   **8** 101°

9 54°   **10** 26°

11 180°   **12** 243 cm

| 38~39쪽 | 최상위권 문제 |

1 2가지   **2** 75 cm   **3** 150°

4 25°   **5** 36°   **6** 75°

❸ 소수의 덧셈과 뺄셈

| 43쪽 | 핵심 개념과 문제 |

1 5.47, 오 점 사칠   **2** 20.3 g

3 ⓒ, ⓛ, ⓓ, ⓐ   **4** 100배

5 6, 7, 8, 9   **6** 87 cm

| 45쪽 | 핵심 개념과 문제 |

1 0.9, 0.3

2 예 소수점 자리를 잘못 맞추고 계산하였습니다.

```
/    0. 7 8
  − 0. 5
     0. 2 8
```

3 0.63 L   **4** ⓒ, ⓛ, ⓐ, ⓔ

5 0.49   **6** 63.73 g

| 46~53쪽 | 상위권 문제 |

유형 ❶ (1) 0.01 (2) 8.34

유제 **1** 3.188   유제 **2** 22.38

유형 ❷ (1) 3.41 (2) 0, 1, 2, 3

유제 **3** 6, 7, 8, 9   유제 **4** 2개

유형 ❸ (1) 6.48 (2) 0.648

유제 **5** 86.31   유제 **6** 3067

유형 ❹ (1) 8 (2) 4 (3) 6 (4) 4

유제 **7** (위에서부터) 4, 5, 7   유제 **8** 3, 2, 7

유형 ❺ (1) 13.1 (2) 17.4

유제 **9** 3.38   유제 **10** 6.95

유형 ❻ (1) 4.41 km (2) 0.88 km

유제 **11** 1.98 km   유제 **12** 11.92 km

유형 ❼ (1) 7.52, 2.57 (2) 10.09

유제 **13** 7.92   유제 **14** 143.3

유형 ❽ (1) 2.93, 1.4 (2) 5

유제 **15** 6.837

| 54~57쪽 | 상위권 문제 | 확인과 응용 |

1 2000배   **2** ⓒ, ⓛ, ⓐ   **3** 0.015 m

4 15개   **5** 4.907   **6** 1.744

7 도서관, 0.05 km   **8** 2.34 cm

9 (위에서부터) 7, 3 / 5, 4, 6   **10** 12.32

11 점심, 0.265 g   **12** 147.32 cm

| 58~59쪽 | 최상위권 문제 |

1 0, 9, 9   **2** 13.143   **3** 0.2 kg

4 7.59 km   **5** 499.95   **6** 5.9 kg

❹ 사각형

| 63쪽 | 핵심 개념과 문제 |

1 직선 가, 직선 나   **2** 예

3 ⓛ

4 3 cm

5

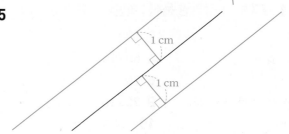

6 4쌍

1 예

2 ㉡, ㉣, ㉤

3 사다리꼴입니다. / 예 평행한 변이 있기 때문에 사다리꼴입니다.

4 52 cm   **5** 65°

6 30°

유형 **1** (1) 40° (2) 75° (3) 115°

유제 **1** 105°   유제 **2** 40°

유형 **2** (1) 3 cm (2) 6 cm (3) 9 cm

유제 **3** 6 cm   유제 **4** 7 cm

유형 **3** (1) 6개, 7개, 2개, 2개, 1개 (2) 18개

유제 **5** 18개   유제 **6** 25개

유형 **4** (1) 60° (2) 130° (3) 130°

유제 **7** 85°   유제 **8** 83°

유형 **5** (1) 24 cm, 24 cm (2) 24 cm, 24 cm
(3) 120 cm

유제 **9** 45 cm   유제 **10** 49 cm

유형 **6** (1) 70° (2) 130° (3) 25°

유제 **11** 100°   유제 **12** 20°

유형 **7** (1) 60° (2) 140° (3) 40°

유제 **13** 120°   유제 **14** 50°

유형 **8** (1)   (2) 4쌍

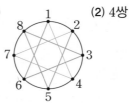

유제 **15** 5쌍

1 3개   **2** 120°

3 8 cm   **4** 60 cm

5 120°   **6** 70°

7 30개   **8** 22 cm

9 100°   **10** 105°

11 25°   **12** 48 cm

1 44 cm   **2** 32 cm

3 124°   **4** 140°

5 35°   **6** 25°

5 꺾은선그래프

1 8 °C   **2** 낮 12시와 오후 1시 사이

3 예 12 cm

4 예 • 자전거 생산량이 가장 많은 때는 5월입니다.
• 자전거 생산량이 전월에 비해 줄어든 때는 4월입니다.

5 5월   **6** 15000대

1 예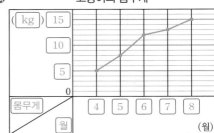

2 예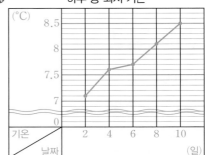

3 예 늦어지고 있습니다.   **4** 예 오후 5시 59분

5 11시간 50분

유형 **1** (1) 예 3 cm, 예 14 cm (2) 예 11 cm

유제 **1** 예 10 kg

유형 **2** (1) 오후 1시 (2) 4 °C

유제 **2** 화요일, 4회   유제 **3** 12월, 500대

유형 ❸ (1) 150 mL (2) 15칸

유제 **4** 2칸   유제 **5** 3칸

유형 ❹ (1) 4 cm (2) 20 cm

유제 **6** 18 L   유제 **7** 88회

유형 ❺ (1) 176점 (2) 86점

유제 **8** 120 kg

유형 ❻ (1) 4 cm (2) 4칸 (3) 1 cm

유제 **9** 2 kg

92~95쪽 상위권 문제 | 확인과 응용

1 17, 14, 12 /

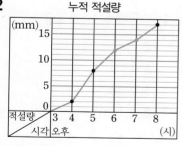

운동장의 온도

2 예 오후 3시 30분   **3** 3번

4 180000원   **5** 예 3 mm

6 100, 200   **7** 71.4 kg

8 750 m   **9** 5200 kg

10 2 mm   **11** 3000명 늘었습니다.

12 0.9 kg

96~97쪽 최상위권 문제

1 ㉮

2

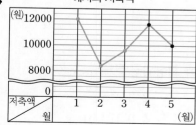

누적 적설량

3 1700개

4

예지의 저축액

5 20억 원   **6** 54 km

---

6 다각형

101쪽 핵심 개념과 문제

1

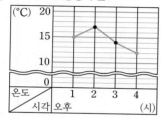

/ 5개

2 예 다각형은 선분으로만 둘러싸인 도형인데 주어진 도형은 선분과 곡선으로 둘러싸여 있으므로 다각형이 아닙니다.

3 (위에서부터) 90, 8   **4** 정팔각형

5 예

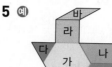

6 15개

102~107쪽 상위권 문제

유형 ❶ (1) 2개 / 14개 (2) 16개

유제 **1** 11개   유제 **2** 구각형

유형 ❷ (1) 10 cm / 10 cm (2) 32 cm

유제 **3** 24 cm   유제 **4** 42 cm

유형 ❸ (1) 80 cm, 80 cm (2) 20 cm (3) 4 cm

유제 **5** 5 cm   유제 **6** 정오각형

유형 ❹ (1) 1080° (2) 135° (3) 45°

유제 **7** 30°   유제 **8** 36°

유형 ❺ (1) 1 (2) 16개 / 2개 (3) 약 20

유제 **9** 약 21

유형 ❻ (1) 6개 (2) 9개 (3) 3개

유제 **10** 빨간색 고무줄, 25개

108~111쪽 상위권 문제 | 확인과 응용

1 60°   **2** 4 cm   **3** 20°

4 120° / 150°   **5**

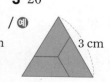

/ 예

6 120°   **7** 124°   **8** 12개

9 135°   **10** 64   **11** ㉡, ㉣

12 12°

112~113쪽 최상위권 문제

1 360°   **2** 정육각형, 정십각형

3 선빈, 2 cm   **4** 약 240 cm

5 8배   **6** 476 cm

Review Book

1 분수의 덧셈과 뺄셈

| **2~3쪽** 복습·상위권 문제 |

1 1, 2, 3

2 $\dfrac{2}{9}$

3 $5\dfrac{3}{7}$

4 $\dfrac{7}{10}$, $\dfrac{2}{10}$

5 8

6 $16\dfrac{10}{12}$ cm$(=\dfrac{202}{12}$ cm$)$

7 오전 9시 47분

8 6인분, $\dfrac{1}{25}$ kg

| **4~7쪽** 복습·상위권 문제 | 확인과 응용 |

1 $\dfrac{1}{11}$ kg

2 $3\dfrac{6}{16}(=\dfrac{54}{16})$

3 11

4 $13\dfrac{2}{6}$ cm

5 9, 7, 3, 4 / $6\dfrac{3}{12}$

6 $\dfrac{4}{7}$ kg

7 $3\dfrac{8}{9}$, $1\dfrac{4}{9}$

8 $29\dfrac{1}{7}$ km

9 130쪽

10 $5\dfrac{10}{15}$ cm$(=\dfrac{85}{15}$ cm$)$

11 $8\dfrac{3}{10}$ m, $7\dfrac{9}{10}$ m, $6\dfrac{7}{10}$ m

12 4일

| **8~9쪽** 복습·최상위권 문제 |

1 $31\dfrac{5}{17}$

2 $\dfrac{1}{4}$ kg

3 $20\dfrac{1}{5}$ cm

4 $9\dfrac{1}{6}$ L$(=\dfrac{55}{6}$ L$)$

5 $4\dfrac{4}{9}$, $1\dfrac{5}{9}$, $2\dfrac{8}{9}$

6 $1\dfrac{2}{8}$, $2\dfrac{3}{8}$, $2\dfrac{6}{8}$

2 삼각형

| **10~11쪽** 복습·상위권 문제 |

1 20 cm **2** 72 cm **3** 14개

4 42 cm **5** 111° **6** 24개

| **12~15쪽** 복습·상위권 문제 | 확인과 응용 |

1 10 cm **2** 56 cm

3 34 cm **4** 56 cm

5 15 cm **6** 9 cm

7 5개, 5개 **8** 70°

9 75° **10** 42°

11 120° **12** 45°

| **16~17쪽** 복습·최상위권 문제 |

1 2가지 **2** 50 cm

3 45° **4** 75°

5 60° **6** 105°

3 소수의 덧셈과 뺄셈

| **18~19쪽** 복습·상위권 문제 |

1 4.726 **2** 6, 7, 8, 9

3 0.369 **4** (위에서부터) 2, 1 / 5, 3

5 14.27 **6** 1.78 km

7 13.32 **8** 7.88

| **20~23쪽** 복습·상위권 문제 | 확인과 응용 |

1 300배 **2** ㉠, ㉢, ㉡

3 0.37 m **4** 13개

5 7.412 **6** 2.38

7 약수터, 0.03 km **8** 2.1 cm

9 (위에서부터) 8, 4, 7 / 5, 6

10 9.35 **11** 재호, 1.32 g

12 2045.95원

| **24~25쪽** 복습·최상위권 문제 |

1 9, 0, 0 **2** 2.745

3 0.4 kg **4** 9.21 km

5 49.95 **6** 7.5 cm

4 사각형

26~27쪽 복습·상위권 문제

1 75°　　　　**2** 20 cm
3 13개　　　　**4** 75°
5 51 cm　　　　**6** 60°
7 70°　　　　**8** 6쌍

28~31쪽 복습·상위권 문제 | 확인과 응용

1 3개　　　　**2** 108°
3 6 cm　　　　**4** 64 cm
5 115°　　　　**6** 80°
7 34개　　　　**8** 36 cm
9 105°　　　　**10** 110°
11 95°　　　　**12** 42 cm

32~33쪽 복습·최상위권 문제

1 32 cm　　**2** 50 cm　　**3** 110°
4 35°　　**5** 27°　　**6** 20°

5 꺾은선그래프

34~35쪽 복습·상위권 문제

1 예 9 ℃　　　　**2** 3월, 120개
3 4칸　　　　**4** 150 g
5 224명　　　　**6** 1 ℃

36~39쪽 복습·상위권 문제 | 확인과 응용

1 3.3, 3.5, 3.8 /
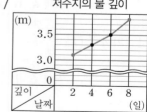
저수지의 물 깊이

2 예 3일　　**3** 1번　　**4** 196000원
5 예 50 cm　　**6** 150, 300　　**7** 740회
8 2100 m　　**9** 980명　　**10** 4권
11 300만 명 늘었습니다.　　**12** 7000 g

40~41쪽 복습·최상위권 문제

1 ㈐　　　　**2**
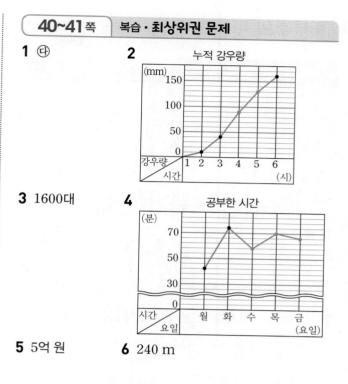
누적 강우량

3 1600대　　　　**4**
공부한 시간

5 5억 원　　　　**6** 240 m

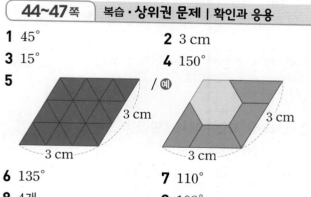

6 다각형

42~43쪽 복습·상위권 문제

1 40개　　**2** 24 cm　　**3** 15 cm
4 20°　　**5** 약 26　　**6** 12곳

44~47쪽 복습·상위권 문제 | 확인과 응용

1 45°　　　　**2** 3 cm
3 15°　　　　**4** 150°
5

／예
(3 cm, 3 cm)

6 135°　　　　**7** 110°
8 4개　　　　**9** 108°
10 96　　　　**11** ㉠, ㉢
12 30°

48~49쪽 복습·최상위권 문제

1 360°　　　　**2** 정오각형, 정팔각형
3 17 cm　　　　**4** 약 228 cm
5 6배　　　　**6** 396 cm

1 분수의 덧셈과 뺄셈

핵심 개념과 문제　7쪽

1 $\dfrac{7}{8}$, $1\dfrac{1}{8}\left(=\dfrac{9}{8}\right)$　　**2** $>$

3 $2\dfrac{5}{6}$ L　　**4** $\dfrac{2}{13}$

5 1, 2, 3, 4

6 $\dfrac{10}{10}+\dfrac{14}{10}$, $\dfrac{11}{10}+\dfrac{13}{10}$, $\dfrac{12}{10}+\dfrac{12}{10}$

2 $\dfrac{3}{9}+\dfrac{4}{9}=\dfrac{3+4}{9}=\dfrac{7}{9}$, $\dfrac{8}{9}-\dfrac{2}{9}=\dfrac{8-2}{9}=\dfrac{6}{9}$

$\Rightarrow$ $\dfrac{7}{9}>\dfrac{6}{9}$이므로 $\dfrac{3}{9}+\dfrac{4}{9}>\dfrac{8}{9}-\dfrac{2}{9}$입니다.

3 (주영이가 어제와 오늘 마신 물의 양)

$=1\dfrac{2}{6}+1\dfrac{3}{6}=2\dfrac{5}{6}$(L)

4 $\dfrac{11}{13}+\square=1$에서 $\square=1-\dfrac{11}{13}$입니다.

$\Rightarrow$ $1-\dfrac{11}{13}=\dfrac{13}{13}-\dfrac{11}{13}=\dfrac{2}{13}$

5 $\dfrac{6}{11}+\dfrac{\square}{11}=\dfrac{6+\square}{11}$이고, 덧셈의 계산 결과로 나올 수 있는 가장 큰 진분수는 $\dfrac{10}{11}$입니다. 따라서 $\square$ 안에 들어갈 수 있는 자연수는 1, 2, 3, 4입니다.

6 $2\dfrac{4}{10}=\dfrac{24}{10}$이므로 분모가 10인 두 가분수의 분자의 합이 24가 되는 경우를 모두 찾아봅니다.

핵심 개념과 문제　9쪽

1 | | $\bigcirc$ | |
|---|---|---|

2 방법1 예 자연수에서 1만큼을 분수로 바꾸어 계산합니다.

$3-1\dfrac{1}{4}=2\dfrac{4}{4}-1\dfrac{1}{4}=1\dfrac{3}{4}$

방법2 예 자연수와 대분수를 모두 가분수로 바꾸어 계산합니다.

$3-1\dfrac{1}{4}=\dfrac{12}{4}-\dfrac{5}{4}=\dfrac{7}{4}=1\dfrac{3}{4}$

3 현수, $5\dfrac{7}{8}$ kg　　**4** $8\dfrac{1}{7}\left(=\dfrac{57}{7}\right)$

5 $3\dfrac{1}{5}$, $\dfrac{3}{5}$, $2\dfrac{3}{5}$　　**6** 8

1 진분수 부분끼리 뺄 수 있으므로 어림한 결과가 2와 3 사이인 뺄셈식이 되려면 자연수 부분끼리의 차가 2가 되어야 합니다.

3 $5\dfrac{3}{8}<11\dfrac{2}{8}$이므로 현수가

$11\dfrac{2}{8}-5\dfrac{3}{8}=10\dfrac{10}{8}-5\dfrac{3}{8}=5\dfrac{7}{8}$(kg) 더 많이 땄습니다.

4 • 가장 큰 한 자리 수는 9입니다.

• 분모가 7인 가장 큰 진분수는 $\dfrac{6}{7}$입니다.

$\Rightarrow$ $9-\dfrac{6}{7}=8\dfrac{7}{7}-\dfrac{6}{7}=8\dfrac{1}{7}$

5 차가 가장 큰 뺄셈식을 만들려면 가장 큰 수에서 가장 작은 수를 빼면 됩니다.

분수의 크기를 비교하면 $3\dfrac{1}{5}>2\dfrac{4}{5}>1\dfrac{2}{5}>\dfrac{3}{5}$입니다.

$\Rightarrow$ $3\dfrac{1}{5}-\dfrac{3}{5}=2\dfrac{6}{5}-\dfrac{3}{5}=2\dfrac{3}{5}$

6 자연수 부분끼리의 차가 $5-4=1$이므로

$\dfrac{\bigstar}{6}-\dfrac{\blacktriangle}{6}=\dfrac{2}{6}$입니다.

$\bigstar-\blacktriangle=2$이고 $\bigstar$과 $\blacktriangle$는 모두 6보다 작아야 하므로 $\bigstar=5$, $\blacktriangle=3$일 때 $\bigstar+\blacktriangle$가 가장 큽니다.

$\Rightarrow$ $\bigstar+\blacktriangle=5+3=8$

상위권 문제　10~17쪽

유형 ❶ (1) $\dfrac{5}{11}$　(2) 1, 2, 3, 4

유제 **1** 3　　　　　유제 **2** 풀이 참조, 1, 2

유형 ❷ (1) $\dfrac{4}{7}$　(2) $\dfrac{2}{7}$

유제 **3** $7\dfrac{7}{10}$　　　유제 **4** $6\dfrac{3}{5}$

유형 ❸ (1) 2, 4　(2) $4\dfrac{5}{9}\left(=\dfrac{41}{9}\right)$

유제 **5** $6\dfrac{7}{12}$　　　유제 **6** $1\dfrac{4}{8}$

유형 ❹ (1) (왼쪽에서부터) $\dfrac{8}{9}$, $\dfrac{4}{9}$, 8, 4 / 6, 2

(2) $\dfrac{6}{9}$, $\dfrac{2}{9}$

유제 **7** $\dfrac{8}{11}$, $\dfrac{6}{11}$

유제 **8** 풀이 참조, $\dfrac{7}{8}$, $\dfrac{4}{8}$

유형 ❺ (1) $8\dfrac{5}{9}$, $1\dfrac{3}{9}$ (2) $9\dfrac{8}{9}$

유제 **9** $7\dfrac{3}{12}$ 유제 **10** $2\dfrac{7}{13}$, $2\dfrac{3}{13}$

유형 ❻ (1) $24\ \text{cm}$ (2) $\dfrac{10}{11}\ \text{cm}$

(3) $23\dfrac{1}{11}\ \text{cm}(=\dfrac{254}{11}\ \text{cm})$

유제 **11** $3\ \text{m}$ 유제 **12** $8\dfrac{6}{8}\ \text{m}$

유형 ❼ (1) 4일 (2) 5분 (3) 오전 8시 55분
유제 **13** 오전 10시 53분
유제 **14** 오후 2시 5분 5초

유형 ❽ (1) 3판 (2) $\dfrac{1}{20}\ \text{kg}$

유제 **15** 4벌, $\dfrac{2}{10}\ \text{kg}$

유형 ❶ (1) $1\dfrac{1}{11}-\dfrac{7}{11}=\dfrac{12}{11}-\dfrac{7}{11}=\dfrac{5}{11}$

(2) $\dfrac{\square}{11}<\dfrac{5}{11}$에서 □ 안에 들어갈 수 있는 자연수는 1, 2, 3, 4입니다.

유제 **1** $2-1\dfrac{4}{8}=1\dfrac{8}{8}-1\dfrac{4}{8}=\dfrac{4}{8}$

⇨ $\dfrac{\square}{8}<\dfrac{4}{8}$에서 □ 안에 들어갈 수 있는 자연수는 1, 2, 3이고, 이 중 가장 큰 수는 3입니다.

유제 **2** 예 $5-1\dfrac{2}{6}=4\dfrac{6}{6}-1\dfrac{2}{6}=3\dfrac{4}{6}$이므로 주어진 식을 간단하게 만들면 $3\dfrac{4}{6}>\square\dfrac{5}{6}$입니다. ❶

따라서 $3\dfrac{4}{6}>\square\dfrac{5}{6}$에서 □ 안에 들어갈 수 있는 자연수는 1, 2입니다. ❷

채점 기준

❶ 식을 간단하게 만들기
❷ □ 안에 들어갈 수 있는 자연수 모두 구하기

유형 ❷ (1) 어떤 수를 □라 하면 잘못 계산한 식은

$\square+\dfrac{2}{7}=\dfrac{6}{7}$입니다.

⇨ $\square=\dfrac{6}{7}-\dfrac{2}{7}=\dfrac{4}{7}$

---

(2) 어떤 수는 $\dfrac{4}{7}$이므로 바르게 계산하면

$\dfrac{4}{7}-\dfrac{2}{7}=\dfrac{2}{7}$입니다.

유제 **3** 어떤 수를 □라 하면 잘못 계산한 식은

$\square-1\dfrac{2}{10}=5\dfrac{3}{10}$입니다.

⇨ $\square=5\dfrac{3}{10}+1\dfrac{2}{10}=6\dfrac{5}{10}$

따라서 바르게 계산하면

$6\dfrac{5}{10}+1\dfrac{2}{10}=7\dfrac{7}{10}$입니다.

유제 **4** 어떤 수를 □라 하면 잘못 계산한 식은

$\square+2\dfrac{3}{5}=11\dfrac{4}{5}$입니다.

⇨ $\square=11\dfrac{4}{5}-2\dfrac{3}{5}=9\dfrac{1}{5}$

따라서 바르게 계산하면

$9\dfrac{1}{5}-2\dfrac{3}{5}=8\dfrac{6}{5}-2\dfrac{3}{5}=6\dfrac{3}{5}$입니다.

유형 ❸ (1) 계산 결과가 가장 크게 되려면 대분수의 자연수에는 가장 작은 수를, 분자에는 두 번째로 작은 수를 써넣어야 합니다.
따라서 ㉮에 알맞은 수는 2이고, ㉯에 알맞은 수는 4입니다.

(2) $7-2\dfrac{4}{9}=6\dfrac{9}{9}-2\dfrac{4}{9}=4\dfrac{5}{9}$

유제 **5** 계산 결과가 가장 크게 되려면 빼지는 대분수의 분자에는 가장 큰 수를, 빼는 대분수의 분자에는 가장 작은 수를 써넣어야 합니다.

⇨ $9\dfrac{8}{12}-3\dfrac{1}{12}=6\dfrac{7}{12}$

유제 **6** 계산 결과가 가장 작게 되려면 빼지는 대분수의 분자에는 가장 작은 수를, 빼는 대분수의 분자에는 가장 큰 수를 써넣어야 합니다.

⇨ $4\dfrac{3}{8}-2\dfrac{7}{8}=3\dfrac{11}{8}-2\dfrac{7}{8}=1\dfrac{4}{8}$

유형 ❹ (1) $6+2=8$, $6-2=4$이므로 ■$=6$, ▲$=2$입니다.

(2) 두 진분수의 분자가 6, 2이므로 두 진분수는 $\dfrac{6}{9}$, $\dfrac{2}{9}$입니다.

유제 **7** 두 진분수를 각각 $\dfrac{\blacksquare}{11}$, $\dfrac{\blacktriangle}{11}$ ($\blacksquare > \blacktriangle$)라 하면

$\dfrac{\blacksquare}{11} + \dfrac{\blacktriangle}{11} = 1\dfrac{3}{11} = \dfrac{14}{11}$, $\dfrac{\blacksquare}{11} - \dfrac{\blacktriangle}{11} = \dfrac{2}{11}$

입니다. $8+6=14$, $8-6=2$이므로

$\blacksquare=8$, $\blacktriangle=6$입니다. 따라서 두 진분수의 분자가

8, 6이므로 두 진분수는 $\dfrac{8}{11}$, $\dfrac{6}{11}$입니다.

유제 **8** 예 두 진분수를 각각 $\dfrac{\blacksquare}{8}$, $\dfrac{\blacktriangle}{8}$ ($\blacksquare > \blacktriangle$)라 하면

$\dfrac{\blacksquare}{8} + \dfrac{\blacktriangle}{8} = 1\dfrac{3}{8} = \dfrac{11}{8}$, $\dfrac{\blacksquare}{8} - \dfrac{\blacktriangle}{8} = \dfrac{3}{8}$입니다.

$7+4=11$, $7-4=3$이므로 $\blacksquare=7$, $\blacktriangle=4$입니다.」❶

따라서 두 진분수의 분자가 7, 4이므로 두 진분수는 $\dfrac{7}{8}$, $\dfrac{4}{8}$입니다.」❷

채점 기준	
❶ 두 진분수의 분자 구하기	
❷ 두 진분수 구하기	

유형 **5** (1) • 가장 큰 대분수를 만들려면 자연수에 가장 큰 수를, 분자에 두 번째로 큰 수를 놓아야 하므로 $8\dfrac{5}{9}$입니다.

• 가장 작은 대분수를 만들려면 자연수에 가장 작은 수를, 분자에 두 번째로 작은 수를 놓아야 하므로 $1\dfrac{3}{9}$입니다.

(2) $8\dfrac{5}{9} + 1\dfrac{3}{9} = 9\dfrac{8}{9}$

유제 **9** • 만들 수 있는 가장 큰 대분수: $8\dfrac{7}{12}$

• 만들 수 있는 가장 작은 대분수: $1\dfrac{4}{12}$

⇨ $8\dfrac{7}{12} - 1\dfrac{4}{12} = 7\dfrac{3}{12}$

유제 **10** • 가장 작은 진분수를 만들려면 분모에 가장 큰 수를 놓고, 분자에 가장 작은 수를 놓아야 하므로 $\dfrac{2}{13}$입니다.

• 가장 작은 대분수를 만들려면 자연수에 가장 작은 수를 놓고, 분모에 가장 큰 수, 분자에 두 번째로 작은 수를 놓아야 하므로 $2\dfrac{5}{13}$입니다.

⇨ 합: $\dfrac{2}{13} + 2\dfrac{5}{13} = 2\dfrac{7}{13}$,

차: $2\dfrac{5}{13} - \dfrac{2}{13} = 2\dfrac{3}{13}$

유형 **6** (1) $8 \times 3 = 24$(cm)

(2) $\dfrac{5}{11} + \dfrac{5}{11} = \dfrac{10}{11}$(cm)

(3) $24 - \dfrac{10}{11} = 23\dfrac{11}{11} - \dfrac{10}{11} = 23\dfrac{1}{11}$(cm)

유제 **11** (색 테이프 3장의 길이의 합)

$= 1\dfrac{2}{7} + 1\dfrac{2}{7} + 1\dfrac{2}{7} = 3\dfrac{6}{7}$(m)

(겹쳐진 부분의 길이의 합) $= \dfrac{3}{7} + \dfrac{3}{7} = \dfrac{6}{7}$(m)

⇨ (이어 붙인 색 테이프의 전체 길이)

$= 3\dfrac{6}{7} - \dfrac{6}{7} = 3$(m)

유제 **12** (색 테이프 4장의 길이의 합)

$= 2\dfrac{3}{8} + 2\dfrac{3}{8} + 2\dfrac{3}{8} + 2\dfrac{3}{8} = 8\dfrac{12}{8} = 9\dfrac{4}{8}$(m)

(겹쳐진 부분의 길이의 합)

$= \dfrac{2}{8} + \dfrac{2}{8} + \dfrac{2}{8} = \dfrac{6}{8}$(m)

⇨ (이어 붙인 색 테이프의 전체 길이)

$= 9\dfrac{4}{8} - \dfrac{6}{8} = 8\dfrac{12}{8} - \dfrac{6}{8} = 8\dfrac{6}{8}$(m)

유형 **7** (1) $5 - 1 = 4$(일)

(2) 하루에 $1\dfrac{1}{4}$분씩 늦게 가므로 4일 동안에는

$1\dfrac{1}{4} + 1\dfrac{1}{4} + 1\dfrac{1}{4} + 1\dfrac{1}{4} = 4\dfrac{4}{4} = 5$(분) 늦어

집니다.

(3) 오전 9시 $-$ 5분 $=$ 오전 8시 55분

유제 **13** 3월 4일 오전 11시부터 같은 달 9일 오전 11시까지는 $9 - 4 = 5$(일)이고, 하루에 $1\dfrac{2}{5}$분씩 늦게 가므로 5일 동안에는

$1\dfrac{2}{5} + 1\dfrac{2}{5} + 1\dfrac{2}{5} + 1\dfrac{2}{5} + 1\dfrac{2}{5} = 5\dfrac{10}{5} = 7$(분)

늦어집니다.

따라서 같은 달 9일 오전 11시에 이 시계가 가리키는 시각은

오전 11시 $-$ 7분 $=$ 오전 10시 53분입니다.

유제 **14** 4월 7일 오후 2시부터 같은 달 12일 오후 2시까지는 $12-7=5$(일)이고, 하루에 $1\frac{1}{60}$분씩 빨리 가므로 5일 동안에는

$$1\frac{1}{60}+1\frac{1}{60}+1\frac{1}{60}+1\frac{1}{60}+1\frac{1}{60}$$
$$=5\frac{5}{60}(분) 빨라집니다.$$

이때 1분은 60초이므로

$5\frac{5}{60}$분=5분 5초입니다.

따라서 같은 달 12일 오후 2시에 이 시계가 가리키는 시각은

오후 2시+5분 5초=오후 2시 5분 5초입니다.

유형 **8** (1) $\frac{13}{20}$ kg에서 $\frac{4}{20}$ kg을 더 이상 뺄 수 없을 때까지 빼 봅니다.

$\frac{13}{20}-\frac{4}{20}=\frac{9}{20}$(kg),

$\frac{9}{20}-\frac{4}{20}=\frac{5}{20}$(kg),

$\frac{5}{20}-\frac{4}{20}=\frac{1}{20}$(kg)이므로 고구마 피자를 3판까지 만들 수 있습니다.

(2) 고구마 피자를 3판까지 만들고 남는 피자 치즈는 $\frac{1}{20}$ kg입니다.

유제 **15** $1\frac{4}{10}$ kg에서 $\frac{3}{10}$ kg을 더 이상 뺄 수 없을 때까지 빼 봅니다.

$1\frac{4}{10}-\frac{3}{10}=1\frac{1}{10}$(kg),

$1\frac{1}{10}-\frac{3}{10}=\frac{11}{10}-\frac{3}{10}=\frac{8}{10}$(kg),

$\frac{8}{10}-\frac{3}{10}=\frac{5}{10}$(kg),

$\frac{5}{10}-\frac{3}{10}=\frac{2}{10}$(kg)이므로 옷을 4벌까지 만들 수 있고, 남는 페트병은 $\frac{2}{10}$ kg입니다.

상위권 문제 확인과 응용 18~21쪽

1 $\frac{2}{13}$ kg

2 풀이 참조, $3\frac{2}{12}\left(=\frac{38}{12}\right)$

3 7

4 12 cm

---

5 예 6, 4, 5, 3 / $11\frac{7}{15}$

6 풀이 참조, $\frac{11}{14}$ kg **7** $2\frac{4}{8}$, $1\frac{1}{8}$

8 $2\frac{5}{15}$ km **9** 200쪽

10 $5\frac{2}{9}$ cm$\left(=\frac{47}{9}\right.$ cm$\left.\right)$

11 $5\frac{4}{6}$ m, $4\frac{5}{6}$ m, $4\frac{2}{6}$ m

12 4일

1 (옥수수의 무게)

$=4-3\frac{9}{13}=3\frac{13}{13}-3\frac{9}{13}=\frac{4}{13}$(kg)

⇨ (감자의 무게)$=\frac{4}{13}-\frac{2}{13}=\frac{2}{13}$(kg)

2 예 분모가 12인 진분수 중에서 $\frac{7}{12}$보다 큰 분수는

$\frac{8}{12}$, $\frac{9}{12}$, $\frac{10}{12}$, $\frac{11}{12}$입니다. ❶

따라서 이 수들의 합을 구하면

$\frac{8}{12}+\frac{9}{12}+\frac{10}{12}+\frac{11}{12}=\frac{38}{12}=3\frac{2}{12}$입니다. ❷

채점 기준

❶ 분모가 12인 진분수 중에서 $\frac{7}{12}$보다 큰 분수 모두 구하기

❷ 위 ❶에서 구한 수들의 합 구하기

3 $6\frac{5}{10}-2\frac{□}{10}=3\frac{7}{10}$일 때

$2\frac{□}{10}=6\frac{5}{10}-3\frac{7}{10}=5\frac{15}{10}-3\frac{7}{10}=2\frac{8}{10}$이므로 □=8입니다.

따라서 □ 안에 들어갈 수 있는 자연수는 8보다 작은 수이므로 이 중 가장 큰 수는 7입니다.

다른 풀이 $6\frac{5}{10}-2\frac{□}{10}=5\frac{15}{10}-2\frac{□}{10}=3\frac{15-□}{10}$이므로 $3\frac{15-□}{10}>3\frac{7}{10}$ ⇨ $15-□>7$입니다.

따라서 □ 안에 들어갈 수 있는 자연수는 8보다 작은 수이므로 이 중 가장 큰 수는 7입니다.

4 (직사각형의 가로)

$=4\frac{1}{5}-2\frac{2}{5}=3\frac{6}{5}-2\frac{2}{5}=1\frac{4}{5}$(cm)

⇨ (직사각형의 네 변의 길이의 합)

$=1\frac{4}{5}+4\frac{1}{5}+1\frac{4}{5}+4\frac{1}{5}=10\frac{10}{5}=12$(cm)

5 계산 결과가 가장 큰 수가 되려면 두 대분수의 자연수 부분의 합이 가장 커야 하므로 두 대분수의 자연수 부분이 6, 5가 되도록 대분수를 만든 후 그 합을 구합니다.

➡ $6\frac{4}{15}+5\frac{3}{15}=11\frac{7}{15}$, $6\frac{3}{15}+5\frac{4}{15}=11\frac{7}{15}$,

$5\frac{4}{15}+6\frac{3}{15}=11\frac{7}{15}$, $5\frac{3}{15}+6\frac{4}{15}=11\frac{7}{15}$

과 같이 덧셈식을 만들 수 있습니다.

참고 ▸ 두 대분수의 자연수 부분이 5, 6이고, 분수 부분의 분자가 3, 4인 덧셈식을 만들면 모두 정답입니다.

6 예 책 2권의 무게는

$3\frac{3}{14}-1\frac{9}{14}=2\frac{17}{14}-1\frac{9}{14}$

$=1\frac{8}{14}$(kg)입니다. ❶

따라서 $1\frac{8}{14}=\frac{22}{14}=\frac{11}{14}+\frac{11}{14}$이므로 책 한 권의 무게는 $\frac{11}{14}$ kg입니다. ❷

채점 기준

❶ 책 2권의 무게 구하기
❷ 책 한 권의 무게 구하기

7 두 대분수를 가분수로 바꾸어 각각

$\frac{\blacksquare}{8}$, $\frac{\blacktriangle}{8}(\blacksquare>\blacktriangle)$라 하면

$\frac{\blacksquare}{8}+\frac{\blacktriangle}{8}=3\frac{5}{8}=\frac{29}{8}$, $\frac{\blacksquare}{8}-\frac{\blacktriangle}{8}=1\frac{3}{8}=\frac{11}{8}$입니다.

$20+9=29$, $20-9=11$이므로 $\blacksquare=20$, $\blacktriangle=9$입니다.

따라서 두 대분수는 $\frac{20}{8}=2\frac{4}{8}$, $\frac{9}{8}=1\frac{1}{8}$입니다.

다른 풀이 ▸ 구하려는 두 대분수 중 작은 대분수를 ☐라 하면 큰 대분수는 $☐+1\frac{3}{8}$입니다.

$☐+(☐+1\frac{3}{8})=3\frac{5}{8}$, $☐+☐=3\frac{5}{8}-1\frac{3}{8}=2\frac{2}{8}$이고, $2\frac{2}{8}=1\frac{1}{8}+1\frac{1}{8}$이므로 $☐=1\frac{1}{8}$입니다.

➡ 작은 대분수: $1\frac{1}{8}$,

큰 대분수: $1\frac{1}{8}+1\frac{3}{8}=2\frac{4}{8}$

8 $(㉠\sim㉡)=(㉠\sim㉢)-(㉡\sim㉢)$

$=10\frac{8}{15}-6\frac{11}{15}$

$=9\frac{23}{15}-6\frac{11}{15}=3\frac{12}{15}$(km)

➡ $(㉢\sim㉣)=(㉠\sim㉣)-(㉠\sim㉡)-(㉡\sim㉢)$

$=7\frac{4}{15}-3\frac{12}{15}-1\frac{2}{15}$

$=6\frac{19}{15}-3\frac{12}{15}-1\frac{2}{15}$

$=3\frac{7}{15}-1\frac{2}{15}=2\frac{5}{15}$(km)

9 승주가 어제와 오늘 읽은 소설책은 전체의

$\frac{3}{10}+\frac{4}{10}=\frac{7}{10}$입니다.

전체의 $\frac{7}{10}$이 140쪽이므로 전체의 $\frac{1}{10}$은 $140\div7=20$(쪽)입니다.

따라서 전체 쪽수는 $20\times10=200$(쪽)입니다.

10 (15분 동안 탄 양초의 길이)

$=15-12\frac{5}{9}=14\frac{9}{9}-12\frac{5}{9}=2\frac{4}{9}$(cm)

한 시간은 15분의 4배이므로 한 시간 동안 타는 양초의 길이는

$2\frac{4}{9}+2\frac{4}{9}+2\frac{4}{9}+2\frac{4}{9}=8\frac{16}{9}=9\frac{7}{9}$(cm)입니다.

➡ (불을 붙인 지 한 시간이 지난 뒤 양초의 길이)

$=15-9\frac{7}{9}=14\frac{9}{9}-9\frac{7}{9}=5\frac{2}{9}$(cm)

11 (나 선수의 기록)$=4\frac{2}{6}+1\frac{2}{6}=5\frac{4}{6}$(m)

(다 선수의 기록)$=5\frac{4}{6}-\frac{5}{6}$

$=4\frac{10}{6}-\frac{5}{6}=4\frac{5}{6}$(m)

➡ $5\frac{4}{6}>4\frac{5}{6}>4\frac{2}{6}$이므로 금메달 기록은 $5\frac{4}{6}$ m, (나 선수)

은메달 기록은 $4\frac{5}{6}$ m, (다 선수) 동메달 기록은 $4\frac{2}{6}$ m입 (가 선수) 니다.

12 은빈, 진주, 석민이가 함께 모내기를 하면 하루에 전체의 $\frac{2}{22}+\frac{1}{22}+\frac{4}{22}=\frac{7}{22}$만큼의 일을 하므로 2일 동안에는 전체의 $\frac{7}{22}+\frac{7}{22}=\frac{14}{22}$만큼의 일을 합니다. 전체 일의 양을 1이라 하면 석민이가 혼자 해야 하는 일의 양은 $1-\frac{14}{22}=\frac{22}{22}-\frac{14}{22}=\frac{8}{22}$입니다.

$\frac{8}{22}=\frac{4}{22}+\frac{4}{22}$이므로 나머지는 석민이가 2일 동안 하면 끝낼 수 있습니다.

따라서 모내기를 시작한 지 $2+2=4$(일) 만에 모두 끝낼 수 있습니다.
● 세 사람이 함께 일한 날수
● 석민이가 혼자 일한 날수

최상위권 문제 22~23쪽

1 45 **2** $\frac{2}{6}$ kg

3 $2\frac{4}{9}$ m **4** $4\frac{6}{11}$ L$(=\frac{50}{11}$ L$)$

5 5, $1\frac{1}{7}$, $3\frac{6}{7}(=\frac{27}{7})$

6 3, $3\frac{1}{8}(=\frac{25}{8})$, $5\frac{7}{8}(=\frac{47}{8})$

---

1 비법 PLUS+ 먼저 어떤 규칙에 따라 분수를 늘어놓은 것인지 알아봅니다.

분모가 12인 대분수의 자연수 부분은 2부터 2씩 커지고, 분자는 1부터 2씩 커지는 규칙입니다.

$\Rightarrow 2\frac{1}{12}+4\frac{3}{12}+6\frac{5}{12}+8\frac{7}{12}+10\frac{9}{12}+12\frac{11}{12}$
$\qquad =42\frac{36}{12}=45$

2 마신 우유의 무게가 $4\frac{2}{6}-3=1\frac{2}{6}$(kg)이므로 전체 우유의 무게는 $1\frac{2}{6}+1\frac{2}{6}+1\frac{2}{6}=4$(kg)입니다.

$\Rightarrow$ (빈 병의 무게)$=4\frac{2}{6}-4=\frac{2}{6}$(kg)

3 비법 PLUS+ 막대에서 양 끝의 물에 젖은 부분의 길이의 합은 연못의 깊이의 2배입니다.

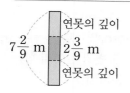
7$\frac{2}{9}$ m 연못의 깊이 2$\frac{3}{9}$ m 연못의 깊이

(막대에서 물에 젖은 부분의 길이의 합)
$=7\frac{2}{9}-2\frac{3}{9}=6\frac{11}{9}-2\frac{3}{9}=4\frac{8}{9}$(m)

연못의 깊이를 □ m라 하면 □+□=$4\frac{8}{9}$이고,

$4\frac{8}{9}=2\frac{4}{9}+2\frac{4}{9}$이므로 □=$2\frac{4}{9}$입니다.

4 (배수구를 열고 동시에 수도를 틀었을 때 1분 동안 줄어드는 물의 양)
$=6\frac{8}{11}-3\frac{7}{11}=3\frac{1}{11}$(L)

(배수구를 열고 동시에 수도를 틀었을 때 5분 동안 줄어드는 물의 양)
$=3\frac{1}{11}+3\frac{1}{11}+3\frac{1}{11}+3\frac{1}{11}+3\frac{1}{11}$
$=15\frac{5}{11}$(L)

$\Rightarrow$ (5분 뒤 수족관에 남아 있는 물의 양)
$=20-15\frac{5}{11}=19\frac{11}{11}-15\frac{5}{11}=4\frac{6}{11}$(L)

5 비법 PLUS+ 계산한 결과가 4에 가까워야 하므로 계산 결과의 자연수 부분이 3 또는 4가 되는 뺄셈식을 만든 다음 4에 가장 가까운 식을 찾습니다.

계산 결과의 자연수 부분이 3 또는 4가 되는 뺄셈식을 만들면 다음과 같습니다.

$5-\frac{5}{7}=4\frac{2}{7}$, $5-1\frac{1}{7}=3\frac{6}{7}$,

$4\frac{2}{7}-\frac{5}{7}=3\frac{4}{7}$, $4\frac{2}{7}-1\frac{1}{7}=3\frac{1}{7}$

4와의 차가 차례대로 $4\frac{2}{7}-4=\frac{2}{7}$, $4-3\frac{6}{7}=\frac{1}{7}$,

$4-3\frac{4}{7}=\frac{3}{7}$, $4-3\frac{1}{7}=\frac{6}{7}$이므로 계산한 결과가 4에 가장 가까운 뺄셈식은 $5-1\frac{1}{7}=3\frac{6}{7}$입니다.

6 (㉮+㉯)+(㉯+㉰)+(㉮+㉰)
$=6\frac{1}{8}+9+8\frac{7}{8}=23\frac{8}{8}=24$이므로
㉮+㉯+㉰=12입니다.

$\Rightarrow$ ㉮$=12-9=3$,

㉯$=12-8\frac{7}{8}=11\frac{8}{8}-8\frac{7}{8}=3\frac{1}{8}$,

㉰$=12-6\frac{1}{8}=11\frac{8}{8}-6\frac{1}{8}=5\frac{7}{8}$

2 삼각형

핵심 개념과 문제   27쪽

1 (1) 8 (2) 6   **2** 8
3 2개   **4** ①, ②, ③
5 ㉢   **6** 35°

1 (1) 두 각의 크기가 같으므로 이등변삼각형입니다.
　　이등변삼각형은 두 변의 길이가 같습니다.
　(2) 세 각의 크기가 같으므로 정삼각형입니다.
　　정삼각형은 세 변의 길이가 같습니다.

2 이등변삼각형은 두 변의 길이가 같습니다.
　⇨ □＋6＋□＝22, □＋□＝16, □＝8

3

　예각삼각형은 ②, ③, ⑥, ⑦로 4개이고 둔각삼각
　형은 ④, ⑤로 2개입니다.
　따라서 예각삼각형은 둔각삼각형보다
　4－2＝2(개) 더 많습니다.

4 • 세 변의 길이가 같으므로 정삼각형입니다.
　• 정삼각형은 이등변삼각형이라고 할 수 있습니다.
　• 정삼각형은 세 각의 크기가 모두 60°이므로 예각삼
　　각형입니다.

5 나머지 한 각의 크기를 알아봅니다.
　㉠ 180°－45°－45°＝90°(직각)
　㉡ 180°－60°－15°＝105°(둔각)
　㉢ 180°－35°－65°＝80°(예각)
　㉣ 180°－40°－25°＝115°(둔각)
　따라서 예각삼각형은 세 각이 모두 예각인 ㉢입니다.

6 직선 위의 한 점을 꼭짓점으로 하는 각의 크기는
　180°이므로 (각 ㄱㄷㄴ)＝180°－70°＝110°입니다.
　따라서 삼각형 ㄱㄴㄷ은 이등변삼각형이므로
　(각 ㄱㄴㄷ)＋(각 ㄴㄱㄷ)＝180°－110°＝70°,
　(각 ㄱㄴㄷ)＝(각 ㄴㄱㄷ)＝70°÷2＝35°입니다.

상위권 문제   28~33쪽

유형**①** (1) 4 cm, 7 cm (2) 3 cm, 3 cm
　　　(3) 17 cm

유제 **1** 30 cm   유제 **2** 40 cm

유형**②** (1) 5 cm (2) 8배 (3) 40 cm

유제 **3** 70 cm

유제 **4** 풀이 참조, 48 cm

유형**③** (1) 6개 (2) 4개 (3) 10개

유제 **5** 12개   유제 **6** 28개

유형**④** (1) 10 cm, 10 cm (2) 10 cm (3) 45 cm

유제 **7** 40 cm   유제 **8** 32 cm

유형**⑤** (1) 35° (2) 70° (3) 105°

유제 **9** 90°   유제 **10** 풀이 참조, 75°

유형**⑥** (1) 2개 (2) 20개

유제 **11** 20개   유제 **12** 16개

유형**①** (1) 정삼각형은 세 변의 길이가 같습니다.
　　　(변 ㄹㅁ)＝(변 ㄹㄴ)＝4 cm
　　　(변 ㄱㄷ)＝(변 ㄴㄷ)＝7 cm
　(2) (변 ㄱㄴ)＝(변 ㄴㄷ)＝7 cm
　　　⇨ (변 ㄱㄹ)＝(변 ㄱㄴ)－(변 ㄹㄴ)
　　　　　　　　＝7－4＝3(cm)
　　　(변 ㄴㅁ)＝(변 ㄹㄴ)＝4 cm
　　　⇨ (변 ㅁㄷ)＝(변 ㄴㄷ)－(변 ㄴㅁ)
　　　　　　　　＝7－4＝3(cm)
　(3) (사각형 ㄱㄹㅁㄷ의 네 변의 길이의 합)
　　　＝3＋4＋3＋7＝17(cm)
　참고 삼각형 ㄱㄴㄷ과 삼각형 ㄹㄴㅁ이 정삼각형이므로
　사각형 ㄱㄹㅁㄷ에서 (변 ㄱㄹ)＝(변 ㅁㄷ)입니다.

유제 **1** 정삼각형은 세 변의 길이가 같습니다.
　　(변 ㄹㅁ)＝(변 ㄱㅁ)＝6 cm
　　(변 ㄴㄷ)＝(변 ㄱㄴ)＝12 cm
　　(변 ㄱㄹ)＝(변 ㄱㅁ)＝6 cm이므로
　　(변 ㄹㄴ)＝(변 ㄱㄴ)－(변 ㄱㄹ)
　　　　　　＝12－6＝6(cm)입니다.
　　(변 ㄱㄷ)＝(변 ㄱㄴ)＝12 cm이므로
　　(변 ㅁㄷ)＝(변 ㄱㄷ)－(변 ㄱㅁ)
　　　　　　＝12－6＝6(cm)입니다.
　　⇨ (사각형 ㄹㄴㄷㅁ의 네 변의 길이의 합)
　　　　＝6＋6＋12＋6＝30(cm)

유제 **2** 정삼각형은 세 변의 길이가 같으므로
(변 ㄴㄷ)=(변 ㄱㄷ)=(변 ㄱㄴ)=15 cm입니다.
변 ㄹㄷ의 길이를 □ cm라 하면 변 ㄱㄹ의 길이
는 (□+□) cm입니다.
□+(□+□)=15,
□=15÷3=5(cm)이므로 (변 ㄹㄷ)=5 cm,
(변 ㄱㄹ)=5+5=10(cm)입니다.
(변 ㅁㄷ)=(변 ㄹㅁ)=(변 ㄹㄷ)=5 cm이므로
(변 ㄴㅁ)=(변 ㄴㄷ)-(변 ㅁㄷ)
    =15-5=10(cm)입니다.
⇨ (사각형 ㄱㄴㅁㄹ의 네 변의 길이의 합)
    =15+10+5+10=40(cm)

유형 **2** (1) 정삼각형은 세 변의 길이가 같으므로 한 변은
15÷3=5(cm)입니다.
(3) (빨간색 선의 길이)=5×8=40(cm)

유제 **3** 정삼각형은 세 변의 길이가 같으므로 한 변은
21÷3=7(cm)입니다.
따라서 빨간색 선의 길이는 정삼각형의 한 변의
10배이므로 7×10=70(cm)입니다.

유제 **4** **예** 이등변삼각형은 두 변의 길이가 같으므로 길
이가 같은 두 변의 길이는 각각 7 cm이고 나머
지 한 변은 24-7-7=10(cm)입니다.」❶
따라서 빨간색 선의 길이는
10+7+7+10+7+7=48(cm)입니다.」❷

> **채점 기준**
> ❶ 이등변삼각형의 세 변의 길이 각각 구하기
> ❷ 빨간색 선의 길이 구하기

유형 **3** (3) 6+4=10(개)

유제 **5** • 삼각형 1개로 이루어진 둔각삼각형: 8개

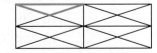

• 삼각형 4개로 이루어진 둔각삼각형: 4개

⇨ 8+4=12(개)

유제 **6** • 삼각형 1개로 이루어진 정삼각형: 18개

• 삼각형 4개로 이루어진 정삼각형: 8개

• 삼각형 9개로 이루어진 정삼각형: 2개

⇨ 18+8+2=28(개)

유형 **4** (1) 삼각형 ㄱㄴㄷ의 세 변의 길이의 합이
35 cm이므로
(변 ㄱㄷ)+(변 ㄴㄷ)=35-15=20(cm)이
고, 이등변삼각형은 두 변의 길이가 같으므로
(변 ㄱㄷ)=(변 ㄴㄷ)=20÷2=10(cm)입
니다.
(2) 정삼각형은 세 변의 길이가 같으므로 삼각형
ㄱㄷㄹ에서 (변 ㄱㄹ)=(변 ㄷㄹ)=(변 ㄱㄷ)
=10 cm입니다.
(3) (사각형 ㄱㄴㄷㄹ의 네 변의 길이의 합)
    =15+10+10+10=45(cm)

유제 **7** 삼각형 ㄴㄷㄹ의 세 변의 길이의 합이 29 cm이
므로 (변 ㄴㄹ)+(변 ㄴㄷ)=29-7=22(cm)
이고, 이등변삼각형은 두 변의 길이가 같으므로
(변 ㄴㄹ)=(변 ㄴㄷ)=22÷2=11(cm)입니다.
정삼각형은 세 변의 길이가 같으므로 삼각형 ㄱㄴㄹ
에서 (변 ㄱㄴ)=(변 ㄱㄹ)=(변 ㄴㄹ)=11 cm
입니다.
따라서 사각형 ㄱㄴㄷㄹ의 네 변의 길이의 합은
11+11+7+11=40(cm)입니다.

유제 **8** 정삼각형은 세 변의 길이가 같으므로 삼각형 ㄱㄴㄷ
에서 (변 ㄱㄷ)=(변 ㄴㄷ)=(변 ㄱㄴ)=9 cm
입니다.
이등변삼각형은 두 변의 길이가 같으므로 삼각
형 ㄱㄷㄹ에서 (변 ㄱㄹ)=(변 ㄱㄷ)=9 cm이
고, 삼각형 ㄱㄷㄹ의 세 변의 길이의 합이
23 cm이므로 (변 ㄷㄹ)=23-9-9=5(cm)
입니다.
따라서 사각형 ㄱㄴㄷㄹ의 네 변의 길이의 합은
9+9+5+9=32(cm)입니다.

유형 **5** (1) 삼각형 ㄹㄴㄷ에서 이등변삼각형은 두 각의 크기가 같으므로
(각 ㄹㄷㄴ)=(각 ㄹㄴㄷ)=35°입니다.

(2) 삼각형 ㄹㄴㄷ에서
(각 ㄴㄹㄷ)=180°−35°−35°=110°입니다.
직선 위의 한 점을 꼭짓점으로 하는 각의 크기는 180°이므로
(각 ㄱㄹㄷ)=180°−110°=70°입니다.

(3) 삼각형 ㄱㄹㄷ에서 이등변삼각형은 두 각의 크기가 같으므로
(각 ㄱㄷㄹ)=(각 ㄱㄹㄷ)=70°입니다.
⇨ (각 ㄴㄷㄱ)=(각 ㄹㄷㄴ)+(각 ㄱㄷㄹ)
=35°+70°=105°

유제 **9** 삼각형 ㄱㄴㄷ에서 정삼각형은 세 각의 크기가 모두 60°이므로
(각 ㄱㄴㄷ)=(각 ㄴㄷㄱ)=(각 ㄴㄱㄷ)=60°입니다.
직선 위의 한 점을 꼭짓점으로 하는 각의 크기는 180°이므로 (각 ㄱㄴㄹ)=180°−60°=120°입니다.
삼각형 ㄱㄷㄹ에서 이등변삼각형은 두 각의 크기가 같으므로
(각 ㄷㄱㄹ)+(각 ㄷㄹㄱ)=180°−120°=60°,
(각 ㄷㄱㄹ)=(각 ㄷㄹㄱ)=60°÷2=30°입니다.
따라서 (각 ㄴㄱㄹ)=(각 ㄴㄱㄷ)+(각 ㄷㄱㄹ)
=60°+30°=90°입니다.

유제 **10** 예 삼각형 ㄱㄷㄹ은 이등변삼각형이므로
(각 ㄷㄱㄹ)=(각 ㄱㄷㄹ)=50°입니다.❶
(각 ㄱㄷㄴ)=180°−50°=130°이고, 삼각형 ㄱㄴㄷ은 이등변삼각형이므로
(각 ㄴㄱㄷ)+(각 ㄱㄴㄷ)=180°−130°=50°,
(각 ㄴㄱㄷ)=(각 ㄱㄴㄷ)=50°÷2=25°입니다.❷
따라서 (각 ㄴㄱㄹ)=(각 ㄴㄱㄷ)+(각 ㄷㄱㄹ)
=25°+50°=75°입니다.❸

채점 기준
❶ 각 ㄷㄱㄹ의 크기 구하기
❷ 각 ㄴㄱㄷ의 크기 구하기
❸ 각 ㄴㄱㄹ의 크기 구하기

유형 **6** (1)

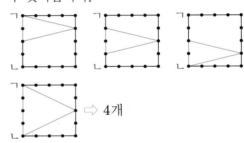 ⇨ 2개

(2) 점은 모두 10개이므로 만들 수 있는 삼각형 중에서 이등변삼각형이면서 둔각삼각형인 것은 모두 2×10=20(개)입니다.

유제 **11** 점 ㄱ에서 같은 거리만큼 떨어진 두 점을 이어 만든 삼각형 중에서 이등변삼각형이면서 예각삼각형인 것을 모두 찾아봅니다.

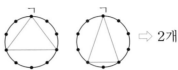 ⇨ 2개

따라서 점은 모두 10개이므로 만들 수 있는 삼각형 중에서 이등변삼각형이면서 예각삼각형인 것은 모두 2×10=20(개)입니다.

유제 **12** 삼각형의 한 변이 변 ㄱㄴ 위에 있는 삼각형 중에서 이등변삼각형이면서 예각삼각형인 것을 모두 찾아봅니다.

⇨ 4개

따라서 정사각형의 변이 4개이므로 만들 수 있는 삼각형 중에서 이등변삼각형이면서 예각삼각형인 것은 모두 4×4=16(개)입니다.

상위권 문제	확인과 응용	34~37쪽

1 9 cm	**2** 48 cm
3 42 cm	**4** 48 cm
5 12 cm	**6** 풀이 참조, 12 cm
7 3개	**8** 풀이 참조, 101°
9 54°	**10** 26°
11 180°	**12** 243 cm

1 이등변삼각형의 나머지 한 변은 8 cm입니다.
(이등변삼각형의 세 변의 길이의 합)
=8+11+8=27(cm)
⇨ (정삼각형의 한 변)=27÷3=9(cm)

2 가 도형에서 빨간색 선은 정삼각형의 한 변의 5배이므로 정삼각형의 한 변은 $30 \div 5 = 6$(cm)입니다.
따라서 나 도형에서 파란색 선의 길이는 정삼각형의 한 변의 8배이므로 $6 \times 8 = 48$(cm)입니다.

3 삼각형 ㄱㄴㄷ이 정삼각형이므로
(변 ㄱㄴ)=(변 ㄱㄷ)=(변 ㄴㄷ)=12 cm입니다.
삼각형 ㄹㄴㄷ에서
(변 ㄹㄴ)+(변 ㄹㄷ)=$30-12=18$(cm)입니다.
따라서 색칠한 부분의 모든 변의 길이의 합은
$12+18+12=42$(cm)입니다.

4 삼각형 ㄱㄴㅂ의 세 변의 길이의 합은
$14 \times 3 = 42$(cm)입니다.
삼각형 ㄴㄷㄹ의 세 변의 길이의 합도 42 cm이고,
(변 ㄷㄴ)=(변 ㄷㄹ)=16 cm이므로
(변 ㄴㄹ)=$42-16-16=10$(cm)입니다.
따라서 (변 ㄴㅂ)=(변 ㄱㅂ)=14 cm이고,
사각형 ㄴㄹㅁㅂ은 직사각형이므로 네 변의 길이의 합은 $14+10+14+10=48$(cm)입니다.

5 짧은 변의 길이를 □cm라 하면 긴 변의 길이는
(□+□) cm입니다.
삼각형의 세 변의 길이가 □cm, (□+□) cm, (□+□) cm이므로
□+(□+□)+(□+□)=30,
□=$30 \div 5 = 6$(cm)입니다.
따라서 짧은 변의 길이가 6 cm이므로 긴 변의 길이는 $6+6=12$(cm)입니다.

6 예 삼각형 ㄱㄹㄷ의 세 각의 크기는 모두 60°입니다.
(각 ㄹㄷㄴ)=$90°-60°=30°$이고,
삼각형 ㄱㄴㄷ에서
(각 ㄱㄴㄷ)=$180°-60°-90°=30°$이므로
삼각형 ㄹㄴㄷ은 이등변삼각형입니다.」❶
따라서 (변 ㄹㄴ)=(변 ㄹㄷ)=(변 ㄱㄹ)=(변 ㄱㄷ)
=6 cm이므로 (변 ㄱㄴ)=$6+6=12$(cm)입니다.」❷

채점 기준
❶ 삼각형 ㄹㄴㄷ이 이등변삼각형임을 알기
❷ 변 ㄱㄴ의 길이 구하기

7

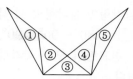

• 둔각삼각형: ①, ③, ⑤, ②+③, ③+④,
　　　　　　　①+②+③, ③+④+⑤ → 7개
• 예각삼각형: ②, ④, ①+②, ④+⑤ → 4개
⇨ $7-4=3$(개)

8 예 삼각형 ㅁㄴㄹ에서
(각 ㄴㄹㅁ)=(각 ㄴㅁㄹ)=73°이므로
(각 ㅁㄴㄹ)=$180°-73°-73°=34°$입니다.」❶
삼각형 ㄱㄴㄷ은 한 각이 직각인 이등변삼각형이므로 (각 ㄴㄱㄷ)+(각 ㄴㄷㄱ)=$180°-90°=90°$,
(각 ㄴㄱㄷ)=(각 ㄴㄷㄱ)=$90° \div 2 = 45°$입니다.」❷
따라서 삼각형 ㅂㄴㄷ에서
(각 ㄴㅂㄷ)=$180°-34°-45°=101°$입니다.」❸

채점 기준
❶ 각 ㅁㄴㄹ의 크기 구하기
❷ 각 ㄴㄷㄱ의 크기 구하기
❸ 각 ㄴㅂㄷ의 크기 구하기

9 삼각형 ㄱㄴㄷ, 삼각형 ㄱㄷㄹ, 삼각형 ㄹㄷㅁ은 모두 이등변삼각형입니다.
삼각형 ㄹㄷㅁ에서 (각 ㄹㄷㅁ)=(각 ㄹㅁㄷ)=18°,
(각 ㄷㄹㅁ)=$180°-18°-18°=144°$입니다.
(각 ㄷㄹㄱ)=$180°-144°=36°$
삼각형 ㄱㄷㄹ에서 (각 ㄷㄹㄱ)=(각 ㄷㄱㄹ)=36°,
(각 ㄱㄷㄹ)=$180°-36°-36°=108°$입니다.
(각 ㄱㄷㄴ)=$180°-108°-18°=54°$
따라서 삼각형 ㄱㄴㄷ에서
(각 ㄱㄴㄷ)=(각 ㄱㄷㄴ)=54°입니다.

10 • 세 각의 크기가 ♥, ♥, 26°일 때
　　♥+♥=$180°-26°=154°$,
　　♥=$154° \div 2 = 77°$입니다.
• 세 각의 크기가 ●, 26°, 26°일 때
　　●=$180°-26°-26°=128°$이므로
　　♥=26° 또는 ♥=128°입니다.
가 삼각형은 둔각삼각형이므로 세 각의 크기는 128°, 26°, 26°이고, ♥=26° 또는 ♥=128°입니다.
♥=128°라면 나 삼각형은 $128°+70°=198°$로 두 각의 크기의 합이 180°보다 크므로 삼각형이 될 수 없습니다.
따라서 ♥=26°입니다.

11 직각삼각형이면서 이등변삼각형인 삼각형의 세 각을 90°, □, □라 하면 □+□=180°−90°=90°, □=90°÷2=45°이므로 칠교판의 모든 삼각형의 세 각은 90°, 45°, 45°입니다.

▲=★=180°−45°=135°,
●=90°−45°=45°

⇨ ㉠=135°+90°=225°, ㉡=45°

따라서 ㉠과 ㉡의 각도의 차는 225°−45°=180° 입니다.

12 (첫 번째 정삼각형의 한 변)=72÷3=24(cm)
네 번째 그림에서 색칠한 정삼각형의 한 변은 24÷8=3(cm)이고, 세 변의 길이의 합은 3×3=9(cm)입니다.
네 번째 그림에서 색칠한 정삼각형은 모두 27개입니다.
따라서 네 번째 그림에서 색칠한 정삼각형의 세 변의 길이의 합을 모두 더하면 9×27=243(cm)입니다.

최상위권 문제   38~39쪽

1	2가지	**2**	75 cm
3	150°	**4**	25°
5	36°	**6**	75°

1 비법 PLUS +   삼각형의 조건
⇨ (가장 긴 변의 길이)<(나머지 두 변의 길이의 합)

• 길이가 다른 한 변이 1 cm인 경우 9−1=8이므로 길이가 같은 두 변은 각각 8÷2=4(cm)입니다.
• 길이가 다른 한 변이 2 cm인 경우 9−2=7이므로 길이가 같은 두 변의 길이를 구할 수 없습니다.
• 길이가 다른 한 변이 3 cm인 경우 9−3=6이므로 길이가 같은 두 변은 각각 6÷2=3(cm)입니다.
• 길이가 다른 한 변이 4 cm인 경우 9−4=5이므로 길이가 같은 두 변의 길이를 구할 수 없습니다.
• 길이가 다른 한 변이 5 cm이거나 5 cm보다 긴 경우 나머지 두 변의 길이의 합보다 길므로 삼각형을 만들 수 없습니다.
따라서 만들 수 있는 이등변삼각형은 2가지입니다.

2 (정사각형 ㄱㄴㄷㄹ의 한 변)=84÷4=21(cm)
삼각형 ㄱㄴㅁ에서
(변 ㄱㅁ)+(변 ㄴㅁ)=45−21=24(cm),
(변 ㄱㅁ)=(변 ㄴㅁ)=24÷2=12(cm)입니다.
삼각형 ㅁㄴㅂ에서
(변 ㅁㅂ)=(변 ㄴㅂ)=(변 ㄴㅁ)=12 cm입니다.
(변 ㅂㄷ)=(변 ㄴㄷ)−(변 ㄴㅂ)
       =21−12=9(cm)
⇨ (사각형 ㄱㅂㄷㄹ의 네 변의 길이의 합)
   =12+12+9+21+21=75(cm)

3

정삼각형은 세 각의 크기가 모두 60°이므로
(각 ㄴㄱㅁ)=(각 ㄱㄴㅁ)=(각 ㄱㅁㄴ)=60°입니다.
(각 ㄹㄱㅁ)=90°−60°=30°이고,
삼각형 ㄱㅁㄹ은 이등변삼각형이므로
(각 ㄱㅁㄹ)+(각 ㄱㄹㅁ)=180°−30°=150°,
(각 ㄱㅁㄹ)=(각 ㄱㄹㅁ)=150°÷2=75°입니다.
(각 ㅁㄴㄷ)=90°−60°=30°이고,
삼각형 ㅁㄴㄷ은 이등변삼각형이므로
(각 ㄴㅁㄷ)+(각 ㄴㄷㅁ)=180°−30°=150°,
(각 ㄴㅁㄷ)=(각 ㄴㄷㅁ)=150°÷2=75°입니다.
따라서 (각 ㄹㅁㄷ)=360°−75°−60°−75°=150° 입니다.

4 비법 PLUS +   정사각형은 네 변의 길이가 같고, 이등변 삼각형은 두 변의 길이가 같습니다.

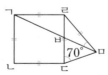

삼각형 ㄹㄷㅁ은 이등변삼각형이므로
(각 ㄹㅁㄷ)=(각 ㄹㄷㅁ)=70°,
(각 ㄷㄹㅁ)=180°−70°−70°=40°입니다.
사각형 ㄱㄴㄷㄹ은 정사각형이므로
(각 ㄱㄹㄷ)=90°이고,
(각 ㄱㄹㅁ)=90°+40°=130°입니다.
삼각형 ㄱㅁㄹ은 이등변삼각형이므로
(각 ㄹㅁㄱ)+(각 ㄹㄱㅁ)=180°−130°=50°,
(각 ㄹㅁㄱ)=(각 ㄹㄱㅁ)=50°÷2=25°입니다.
따라서 (각 ㄹㅁㅂ)=(각 ㄹㅁㄱ)=25°입니다.

5

오각형은 삼각형 3개로 나누어지므로 다섯 각의 크기의 합은 180°×3=540°입니다.

오각형의 다섯 각의 크기의 합은 540°입니다.
삼각형 ㄱㄴㄷ, 삼각형 ㄴㄷㄹ, 삼각형 ㄷㄹㅁ, 삼각형 ㄹㅁㄱ, 삼각형 ㅁㄱㄴ은 모양과 크기가 같은 이등변삼각형이므로
(각 ㄱㄴㄷ)=(각 ㄴㄷㄹ)=(각 ㄷㄹㅁ)=(각 ㄹㅁㄱ)
=(각 ㅁㄱㄴ)=540°÷5=108°입니다.
삼각형 ㄱㄴㅁ은 이등변삼각형이므로
(각 ㄱㄴㅁ)+(각 ㄱㅁㄴ)=180°−108°=72°,
(각 ㄱㅁㄴ)=(각 ㄱㄴㅁ)=72°÷2=36°입니다.
따라서 (각 ㄹㅁㄷ)=(각 ㄱㅁㄴ)=36°이므로
(각 ㄴㅁㄷ)=108°−36°−36°=36°입니다.

6 각 ㅂㄷㅅ, 각 ㄱㅂㅅ의 크기를 각각 구하면 삼각형 ㄱㅅㅂ에서 각 ㄱㅅㅂ의 크기를 구할 수 있습니다.

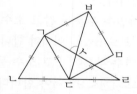

삼각형 ㄱㄴㄷ은 정삼각형이므로
(각 ㄱㄷㄴ)=60°이고,
(각 ㄱㄷㄹ)=180°−60°=120°입니다.
삼각형 ㄱㄷㄹ은 이등변삼각형이므로
(각 ㄷㄱㄹ)+(각 ㄷㄹㄱ)=180°−120°=60°,
(각 ㄷㄱㄹ)=(각 ㄷㄹㄱ)=60°÷2=30°입니다.
사각형 ㄱㄷㅁㅂ은 정사각형이므로
(각 ㅂㄱㄷ)=90°이고,
(각 ㅂㄱㅅ)=90°−30°=60°입니다.
삼각형 ㄱㄷㅂ은 이등변삼각형이므로
(각 ㄱㅂㄷ)+(각 ㄱㄷㅂ)=180°−90°=90°,
(각 ㄱㅂㄷ)=(각 ㄱㄷㅂ)=90°÷2=45°입니다.
따라서 삼각형 ㄱㅅㅂ에서
(각 ㄱㅅㅂ)=180°−60°−45°=75°입니다.

❸ 소수의 덧셈과 뺄셈

1 5.47, 오 점 사칠   **2** 20.3 g
3 ㉢, ㉡, ㉣, ㉠   **4** 100배
5 6, 7, 8, 9   **6** 87 cm

1 0.36 → 6, 5.47 → 7, 10.24 → 4, 4.951 → 5
소수 둘째 자리 수가 가장 큰 수는 5.47이고 5.47은 오 점 사칠이라고 읽습니다.

2 구슬 10개의 무게는 2.03 g의 10배이므로 20.3 g입니다.

3 ㉠ 7.503 → 7   ㉡ 9.174 → 0.07
㉢ 5.827 → 0.007   ㉣ 0.766 → 0.7
⇨ 0.007 < 0.07 < 0.7 < 7
    ㉢   ㉡   ㉣   ㉠

4 ㉠이 나타내는 수는 5이고 ㉡이 나타내는 수는 0.05입니다.
5는 0.05의 100배이므로 ㉠이 나타내는 수는 ㉡이 나타내는 수의 100배입니다.

5 자연수 부분과 소수 첫째 자리 수가 각각 같고 소수 셋째 자리 수가 3<9이므로 □>5이어야 합니다.
따라서 □ 안에 들어갈 수 있는 수는 6, 7, 8, 9입니다.

6 파랑 주머니 2번: 8.7 cm의 10배 ⇨ 87 cm
                     87 cm의 10배 ⇨ 870 cm
노랑 주머니 1번: 870 cm의 $\frac{1}{10}$ ⇨ 87 cm

1 0.9, 0.3
2 ⓪ 소수점 자리를 잘못 맞추고 계산하였습니다.
$$\begin{array}{r} 0.7\,8 \\ -\,0.5 \\ \hline 0.2\,8 \end{array}$$
3 0.63 L   **4** ㉢, ㉡, ㉠, ㉣
5 0.49   **6** 63.73 g

1 0.4+0.5=0.9, 0.9−0.6=0.3

3 (민지가 오늘 마신 물의 양)
  =(오전에 마신 물의 양)+(오후에 마신 물의 양)
  =0.26+0.37=0.63(L)

4 ㉠ $2.7+2.25=4.95$　㉡ $11.26-6.3=4.96$
　㉢ $0.51+4.6=5.11$　㉣ $5.84-1.2=4.64$
　⇨ $\underset{㉢}{\underline{5.11}}>\underset{㉡}{\underline{4.96}}>\underset{㉠}{\underline{4.95}}>\underset{㉣}{\underline{4.64}}$

5 $0.95-\square=0.46$ ⇨ $\square=0.95-0.46=0.49$

6 (빨간색 공의 무게)=(파란색 공의 무게)-4.77
　　　　　　　　　$=34.25-4.77=29.48$(g)
　⇨ (파란색 공과 빨간색 공의 무게의 합)
　　$=$(파란색 공의 무게)$+$(빨간색 공의 무게)
　　$=34.25+29.48=63.73$(g)

상위권 문제　　　　　　　　　46~53쪽

유형 ❶ (1) 0.01　(2) 8.34
유제 **1** 3.188　　　　유제 **2** 22.38
유형 ❷ (1) 3.41　(2) 0, 1, 2, 3
유제 **3** 6, 7, 8, 9　　유제 **4** 2개
유형 ❸ (1) 6.48　(2) 0.648
유제 **5** 86.31　　　　유제 **6** 풀이 참조, 3067
유형 ❹ (1) 8　(2) 4　(3) 6　(4) 4
유제 **7** (위에서부터) 4, 5, 7
유제 **8** 3, 2, 7
유형 ❺ (1) 13.1　(2) 17.4
유제 **9** 3.38　　　　유제 **10** 풀이 참조, 6.95
유형 ❻ (1) 4.41 km　(2) 0.88 km
유제 **11** 1.98 km　　유제 **12** 11.92 km
유형 ❼ (1) 7.52, 2.57　(2) 10.09
유제 **13** 7.92　　　유제 **14** 143.3
유형 ❽ (1) 2.93, 1.4　(2) 5
유제 **15** 6.837

유형 ❶ (1) 8.3과 8.4 사이의 크기는 0.1이고 0.1을 10
　　 등분한 작은 눈금 한 칸은 0.01입니다.
　(2) ㉠이 나타내는 수는 8.3에서 0.01씩 4번 뛰
　　 어서 센 수이므로 8.34입니다.

유제 **1**

3.18과 3.19 사이의 크기는 0.01이고 0.01을
10등분한 작은 눈금 한 칸은 0.001입니다.
따라서 ㉠이 나타내는 수는 3.18에서 0.001씩
8번 뛰어서 센 수이므로 3.188입니다.

유제 **2**

11.1과 11.2, 11.2와 11.3 사이의 크기는 각각
0.1이고 0.1을 10등분한 작은 눈금 한 칸은
0.01입니다.
㉠이 나타내는 수는 11.1에서 0.01씩 2번 뛰어
서 센 수이므로 11.12이고 ㉡이 나타내는 수는
11.2에서 0.01씩 6번 뛰어서 센 수이므로
11.26입니다.
⇨ ㉠$+$㉡$=11.12+11.26=22.38$

유형 ❷ (1) $3.8-0.39=3.41$
　(2) $3.41>3.\square7$에서 자연수 부분이 같고 소수
　　 둘째 자리 수가 $1<7$이므로 $4>\square$이어야
　　 합니다.
　　 따라서 $\square$ 안에 들어갈 수 있는 수는 0, 1,
　　 2, 3입니다.

유제 **3** $2.38+4.2=6.58$이므로 $6.58<6.\square4$입니다.
$6.58<6.\square4$에서 자연수 부분이 같고 소수 둘
째 자리 수가 $8>4$이므로 $5<\square$이어야 합니다.
따라서 $\square$ 안에 들어갈 수 있는 수는 6, 7, 8, 9
입니다.

유제 **4** $9.46-4.82=4.64$, $1.76+3.14=4.9$이므로
$4.64<4.\square3<4.9$입니다.
・$4.64<4.\square3$에서 자연수 부분이 같고 소수 둘
　째 자리 수가 $4>3$이므로 $6<\square$이어야 합니다.
・$4.\square3<4.9$에서 자연수 부분이 같고 소수 둘째
　자리 수가 $3>0$이므로 $\square<9$이어야 합니다.
따라서 $6<\square<9$이어야 하므로 $\square$ 안에 들어
갈 수 있는 수는 7, 8로 모두 2개입니다.

유형 ❸ (1) 1이 4개이면 4, 0.1이 23개이면 2.3, 0.01
　　 이 18개이면 0.18이므로 6.48입니다.
　(2) 어떤 수를 10배 한 수가 6.48이므로 어떤 수
　　 는 6.48의 $\dfrac{1}{10}$인 0.648입니다.

유제 **5** 1이 7개이면 7, 0.1이 14개이면 1.4, 0.01이
20개이면 0.2, 0.001이 31개이면 0.031이므로
8.631입니다.
따라서 어떤 수의 $\dfrac{1}{10}$인 수가 8.631이므로 어떤
수는 8.631의 10배인 86.31입니다.

유제 6 📵 10이 2개이면 20, 1이 8개이면 8, 0.1이 25개이면 2.5, 0.01이 17개이면 0.17이므로 30.67입니다.」❶

따라서 어떤 수의 $\dfrac{1}{100}$인 수가 30.67이므로 어떤 수는 30.67의 100배인 3067입니다.」❷

> **채점 기준**
> ❶ 10이 2개, 1이 8개, 0.1이 25개, 0.01이 17개인 수 구하기
> ❷ 어떤 수 구하기

유형 ④
(1) $0+ⓒ=8 \Rightarrow ⓒ=8$
(2) $9+5=14 \Rightarrow ⓔ=4$
(3) $1+7+ⓛ=14 \Rightarrow ⓛ=6$
(4) $1+ⓞ+1=6 \Rightarrow ⓞ=4$

유제 7
$$\begin{array}{r} ⓞ.ⓛ \\ -\ 2.7\ ⓒ \\ \hline 1.7\ 3 \end{array}$$
• $10-ⓒ=3 \Rightarrow ⓒ=7$
• $ⓛ-1+10-7=7$
  $\Rightarrow ⓛ=5$
• $ⓞ-1-2=1 \Rightarrow ⓞ=4$

유제 8
• $10-ⓒ=3 \Rightarrow ⓒ=7$
• $ⓒ-1-ⓛ=4,\ 7-1-ⓛ=4 \Rightarrow ⓛ=2$
• $ⓛ+10-ⓞ=9,\ 2+10-ⓞ=9 \Rightarrow ⓞ=3$

유형 ⑤
(1) 어떤 수를 □라 하면 $□-4.3=8.8$,
  $□=8.8+4.3=13.1$입니다.
(2) $13.1+4.3=17.4$

유제 9 어떤 수를 □라 하면 $□+2.95=9.28$,
$□=9.28-2.95=6.33$입니다.
따라서 바르게 계산하면 $6.33-2.95=3.38$입니다.

유제 10 📵 어떤 수를 □라 하면 $5.46-□=3.97$,
$□=5.46-3.97=1.49$입니다.」❶
따라서 바르게 계산하면 $5.46+1.49=6.95$입니다.」❷

> **채점 기준**
> ❶ 어떤 수 구하기
> ❷ 바르게 계산한 값 구하기

유형 ⑥
(1) $2.44+1.97=4.41$(km)
(2) $4.41-3.53=0.88$(km)
> **다른 풀이** (㉠에서 ㉡까지의 거리)
> $=3.53-1.97=1.56$(km)
> $\Rightarrow$ (㉡에서 ㉢까지의 거리)
> $\ \ \ =2.44-1.56=0.88$(km)

유제 11 (㉡에서 ㉢까지의 거리)
$=4.93+5.2-8.15=10.13-8.15$
$=1.98$(km)

유제 12 (㉠에서 ㉣까지의 거리)
$=5.6+6.41-2.6=12.01-2.6=9.41$(km)
$\Rightarrow$ (㉠에서 ㉤까지의 거리)
$\ \ \ =9.41+2.51=11.92$(km)

유형 ⑦ (1) $7>5>2$이므로 만들 수 있는 소수 두 자리 수 중에서 가장 큰 수는 7.52이고 가장 작은 수는 2.57입니다.
(2) $7.52+2.57=10.09$

유제 13 $9>4>1$이므로 만들 수 있는 소수 두 자리 수 중에서 가장 큰 수는 9.41이고 가장 작은 수는 1.49입니다. $\Rightarrow 9.41-1.49=7.92$

유제 14 $8>6>5$이므로 만들 수 있는 소수 한 자리 수 중에서 가장 큰 수는 86.5이고 가장 작은 수는 56.8입니다. $\Rightarrow 86.5+56.8=143.3$

유형 ⑧ (1) $1.37+ⓞ=4.3 \Rightarrow ⓞ=4.3-1.37=2.93$,
$2.93+ⓛ=4.33 \Rightarrow ⓛ=4.33-2.93=1.4$
(2) $ⓒ=3.6+1.4=5$

유제 15
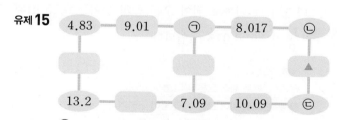
$ⓞ=9.01-4.83=4.18$,
$ⓛ=8.017-4.18=3.837$,
$ⓒ=10.09-7.09=3$
$\Rightarrow ▲=ⓛ+ⓒ=3.837+3=6.837$

> **상위권 문제** 확인과 응용   54~57쪽
>
> **1** 2000배   **2** ㉢, ㉡, ㉠
> **3** 풀이 참조, 0.015 m   **4** 15개
> **5** 4.907   **6** 1.744
> **7** 도서관, 0.05 km   **8** 2.34 cm
> **9** (위에서부터) 7, 3 / 5, 4, 6
> **10** 풀이 참조, 12.32   **11** 점심, 0.265 g
> **12** 147.32 cm

1 ㉠이 나타내는 수는 8이고 ㉡이 나타내는 수는
0.004입니다.
4는 0.004의 1000배이고 8은 4의 2배이므로 8은
0.004의 2000배입니다.
따라서 ㉠이 나타내는 수는 ㉡이 나타내는 수의
2000배입니다.

2 • □ 안에 0을 넣으면 ㉠ 10.008, ㉡ 10.367,
㉢ 19.740이므로 ㉢>㉡>㉠입니다.
• □ 안에 9를 넣으면 ㉠ 10.098, ㉡ 19.367,
㉢ 19.749이므로 ㉢>㉡>㉠입니다.
⇨ ㉢>㉡>㉠

다른 풀이 • ㉠의 □ 안에 9를 넣고 ㉡의 □ 안에 0을 넣어
도 10.098<10.367입니다. → ㉠<㉡
• ㉡의 □ 안에 9를 넣고 ㉢의 □ 안에 0을 넣어도
19.367<19.740입니다. → ㉡<㉢
⇨ ㉢>㉡>㉠

3 예 첫 번째로 튀어 오른 공의 높이는 15 m의 $\frac{1}{10}$이
므로 1.5 m입니다. ❶
두 번째로 튀어 오른 공의 높이는 1.5 m의 $\frac{1}{10}$이므
로 0.15 m입니다. ❷
따라서 세 번째로 튀어 오른 공의 높이는 0.15 m의
$\frac{1}{10}$이므로 0.015 m입니다. ❸

채점 기준

❶ 첫 번째로 튀어 오른 공의 높이 구하기
❷ 두 번째로 튀어 오른 공의 높이 구하기
❸ 세 번째로 튀어 오른 공의 높이 구하기

4 2.1보다 크고 2.3보다 작은 소수 두 자리 수를 2.1■,
2.2▲라 하여 소수 둘째 자리 수가 소수 첫째 자리
수보다 큰 경우를 알아봅니다.
2.1■일 때 2.12, 2.13 …… 2.18, 2.19 → 8개,
2.2▲일 때 2.23, 2.24 …… 2.28, 2.29 → 7개
⇨ 8+7=15(개)

5 • 4보다 크고 5보다 작으므로 일의 자리 수는 4입니다.
• 소수 셋째 자리 수는 7입니다.
• 소수 첫째 자리 수는 3으로 나누어떨어지는 수 중
가장 큰 수이므로 9입니다.
• 소수를 10배 하면 소수 첫째 자리 수가 0이 되므로
소수 둘째 자리 수는 0입니다.
따라서 조건을 모두 만족하는 소수 세 자리 수는
4.907입니다.

6 3.82+3.475=7.295이므로 9.04−□=7.295라
하면 □=9.04−7.295=1.745입니다.
따라서 9.04−□>7.295에서 □는 1.745보다 작
아야 하므로 □ 안에 들어갈 수 있는 수 중에서 가장
큰 소수 세 자리 수는 1.744입니다.

7 190 m=0.19 km, 420 m=0.42 km
(영우네 집에서 병원을 지나 학교까지 가는 거리)
=0.19+1.18=1.37(km)
(영우네 집에서 도서관을 지나 학교까지 가는 거리)
=0.42+0.9=1.32(km)
따라서 1.37>1.32이므로 도서관을 지나가는 것이
1.37−1.32=0.05(km) 더 가깝습니다.

8 (색 테이프 3장의 길이의 합)
=9.27+9.27+9.27=27.81(cm)
(겹쳐진 부분의 길이의 합)
=27.81−23.13=4.68(cm)
따라서 겹쳐진 부분은 2군데이고
4.68=2.34+2.34이므로 2.34 cm씩 겹쳐서 이어
붙였습니다.

9
$$\begin{array}{r} ㉠.㉡\ 1 \\ -\ ㉢.㉣㉤ \\ \hline 1\ .\ 8\ 5 \end{array}$$

• 10+1−㉤=5 ⇨ ㉤=6
• ㉡−1+10−㉣=8, ㉣−㉡=1
⇨ ㉡=3, ㉣=4 또는
㉡=4, ㉣=5
• ㉠−1−㉢=1, ㉠−㉢=2
⇨ ㉠=5, ㉢=3 또는 ㉠=7, ㉢=5
따라서 수 카드를 한 번씩 모두 사용하려면
㉠=7, ㉡=3, ㉢=5, ㉣=4, ㉤=6입니다.

10 예 5.32에서 2번 뛰어서 세어 8.12−5.32=2.8이
커졌고 2.8=1.4+1.4이므로 1.4씩 뛰어서 센 것입
니다. ❶
따라서 ㉠은 8.12에서 1.4씩 3번 뛰어서 센 수이므
로 8.12+1.4+1.4+1.4=12.32입니다. ❷

채점 기준

❶ 몇씩 뛰어서 센 것인지 구하기
❷ ㉠에 알맞은 수 구하기

11 (점심에 섭취한 나트륨 양)=0.48+0.3
=0.78(g)
(저녁에 섭취한 나트륨 양)=0.5+0.015
=0.515(g)
따라서 0.78>0.515이므로 점심에 섭취한 나트륨이
0.78−0.515=0.265(g) 더 많습니다.

12 4 feet는
$30.48+30.48+30.48+30.48=121.92(cm)$,
10 inch는 2.54 cm의 10배이므로 25.4 cm입니다.
따라서 4 feet 10 inch는
$121.92+25.4=147.32(cm)$입니다.

최상위권 문제 58~59쪽

1 0, 9, 9		**2** 13.143	
3 0.2 kg		**4** 7.59 km	
5 499.95		**6** 5.9 kg	

1 · $38.1\text{㉠}8<38.10\text{㉡}$이라 하면 ㉠은 0과 같거나 0
보다 작아야 하므로 ㉠$=0$이고 ㉡은 8보다 커야
하므로 ㉡$=9$입니다.
· $38.109<3\text{㉢}.051$이라 하면 ㉢은 8보다 커야 하
므로 ㉢$=9$입니다.

2 $6.43 \blacksquare 2.26 = 6.43-2.26+6.43$
   $=4.17+6.43=10.6$
$\Rightarrow 10.6 \blacksquare 8.057 = 10.6-8.057+10.6$
   $=2.543+10.6=13.143$

3 **비법 PLUS+** (사과 1개의 무게)
$=$(사과 10개가 들어 있는 상자의 무게)
   $-$(사과 1개를 빼낸 후 상자의 무게)

(사과 1개의 무게)$=3.1-2.81=0.29(kg)$
사과 10개의 무게는 0.29 kg의 10배이므로 2.9 kg
입니다.
$\Rightarrow$ (빈 상자의 무게)$=3.1-2.9=0.2(kg)$

4 **비법 PLUS+** · 두 사람이 같은 곳에서 서로 반대 방향으
로 움직일 때 두 사람 사이의 거리는 덧셈을 이용합니다.

· 두 사람이 같은 곳에서 서로 같은 방향으로 움직일 때
두 사람 사이의 거리는 뺄셈을 이용합니다.

$20분+20분+20분=60분=1$시간
(혜미가 한 시간 동안 가는 거리)
$=1.25+1.25+1.25=3.75(km)$
$15분+15분+15분+15분=60분=1$시간
(태수가 한 시간 동안 가는 거리)
$=0.96+0.96+0.96+0.96=3.84(km)$
$\Rightarrow$ (한 시간 후에 두 사람 사이의 거리)
   $=3.75+3.84=7.59(km)$

5 **비법 PLUS+** 규칙에 따라 아홉 번째까지 놓인 수를 알
고 첫 번째 수부터 아홉 번째 수까지의 합을 각 자리끼리
의 합으로 나타내어 봅니다.

$1+2+3+\cdots\cdots+7+8+9=45$
$\Rightarrow 11.11+22.22+33.33+\cdots\cdots+77.77$
$+88.88+99.99$
$=(10+20+30+\cdots\cdots+70+80+90)$
$+(1+2+3+\cdots\cdots+7+8+9)$
$+(0.1+0.2+0.3+\cdots\cdots+0.7+0.8$
$+0.9)+(0.01+0.02+0.03+\cdots\cdots$
$+0.07+0.08+0.09)$
$=(10$이 45개인 수)$+45+(0.1$이 45개인 수)
$+(0.01$이 45개인 수)
$=450+45+4.5+0.45=499.95$

다른 풀이 $11.11+22.22+33.33+44.44+55.55$
$+66.66+77.77+88.88+99.99$
$=(11.11+99.99)+(22.22+88.88)+(33.33+77.77)$
$+(44.44+66.66)+55.55$
$=111.1+111.1+111.1+111.1+55.55$
$=499.95$

6 **비법 PLUS+** 먼저 두 사람씩 잰 몸무게를 각각 덧셈식
으로 나타내어 세 사람의 몸무게의 합을 구합니다.

(진우)$+$(경태)$=70.1$ kg,
(경태)$+$(연수)$=72.2$ kg,
(연수)$+$(진우)$=66.3$ kg이므로
{(진우)$+$(경태)}$+${(경태)$+$(연수)}$+${(연수)$+$(진우)}
$=70.1+72.2+66.3=208.6(kg)$입니다.
{(진우)$+$(경태)$+$(연수)}$+${(진우)$+$(경태)$+$(연수)}
$=208.6$ kg이고 $208.6=104.3+104.3$이므로
(진우)$+$(경태)$+$(연수)$=104.3$ kg입니다.
(진우)$=${(진우)$+$(경태)$+$(연수)}$-${(경태)$+$(연수)}
   $=104.3-72.2=32.1(kg)$
(경태)$=${(진우)$+$(경태)$+$(연수)}$-${(연수)$+$(진우)}
   $=104.3-66.3=38(kg)$
(연수)$=${(진우)$+$(경태)$+$(연수)}$-${(진우)$+$(경태)}
   $=104.3-70.1=34.2(kg)$
$\Rightarrow 38>34.2>32.1$이므로
(가장 무거운 사람)$-$(가장 가벼운 사람)
   $=$(경태)$-$(진우)
   $=38-32.1=5.9(kg)$입니다.

정답과 풀이 Top Book

4 사각형

핵심 개념과 문제   63쪽

1 직선 가, 직선 나   **2** 예 [도형]

3 ㉡   **4** 3 cm

5 [도형, 1 cm, 1 cm]

6 4쌍

1 직선 라와 만나서 이루는 각이 직각인 직선은 직선 가, 직선 나입니다.

2 각도기를 사용하여 주어진 직선과 90°로 만나는 직선을 긋습니다.

3 • 수선이 있는 도형: ㉠, ㉡, ㉢
　• 평행선이 있는 도형: ㉡, ㉢
　따라서 수선도 있고 평행선도 있는 도형은 ㉡입니다.

4 평행한 두 변 사이에 수직인 선분을 긋고 그 선분의 길이를 재어 보면 3 cm입니다.

5 평행선 사이의 거리가 1 cm가 되도록 주어진 직선을 기준으로 양쪽에 평행한 직선을 각각 1개씩 긋습니다.

6 평행한 두 직선은 직선 가와 직선 나, 직선 라와 직선 마, 직선 라와 직선 바, 직선 마와 직선 바로 모두 4쌍입니다.

핵심 개념과 문제   65쪽

1 예 [도형]   예 [도형]

2 ㉡, ㉣, ㉤

3 사다리꼴입니다. / 예 평행한 변이 있기 때문에 사다리꼴입니다.

4 52 cm   **5** 65°

6 30°

1 주어진 선분을 사용하여 사다리꼴은 적어도 한 쌍의 변이 서로 평행하도록, 평행사변형은 마주 보는 두 쌍의 변이 서로 평행하도록 사각형을 완성합니다.

2 ㉠ 사다리꼴은 마주 보는 두 쌍의 변이 서로 평행한 것은 아니므로 평행사변형이 아닙니다.
　㉢ 직사각형은 네 변의 길이가 모두 같은 것은 아니므로 정사각형이 아닙니다.

4 마름모는 네 변의 길이가 모두 같습니다.
　⇨ 13+13+13+13=52(cm)

5 평행사변형에서 이웃한 두 각의 크기의 합은 180°입니다.
　115°+㉠=180° ⇨ ㉠=180°−115°=65°

6 직사각형은 네 각이 모두 직각이므로
　(각 ㄱㄴㄷ)=90°입니다.
　삼각형 ㄱㄴㄷ의 세 각의 크기의 합은 180°이므로
　(각 ㄴㄱㄷ)=180°−90°−35°=55°입니다.
　⇨ (각 ㄷㄱㅁ)=55°−25°=30°

상위권 문제   66~73쪽

유형❶ (1) 40° (2) 75° (3) 115°

유제 1 105°   **유제 2** 40°

유형❷ (1) 3 cm (2) 6 cm (3) 9 cm

유제 3 6 cm   **유제 4** 풀이 참조, 7 cm

유형❸ (1) 6개, 7개, 2개, 2개, 1개 (2) 18개

유제 5 18개   **유제 6** 25개

유형❹ (1) 60° (2) 130° (3) 130°

유제 7 85°   **유제 8** 풀이 참조, 83°

유형❺ (1) 24 cm, 24 cm (2) 24 cm, 24 cm
　　　(3) 120 cm

유제 9 45 cm   **유제10** 49 cm

유형❻ (1) 70° (2) 130° (3) 25°

유제11 100°   **유제12** 20°

유형❼ (1) 60° (2) 140° (3) 40°

유제13 120°   **유제14** 50°

유형❽ (1)   (2) 4쌍

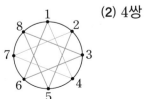

유제15 5쌍

유형 ① (1) 직선 가와 직선 나가 만나서 이루는 각도는 90°이므로 ㉠=90°−50°=40°입니다.

(2) 직선 가와 직선 나가 만나서 이루는 각도는 90°이므로 ㉡=90°−15°=75°입니다.

(3) ㉠+㉡=40°+75°=115°

유제 1 직선 가와 직선 나가 만나서 이루는 각도는 90°이므로 ㉠=90°−20°=70°, ㉡=90°−55°=35°입니다.

⇨ ㉠+㉡=70°+35°=105°

유제 2 직선 가와 직선 나가 만나서 이루는 각도는 90°이므로 ㉠=180°−90°−65°=25°, ㉡=90°−25°=65°입니다.

⇨ ㉡−㉠=65°−25°=40°

유형 ② (1) 직선 가와 직선 나 사이의 수선의 길이는 3 cm이므로 직선 가와 직선 나 사이의 거리는 3 cm입니다.

(2) 직선 나와 직선 다 사이의 수선의 길이는 6 cm이므로 직선 나와 직선 다 사이의 거리는 6 cm입니다.

(3) (직선 가와 직선 다 사이의 거리)
　＝(직선 가와 직선 나 사이의 거리)
　　＋(직선 나와 직선 다 사이의 거리)
　＝3+6=9(cm)

유제 3 (직선 나와 직선 다 사이의 거리)
＝(직선 가와 직선 다 사이의 거리)
　−(직선 가와 직선 나 사이의 거리)
＝10−4=6(cm)

유제 4 예 변 ㄱㅇ과 변 ㄴㄷ 사이의 거리는 변 ㄱㅇ과 변 ㄴㄷ 사이의 수선의 길이이므로 변 ㅇㅅ, 변 ㅂㅁ, 변 ㄹㄷ의 길이의 합과 같습니다.」❶
따라서 (변 ㄱㅇ과 변 ㄴㄷ 사이의 거리)
＝(변 ㅇㅅ)+(변 ㅂㅁ)+(변 ㄹㄷ)
＝2+2+3=7(cm)입니다.」❷

채점 기준

❶ 변 ㄱㅇ과 변 ㄴㄷ 사이의 거리 알아보기
❷ 변 ㄱㅇ과 변 ㄴㄷ 사이의 거리 구하기

유형 ③ (2) 6+7+2+2+1=18(개)

유제 5 • 작은 사각형 1개짜리: 6개
• 작은 사각형 2개짜리: 7개
• 작은 사각형 3개짜리: 2개
• 작은 사각형 4개짜리: 2개
• 작은 사각형 6개짜리: 1개
⇨ 6+7+2+2+1=18(개)

유제 6 • 작은 삼각형 2개짜리: 21개
• 작은 삼각형 8개짜리: 4개
⇨ 21+4=25(개)

유형 ④ (1) 평행선과 한 직선이 만날 때 생기는 같은 위치에 있는 각의 크기는 같으므로
(각 ㅅㅊㄹ)=(각 ㅅㅋㄴ)=60°입니다.

(2) 70°+60°=130°

(3) 평행선과 한 직선이 만날 때 생기는 엇갈린 위치에 있는 각의 크기는 같으므로
(각 ㄱㅈㅊ)=(각 ㅁㅊㄹ)=130°입니다.

다른 풀이 (각 ㄴㅋㅊ)=180°−60°=120°,
(각 ㅈㅋㅊ)=180°−120°=60°
삼각형 ㅈㅊㅋ에서
(각 ㅋㅈㅊ)=180°−70°−60°=50°입니다.
⇨ (각 ㄱㅈㅊ)=180°−50°=130°

유제 7

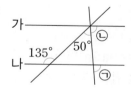

평행선과 한 직선이 만날 때 생기는 엇갈린 위치에 있는 각의 크기는 같으므로 50°+㉡=135°, ㉡=135°−50°=85°입니다.
평행선과 한 직선이 만날 때 생기는 같은 위치에 있는 각의 크기는 같으므로 ㉠=㉡=85°입니다.

다른 풀이

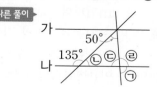

㉡=180°−135°=45°,
㉢=180°−50°−45°=85°,
㉣=180°−85°=95°
⇨ ㉠=180°−95°=85°

유제 **8** 예 가 ─────

평행선과 한 직선이 만날 때 생기는 엇갈린 위치에 있는 각의 크기는 같으므로 ㉡=56°입니다.」❶
따라서 삼각형의 세 각의 크기의 합은 180°이므로 ㉠=180°−41°−56°=83°입니다.」❷

채점 기준

❶ ㉡의 각도 구하기
❷ ㉠의 각도 구하기

유형**5** (1) 마름모는 네 변의 길이가 모두 같습니다.
(변 ㄷㄹ)=(변 ㅁㄹ)=(변 ㄱㅁ)=24 cm
(2) (변 ㄱㄴ)=(변 ㄱㄷ)=24 cm
(각 ㄱㄷㄴ)=(각 ㄱㄴㄷ)
   =180°−120°=60°이고
(각 ㄴㄱㄷ)=180°−60°−60°=60°이므로 삼각형 ㄱㄴㄷ은 정삼각형입니다.
(변 ㄴㄷ)=(변 ㄱㄴ)=(변 ㄱㄷ)=24 cm
(3) 24+24+24+24+24=120(cm)

유제 **9** 삼각형 ㅁㄷㄹ에서 180°−60°=120°이므로
(각 ㅁㄷㄹ)=(각 ㅁㄹㄷ)=120°÷2=60°입니다. 삼각형 ㅁㄷㄹ은 정삼각형이므로
(변 ㅁㄷ)=(변 ㄷㄹ)=(변 ㄹㅁ)이고
사각형 ㄱㄴㄷㅁ은 마름모이므로 네 변의 길이가 모두 같습니다.
(변 ㅁㄷ)=(변 ㄴㄷ)=(변 ㄷㄹ)
   =18÷2=9(cm)입니다.
따라서 굵은 선의 길이는
9+18+9+9=45(cm)입니다.

유제 **10** • (선분 ㅁㅂ)=(선분 ㄱㅂ)=7 cm이고,
마름모는 네 변의 길이가 모두 같으므로
(선분 ㅁㄹ)=(선분 ㄹㄷ)=(선분 ㅁㅂ)
   =7 cm입니다.
• 평행사변형은 마주 보는 두 변의 길이가 같으므로 (선분 ㄱㄴ)=(선분 ㄹㄷ)=7 cm입니다.
• 삼각형 ㅁㅂㄹ은 이등변삼각형이므로
180°−60°=120°에서
(각 ㅁㅂㄹ)=(각 ㅁㄹㅂ)=120°÷2=60°입니다. 즉, 삼각형 ㅁㅂㄹ은 정삼각형이므로
(선분 ㅂㄹ)=7 cm입니다.

• 평행사변형은 마주 보는 두 변의 길이가 같으므로 (선분 ㄴㄷ)=(선분 ㄱㅂ)+(선분 ㅂㄹ)
   =7+7=14(cm)입니다.
따라서 굵은 선의 길이는
7+14+7+7+7+7=49(cm)입니다.

유형**6** (1) 마름모에서 이웃한 두 각의 크기의 합은 180°이므로
(각 ㄱㄹㄷ)=180°−110°=70°입니다.
(2) (각 ㄱㄹㅁ)=(각 ㄱㄹㄷ)+(각 ㄷㄹㅁ)
   =70°+60°=130°
(3) (변 ㄹㄱ)=(변 ㄹㄷ)=(변 ㄹㅁ)이므로 삼각형 ㄹㄱㅁ은 이등변삼각형입니다.
180°−130°=50°이므로
(각 ㄹㄱㅁ)=50°÷2=25°입니다.

유제 **11** 삼각형 ㄱㄴㄷ은 이등변삼각형이므로
180°−40°=140°에서
(각 ㄱㄴㄷ)=(각 ㄱㄷㄴ)=140°÷2=70°입니다.
마름모는 마주 보는 두 각의 크기가 같으므로
(각 ㄷㄱㅁ)=(각 ㅁㄹㄷ)=120°입니다.
삼각형 ㄱㄷㅁ은 이등변삼각형이므로
180°−120°=60°에서
(각 ㄱㄷㅁ)=(각 ㄱㅁㄷ)=60°÷2=30°입니다.
➡ (각 ㄴㄷㅁ)=(각 ㄴㄷㄱ)+(각 ㄱㄷㅁ)
   =70°+30°=100°

유제 **12** 평행사변형에서 이웃한 두 각의 크기의 합은 180°이므로
(각 ㄱㄴㄷ)=(각 ㄱㄹㄷ)=180°−110°=70°이고, (각 ㄷㄹㅂ)=90°입니다.
사각형 ㄱㄴㅂㄹ에서
(각 ㄱㄴㅂ)=360°−110°−40°−90°−70°
   =50°입니다.
➡ (각 ㅅㄴㄷ)=(각 ㄱㄴㄷ)−(각 ㄱㄴㅂ)
   =70°−50°=20°

유형**7** (1) 평행사변형에서 이웃한 두 각의 크기의 합은 180°이므로
(각 ㄱㄴㄷ)=180°−120°=60°입니다.
(2) 접은 각과 접힌 각의 크기는 같으므로
(각 ㄴㅁㅅ)=(각 ㅁㅇㅅ)=50°입니다.
(각 ㄴㅅㅇ)=(각 ㅁㅅㅇ)
   =180°−60°−50°=70°
➡ (각 ㄴㅅㅁ)=70°+70°=140°
(3) (각 ㄱㅅㅂ)=180°−140°=40°

유제 **13**　마름모는 마주 보는 두 각의 크기가 같으므로
(각 ㄴㄷㄹ)=(각 ㄹㄱㄴ)=130°입니다.
접은 각과 접힌 각의 크기는 같으므로
(각 ㄷㄹㅂ)=(각 ㅁㄹㅂ)=20°입니다.
(각 ㄹㅂㄷ)=(각 ㄹㅂㅁ)
　　　　=180°-130°-20°=30°
⇨ (각 ㄴㅂㅁ)=180°-30°-30°=120°

유제 **14**　접은 각과 접힌 각의 크기는 같으므로
(각 ㅅㄷㅁ)=(각 ㄴㄱㅁ)=110°이고,
(각 ㅁㄷㅂ)=110°-30°=80°입니다.
평행사변형에서 이웃한 두 각의 크기의 합은
180°이므로 (각 ㄱㄴㄷ)=180°-110°=70°입
니다.
사각형 ㄱㄴㄷㅁ에서
(각 ㄱㅁㄷ)=360°-110°-70°-80°=100°
입니다.
접은 각과 접힌 각의 크기는 같으므로
(각 ㅂㅁㄷ)=(각 ㅂㅁㄱ)=100°÷2=50°입니다.

유형 **8**　(2) 평행선은 모두 4쌍입니다.

유제 **15**　연결한 모양은 오른쪽과 같습니
다.
따라서 연결한 모양에서 평행선
은 모두 5쌍입니다.

상위권 문제	확인과 응용		74~77쪽
1 3개		**2** 풀이 참조, 120°	
3 8 cm		**4** 60 cm	
5 120°		**6** 70°	
7 30개		**8** 22 cm	
9 풀이 참조, 100°		**10** 105°	
11 25°		**12** 48 cm	

1　• 수선이 있는 알파벳: E, F, L, T, H
• 평행선이 있는 알파벳: E, F, H, N
따라서 수선도 있고 평행선도 있는 알파벳은 E, F,
H로 모두 3개입니다.

2　**예** 각 ㄷㄹㄴ의 크기가 90°이므로 각 ㄷㄹㅁ의 크기
는 90°÷3=30°입니다. ❶
따라서 각 ㄱㄹㅁ의 크기는 90°+30°=120°입니
다. ❷

채점 기준
❶ 각 ㄷㄹㅁ의 크기 구하기
❷ 각 ㄱㄹㅁ의 크기 구하기

3　(직선 나와 직선 다 사이의 거리)
　=(직선 가와 직선 다 사이의 거리)
　　+(직선 나와 직선 라 사이의 거리)
　　-(직선 가와 직선 라 사이의 거리)
　=17+22-31=8(cm)

4　평행사변형의 짧은 변의 길이를 □ cm라 하면 평행
사변형의 긴 변의 길이는 (□+□+□)cm입니다.
⇨ □+□+□+□+□+□+□+□=40,
　□×8=40, □=5
따라서 마름모의 한 변은 5×3=15(cm)이므로 굵
은 선의 길이는
15+15+15+15=60(cm)입니다.

5　평행사변형에서 이웃한 두 각의 크기의 합은 180°이
므로 (각 ㄴㄱㄹ)=(각 ㄴㄷㄹ)=180°-60°
　　　　　　　　　　　=120°입니다.
(각 ㄴㄷㅁ)=(각 ㄹㄷㅁ)=120°÷2=60°
사각형 ㄱㄴㄷㅁ에서
(각 ㄱㅁㄷ)=360°-120°-60°-60°=120°입니다.

6　(각 ㄱㄹㄷ)=180°-55°=125°
평행선과 한 직선이 만날 때 생기는 엇갈린 위치에
있는 각의 크기는 같으므로
(각 ㄹㄷㄴ)=(각 ㅁㄹㄷ)=55°입니다.
따라서 (각 ㄹㄱㄴ)=(각 ㄹㄷㄴ)×2
　　　　　　　　=55°×2=110°이므로
사각형 ㄱㄴㄷㄹ에서
(각 ㄱㄴㄷ)=360°-110°-55°-125°=70°입니다.

7 ・도형에서 찾을 수 있는 크고 작은 정삼각형은 작은 삼각형 1개짜리 14개, 작은 삼각형 4개짜리 4개이므로 모두 14+4=18(개)입니다.

・도형에서 찾을 수 있는 크고 작은 마름모는 작은 삼각형 2개짜리 12개이므로 모두 12개입니다.

따라서 도형에서 찾을 수 있는 크고 작은 정삼각형과 크고 작은 마름모의 수의 합은 모두 18+12=30(개)입니다.

8 점 ㄹ에서 변 ㄴㄷ에 수선을 그어 직사각형 ㄱㄴㅁㄹ을 만듭니다.

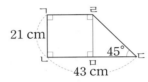

직사각형은 마주 보는 두 변의 길이가 같으므로 (변 ㄹㅁ)=(변 ㄱㄴ)=21 cm입니다.

삼각형 ㄹㅁㄷ에서 (각 ㄷㄹㅁ)=180°−90°−45°=45°입니다.

삼각형 ㄹㅁㄷ은 이등변삼각형이므로 (변 ㅁㄷ)=(변 ㅁㄹ)=21 cm입니다.

따라서 직사각형은 마주 보는 두 변의 길이가 같으므로 (변 ㄱㄹ)=(변 ㄴㅁ)=43−21=22(cm)입니다.

9 **예** 각도가 ㉠인 각의 꼭짓점을 지나고 직선 가, 직선 나와 평행한 직선을 긋습니다.

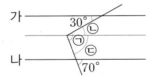

평행선과 한 직선이 만날 때 생기는 엇갈린 위치에 있는 각과 같은 위치에 있는 각의 크기는 각각 같으므로 ㉡=30°이고, ㉢=70°입니다.ⵑ❶

따라서 ㉠=30°+70°=100°입니다.ⵑ❷

채점 기준
❶ ㉡, ㉢의 각도 각각 구하기
❷ ㉠의 각도 구하기

다른풀이 점 ㄱ에서 직선 나에 수선을 그어 사각형 ㄱㄴㄷㄹ을 만듭니다.

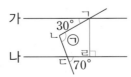

(각 ㄴㄱㄹ)=90°−30°=60°,
(각 ㄴㄷㄹ)=180°−70°=110°입니다.

따라서 사각형 ㄱㄴㄷㄹ에서
㉠=360°−60°−110°−90°=100°입니다.

10 (각 ㅈㅇㄹ)=180°−100°=80°

평행사변형에서 이웃한 두 각의 크기의 합은 180°이므로 (각 ㅁㄹㅇ)=180°−120°=60°입니다.

사각형 ㅁㅈㅇㄹ에서
(각 ㅁㅈㅇ)=360°−80°−115°−60°=105°입니다.

(각 ㅅㅈㅁ)=180°−105°=75°

⇨ (각 ㅅㅈㅂ)=180°−75°=105°

다른풀이 (각 ㅈㅇㄷ)=180°−115°=65°

평행선과 한 직선이 만날 때 생기는 엇갈린 위치에 있는 각의 크기는 같으므로 (각 ㅈㅂㄷ)=(각 ㄱㅁㅈ)=100°입니다.

사각형 ㅈㅂㄷㅇ에서
(각 ㅂㅈㅇ)=360°−100°−120°−65°=75°입니다.

⇨ (각 ㅅㅈㅂ)=180°−75°=105°

11 물의 표면과 선분 가가 만나서 이루는 각도는 90°이고 (반사각)=(입사각)=70°이므로
㉠=90°−70°=20°, ㉡=90°−45°=45°입니다.

⇨ ㉡−㉠=45°−20°=25°

12 ・사각형 ㅅㅈㅊㅂ과 사각형 ㅈㅇㄷㅊ은 정사각형이므로 (변 ㅂㅊ)=(변 ㅊㄷ)=3 cm입니다.

→ (변 ㅁㄴ)=(변 ㅂㅊ)+(변 ㅊㄷ)
  =3+3=6(cm)

・사각형 ㅁㄴㅇㅅ은 정사각형이므로
(변 ㅁㅅ)=(변 ㅁㄴ)=6 cm입니다.

→ (변 ㅁㅂ)=(변 ㅁㅅ)+(변 ㅅㅂ)
  =6+3=9(cm)

・사각형 ㄱㅁㅂㄹ은 정사각형이므로
(변 ㄱㅁ)=(변 ㅁㅂ)=9 cm입니다.

→ (변 ㄱㄴ)=(변 ㄱㅁ)+(변 ㅁㄴ)
  =9+6=15(cm)

⇨ (직사각형 ㄱㄴㄷㄹ의 네 변의 길이의 합)
  =9+15+9+15=48(cm)

최상위권 문제	78~79쪽

1 44 cm	**2** 32 cm
3 124°	**4** 140°
5 35°	**6** 25°

1 평행사변형은 마주 보는 두 변의 길이가 같으므로
(변 ㄹㄷ)=(변 ㄱㄴ)=11 cm입니다.
평행사변형은 마주 보는 두 각의 크기가 같으므로
(각 ㄱㄴㄷ)=(각 ㄷㄹㄱ)=65°+65°=130°이고
이웃한 두 각의 크기의 합은 180°이므로
(각 ㄴㄱㄹ)=(각 ㄹㄷㄴ)=180°-130°=50°입니다.
→ (각 ㄱㄴㄹ)=180°-65°-50°=65°,
  (각 ㄹㄴㄷ)=180°-65°-50°=65°
즉, 삼각형 ㄱㄴㄹ과 삼각형 ㄹㄴㄷ은 이등변삼각형입니다.
(변 ㄱㄹ)=(변 ㄱㄴ)=11 cm,
(변 ㄴㄷ)=(변 ㄹㄷ)=11 cm
따라서 평행사변형 ㄱㄴㄷㄹ의 네 변의 길이의 합은
11+11+11+11=44(cm)입니다.

2 비법 PLUS+ 마름모는 네 변의 길이가 모두 같음을 이용하여 마름모 ㄱㄴㄷㄹ의 한 변의 길이를 먼저 구합니다.

사각형 ㄱㄴㄷㄹ은 마름모이므로
(한 변)=64÷4=16(cm)입니다.
→ (변 ㄷㅇ)=(변 ㄴㅇ)-(변 ㄴㄷ)
        =27-16=11(cm)
사각형 ㅁㄷㅇㅂ은 마름모이므로
(변 ㅁㄷ)=(변 ㄷㅇ)=11 cm입니다.
→ (변 ㄹㅁ)=(변 ㄹㄷ)-(변 ㅁㄷ)
        =16-11=5(cm)
따라서 평행사변형 ㄹㅁㅂㅅ의 네 변의 길이의 합은
5+11+5+11=32(cm)입니다.

3 비법 PLUS+ 평행선과 한 직선이 만날 때 생기는 엇갈린 위치에 있는 각의 크기가 같음을 이용하여 각 ㄱㄹㄴ의 크기를 먼저 구합니다.

사각형 ㄱㄴㄷㄹ은 사다리꼴이므로 변 ㄱㄹ과 변 ㄴㄷ은 서로 평행합니다.
평행선과 한 직선이 만날 때 생기는 엇갈린 위치에 있는 각의 크기는 같으므로
(각 ㄱㄹㄴ)=(각 ㄹㄴㄷ)=28°입니다.
삼각형 ㄱㄴㄹ은 이등변삼각형이므로
(각 ㄱㄴㄹ)=(각 ㄱㄹㄴ)=28°입니다.
⇨ (각 ㄴㄱㄹ)=180°-28°-28°=124°

4 비법 PLUS+ 직선 가와 직선 나가 만나는 점을 지나면서 직선 다, 직선 라와 평행한 직선을 그어 봅니다.

직선 가와 직선 나가 만나는 점을 지나고 직선 다, 직선 라와 평행한 직선을 긋습니다.

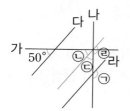

평행선과 한 직선이 만날 때 생기는 같은 위치에 있는 각의 크기는 같으므로 ㉡=50°입니다.
직선 가와 직선 나가 만나서 이루는 각도는 90°이므로 ㉢=90°-50°=40°이고,
㉣=180°-40°=140°입니다.
따라서 평행선과 한 직선이 만날 때 생기는 같은 위치에 있는 각의 크기는 같으므로 ㉠=㉣=140°입니다.

5 비법 PLUS+ (각 ㄱㅁㅂ)=(각 ㅂㅁㄷ)×3
⇨ (각 ㅂㅁㄷ)=(각 ㄱㅁㄷ)÷4

삼각형 ㄱㄴㅁ은 이등변삼각형이므로
180°-52°=128°에서
(각 ㄱㄴㅁ)=(각 ㄱㅁㄴ)=128°÷2=64°입니다.
각 ㄱㅁㅂ의 크기가 각 ㅂㅁㄷ의 크기의 3배이므로
180°-64°=116°에서
(각 ㅂㅁㄷ)=116°÷4=29°입니다.
평행사변형에서 이웃한 두 각의 크기의 합은 180°이므로 (각 ㄴㄷㄹ)=180°-64°=116°입니다.
따라서 삼각형 ㅁㄷㅂ에서
(각 ㅁㅂㄷ)=180°-29°-116°=35°입니다.

6 점 ㅁ에서 직선 나에 수선을 그어 사각형 ㅁㅂㄷㄴ을 만듭니다.

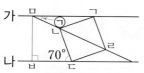

(변 ㄴㄷ)=(변 ㄷㄹ)이므로 삼각형 ㄴㄷㄹ은 이등변삼각형이고 180°-90°=90°에서
(각 ㄷㄴㄹ)=90°÷2=45°입니다.
(각 ㅁㄴㄷ)=180°-45°=135°,
(각 ㅂㅁㄴ)=360°-90°-70°-135°=65°입니다.
⇨ ㉠=90°-65°=25°

5 꺾은선그래프

1 8 °C

2 낮 12시와 오후 1시 사이

3 예 12 cm

4 예 • 자전거 생산량이 가장 많은 때는 5월입니다.
   • 자전거 생산량이 전월에 비해 줄어든 때는 4월
   입니다.

5 5월   **6** 15000대

1 오전 11시: 9 °C, 오후 2시: 17 °C
  ⇨ 17−9=8(°C)

2 선이 가장 많이 기울어진 때가 온도가 가장 많이 변
한 때이므로 낮 12시와 오후 1시 사이입니다.

3 9일의 키인 10 cm와 13일의 키인 14 cm의 중간
인 12 cm라고 예상할 수 있습니다.

5 선이 오른쪽 위로 가장 많이 기울어진 때는 4월과 5월
사이이므로 자전거 생산량이 전월에 비해 가장 많이
늘어난 때는 5월입니다.

6 1월: 2600대, 2월: 2900대, 3월: 3100대,
4월: 2900대, 5월: 3500대
  ⇨ (1월부터 5월까지 자전거 생산량)
    =2600+2900+3100+2900+3500
    =15000(대)

1 예

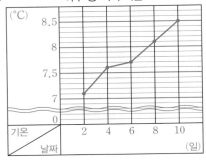

2 예

하루 중 최저 기온

3 예 늦어지고 있습니다.

4 예 오후 5시 59분

5 11시간 50분

2 기온이 7.1 °C보다 낮은 날이 없으므로 물결선으로
생략할 수 있습니다.

3 해 뜨는 시각은 오전 6시 13분, 오전 6시 18분,
오전 6시 20분, 오전 6시 23분으로 늦어지고 있습
니다.

4 해 지는 시각은 3분씩 빨라지고 있으므로 22일의 해
지는 시각인 오후 6시 2분보다 3분 빠른 오후 5시
59분이라고 예상할 수 있습니다.

5 10월 8일의 해 뜨는 시각은 오전 6시 18분이고, 해
지는 시각은 오후 6시 8분입니다.
  ⇨ 18시 8분−6시 18분=11시간 50분

유형 ❶ (1) 예 3 cm, 예 14 cm (2) 예 11 cm

유제 **1** 풀이 참조, 예 10 kg

유형 ❷ (1) 오후 1시 (2) 4 °C

유제 **2** 화요일, 4회   유제 **3** 12월, 500대

유형 ❸ (1) 150 mL (2) 15칸

유제 **4** 2칸   유제 **5** 3칸

유형 ❹ (1) 4 cm (2) 20 cm

유제 **6** 18 L   유제 **7** 88회

유형 ❺ (1) 176점 (2) 86점

유제 **8** 풀이 참조, 120 kg

유형 ❻ (1) 4 cm (2) 4칸 (3) 1 cm

유제 **9** 2 kg

유형 ① (1) • 3월의 식물의 키는 2월의 키인 2 cm와 4월의 키인 4 cm의 중간인 3 cm라고 예상할 수 있습니다.
　　• 9월의 식물의 키는 8월의 키인 11 cm와 10월의 키인 17 cm의 중간인 14 cm라고 예상할 수 있습니다.

(2) 3월과 9월의 식물의 키의 차는
14−3=11(cm)라고 예상할 수 있습니다.

유제 1 📖 8살인 해의 7월의 몸무게는 8살과 9살인 해의 1월의 몸무게의 중간인 24 kg이라고 예상할 수 있습니다. 10살인 해의 7월의 몸무게는 10살과 11살인 해의 1월의 몸무게의 중간인 34 kg이라고 예상할 수 있습니다.」❶
따라서 8살인 해의 7월의 몸무게와 10살인 해의 7월의 몸무게의 차는 34−24=10(kg)이라고 예상할 수 있습니다.」❷

채점 기준
❶ 8살인 해의 7월의 몸무게와 10살인 해의 7월의 몸무게 각각 예상하기
❷ 8살인 해의 7월의 몸무게와 10살인 해의 7월의 몸무게의 차 예상하기

유형 ② (1) 차가 가장 큰 때는 기온과 수온을 나타내는 점의 사이가 가장 많이 벌어진 때이므로 오후 1시입니다.
(2) 세로 눈금 한 칸의 크기는 1 ℃이고, 기온과 수온의 온도의 차가 가장 큰 때의 세로 눈금은 4칸 차이이므로 이때의 온도의 차는
1×4=4(℃)입니다.

유제 2 차가 가장 작은 때는 아름이와 민지의 윗몸 일으키기 횟수를 나타내는 점의 사이가 가장 적게 벌어진 때이므로 화요일입니다.
세로 눈금 한 칸의 크기는 10÷5=2(회)이고, 두 사람의 윗몸 일으키기 횟수의 차가 가장 작은 때의 세로 눈금은 2칸 차이이므로 이때의 횟수의 차는 2×2=4(회)입니다.

유제 3 차가 가장 큰 때는 ㉮와 ㉯ 회사의 자동차 판매량을 나타내는 점의 사이가 가장 많이 벌어진 때이므로 12월입니다.
세로 눈금 한 칸의 크기는 500÷5=100(대)이고, 두 회사의 자동차 판매량의 차가 가장 큰 때의 세로 눈금은 5칸 차이가 나므로 이때의 판매량의 차는 100×5=500(대)입니다.

유형 ③ (1) 세로 눈금 한 칸의 크기는
250÷5=50(mL)이고, 14일과 15일의 세로 눈금은 3칸 차이가 납니다.
⇨ (14일과 15일에 마신 우유의 양의 차)
=50×3=150(mL)

(2) 세로 눈금 한 칸의 크기를 10 mL로 하여 다시 그린다면 14일과 15일의 세로 눈금은 150÷10=15(칸) 차이가 납니다.

유제 4 세로 눈금 한 칸의 크기는 10÷5=2(초)이고, 수요일과 목요일의 세로 눈금은 4칸 차이가 납니다.
(수요일과 목요일의 오래 매달리기 기록의 차)
=2×4=8(초)
따라서 세로 눈금 한 칸의 크기를 4초로 하여 다시 그린다면 수요일과 목요일의 세로 눈금은 8÷4=2(칸) 차이가 납니다.

유제 5 세로 눈금 한 칸의 크기는 50÷5=10(명)이고, 초등학생 수가 가장 많은 때는 2014년, 가장 적은 때는 2017년이므로 세로 눈금은 6칸 차이가 납니다.
(2014년과 2017년의 초등학생 수의 차)
=10×6=60(명)
따라서 세로 눈금 한 칸의 크기를 20명으로 하여 다시 그린다면 2014년과 2017년의 세로 눈금은 60÷20=3(칸) 차이가 납니다.

유형 ④ (1) 세로 눈금 한 칸의 크기는 1 cm이므로 개미는 3초마다 4 cm씩 움직입니다.
(2) (12초 동안 움직인 거리)+4
=16+4=20(cm)

유제 6 세로 눈금 한 칸의 크기는 1 L이므로 물탱크에 물이 10초마다 3 L씩 채워집니다.
⇨ (1분 동안 물탱크에 채우는 물의 양)
=(40초 동안 물탱크에 채운 물의 양)+3+3
=12+3+3=18(L)

유제 7 세로 눈금 한 칸의 크기는 10÷5=2(회)이므로 현수가 훌라후프를 돌린 횟수는 매일 4회씩 늘어납니다.
⇨ (20일에 돌리는 훌라후프 횟수)
=(14일에 돌린 횟수)+4+4+4+4+4+4
=64+4+4+4+4+4+4=88(회)

유형 5 (1) 11월의 수학 점수: 82점,

12월의 수학 점수: 94점

⇨ (9월과 10월의 수학 점수의 합)

$=352-82-94=176$(점)

(2) 9월의 수학 점수를 □점이라 하면

10월의 수학 점수는 (□+4)점이므로

□+□+4=176, □+□=172,

□=86입니다.

유제 8 **예** 화요일과 금요일의 쓰레기 배출량의 합은

$830-180-190-200=260$(kg)입니다.」❶

금요일의 쓰레기 배출량을 □kg이라 하면 화

요일의 쓰레기 배출량은 (□+20)kg이므로

□+20+□=260, □+□=240,

□=120입니다.

따라서 금요일의 쓰레기 배출량은 120 kg입니

다.」❷

채점 기준

❶ 화요일과 금요일의 쓰레기 배출량의 합 구하기
❷ 금요일의 쓰레기 배출량 구하기

유형 6 (1) 세로 눈금 한 칸의 크기는 2 cm입니다.

1분: 26 cm, 2분: 22 cm

⇨ $26-22=4$(cm)

(3) 세로 눈금 4칸이 4 cm를 나타내므로 (나) 그

래프의 세로 눈금 한 칸의 크기는

$4÷4=1$(cm)입니다.

유제 9 준호가 나타낸 꺾은선그래프에서 세로 눈금 한

칸의 크기는 4 kg입니다.

2000년의 쌀 소비량은 52 kg, 2005년의 쌀 소

비량은 44 kg이므로 2000년과 2005년의 쌀 소

비량의 차는 $52-44=8$(kg)입니다.

지안이가 나타낸 꺾은선그래프에서 2000년과

2005년의 세로 눈금 칸 수의 차는 4칸입니다.

따라서 지안이가 나타낸 꺾은선그래프의 세로

눈금 한 칸의 크기는 $8÷4=2$(kg)입니다.

상위권 문제 **확인과 응용** 92~95쪽

1 17, 14, 12 /

운동장의 온도

2 **예** 오후 3시 30분 **3** 3번

4 180000원 **5** **예** 3 mm

6 100, 200 **7** 풀이 참조, 71.4 kg

8 750 m **9** 풀이 참조, 5200 kg

10 2 mm **11** 3000명 늘었습니다.

12 0.9 kg

1 꺾은선그래프에서 오후 2시의 온도는 17 ℃이고,

오후 3시의 온도는 14 ℃입니다.

오후 3시의 온도가 오후 4시의 온도보다 2 ℃ 더 높

으므로 오후 4시의 온도는 $14-2=12$(℃)입니다.

2 세로 눈금이 13 ℃인 때 가로 눈금을 읽으면 오후 3

시와 4시 사이입니다.

따라서 운동장의 온도가 13 ℃인 때는 오후 3시 30분

이라고 예상할 수 있습니다.

3 강아지의 몸무게가 같은 때는 두 꺾은선이 만나는

때이므로 7월과 8월 사이, 8월과 9월 사이, 10월과

11월 사이로 모두 3번입니다.

4 세로 눈금 한 칸의 크기는 $10÷5=2$(개)입니다.

(5일 동안의 샌드위치 판매량)

$=12+20+18+16+24=90$(개)

⇨ (5일 동안 샌드위치를 판 돈)

$=2000×90=180000$(원)

5 9살인 해의 7월의 발 길이는 9살과 10살인 해의 1월

의 발 길이의 중간인 236 mm라고 예상할 수 있고,

10살인 해의 7월의 발 길이는 10살과 11살인 해의

1월의 발 길이의 중간인 239 mm라고 예상할 수

있습니다.

따라서 9살인 해의 7월의 발 길이와 10살인 해의

7월의 발 길이의 차는 $239-236=3$(mm)라고 예

상할 수 있습니다.

6 세로 눈금 칸 수의 합인 12+13+11+13=49(칸)
이 980 kg을 나타내므로 세로 눈금 한 칸의 크기는
980÷49=20(kg)입니다.
⇨ ㉠=20×5=100, ㉡=20×10=200

7 예 세로 눈금 한 칸의 크기는 0.1 kg이므로 우주가
서희보다 0.2 kg 더 무거운 때는 우주의 몸무게를
나타내는 점이 서희의 몸무게를 나타내는 점보다 2
칸 더 위에 있는 9월입니다.」❶
따라서 9월의 서희의 몸무게는 35.6 kg이고, 우주
의 몸무게는 35.8 kg이므로 두 사람의 몸무게의 합
은 35.6+35.8=71.4(kg)입니다.」❷

8 2분마다 150 m, 100 m를 번갈아 가며 걷는 규칙
입니다.
⇨ (12분 동안 걸어가는 거리)
=(10분 동안 걸어간 거리)+100
=650+100=750(m)

9 예 선이 가장 많이 기울어진 때가 수출량이 가장 많
이 변한 때이므로 2013년과 2014년 사이입니다.
2013년과 2014년 사이의 수출량은
6800-5600=1200(kg)이 늘었습니다.」❶
2016년의 수출량은 6400 kg이므로 2017년의 수
출량은 6400-1200=5200(kg)입니다.」❷

10 강수량이 가장 많은 때는 8월이고 가장 적은 때는 6
월이므로 세로 눈금은 9칸 차이가 납니다.
세로 눈금 한 칸의 크기는 20÷5=4(mm)이므로
강수량이 가장 많은 때와 가장 적은 때의 강수량의
차는 4×9=36(mm)입니다.
따라서 다시 그린 그래프는 세로 눈금 한 칸의 크기
를 36÷18=2(mm)로 한 것입니다.

11 사망자 수를 나타내는 꺾은선그래프에서 선이 오른
쪽 위로 가장 많이 기울어진 때는 2014년과 2015년
사이이므로 사망자 수가 전년도에 비해 가장 많이
늘어난 때는 2015년입니다.
따라서 2014년의 출생아 수는 435000명이고 2015
년의 출생아 수는 438000명이므로
438000-435000=3000(명) 늘었습니다.

12

추의 무게(g)	100	200	300	400
용수철의 길이(cm)	11	17	23	29

추의 무게가 100 g씩 늘어날 때마다 용수철의 길이
는 6 cm씩 늘어납니다.
용수철의 길이가 59 cm가 되려면 추의 무게가
100 g일 때의 용수철의 길이인 11 cm에서
59-11=48(cm)만큼 더 늘어나야 하고, 48 cm
는 6 cm씩 48÷6=8(번) 늘어난 길이입니다.
따라서 100×8=800(g), 100+800=900(g)이
므로 용수철의 길이가 59 cm일 때 용수철에 매단
추의 무게는 900 g=0.9 kg입니다.

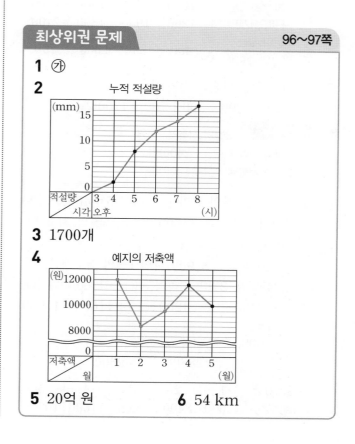

최상위권 문제 96~97쪽

1 ㉮

2 누적 적설량

3 1700개

4 예지의 저축액

5 20억 원   **6** 54 km

1 세탁기 ㉮, ㉯, ㉰의 판매량이 가장 많은 때와 가장 적은 때의 판매량의 차를 각각 구합니다.

㉮: $1400-600=800$(대),

㉯: $1200-600=600$(대),

㉰: $1200-500=700$(대)

⇨ $800>700>600$이므로 판매량이 가장 많은 때와 가장 적은 때의 판매량의 차가 가장 큰 세탁기는 ㉮입니다.

2

> **비법 PLUS+** (6시의 누적 적설량)
> $=$(5시의 누적 적설량)$+$(5시~6시의 적설량)

꺾은선그래프에서 3시부터 8시까지의 적설량은 $17\,mm$이므로 5시부터 6시까지의 적설량은 $17-2-6-2-3=4(mm)$입니다.

⇨ (6시의 누적 적설량)$=8+4=12(mm)$,
(7시의 누적 적설량)$=12+2=14(mm)$

3

> **비법 PLUS+** 4년 동안 밥솥 생산량과 판매량의 차를 연도별로 각각 구한 다음 남아 있는 밥솥은 모두 몇 개인지 구합니다.

밥솥 생산량의 세로 눈금 한 칸의 크기는 $1000÷5=200$(개)이고, 밥솥 판매량의 세로 눈금 한 칸의 크기는 $500÷5=100$(개)입니다.

연도(년)	2014	2015	2016	2017
생산량(개)	1600	2200	1800	2800
판매량(개)	1200	1900	1500	2100
남아 있는 밥솥의 수(개)	400	300	300	700

⇨ (남아 있는 밥솥의 수의 합)
$=400+300+300+700=1700$(개)

4

> **비법 PLUS+** 3월의 저축액: ▢원
> ⇨ 1월의 저축액: (▢+2400)원
> 2월의 저축액: (▢−1200)원

세로 눈금 한 칸의 크기는 $2000÷5=400$(원)입니다. 4월의 저축액은 11600원이고, 5월의 저축액은 10000원입니다.

3월의 저축액을 ▢원이라 하면 1월의 저축액은 (▢+2400)원, 2월의 저축액은 (▢−1200)원입니다.

⇨ $\underbrace{▢+2400}_{1월}+\underbrace{▢-1200}_{2월}+\underbrace{▢}_{3월}+\underbrace{11600}_{4월}+\underbrace{10000}_{5월}$
$=51600$,

▢$+$▢$+$▢$=28800$, ▢$=9600$

월(월)	1	2	3	4	5
저축액(원)	12000	8400	9600	11600	10000

5

> **비법 PLUS+** 관광객 수를 나타낸 그래프에서는 선이 오른쪽 위로 기울어지고, 관광 수입액을 나타낸 그래프에서는 선이 오른쪽 아래로 기울어지는 월을 찾아봅니다.

전월에 비해 관광객 수가 늘어난 때는 8월, 9월, 10월이고 전월에 비해 관광 수입액이 줄어든 때는 9월, 12월이므로 전월에 비해 관광객 수는 늘었지만 관광 수입액이 줄어든 때는 9월입니다.

관광 수입액의 세로 눈금 한 칸의 크기는 10억 원이고, 9월은 전월에 비해 세로 눈금이 2칸 줄었으므로 9월의 관광 수입액은 전월에 비해
$10×2=20$(억 원) 줄었습니다.

6

> **비법 PLUS+** 기차와 버스가 각각 일정한 시간 동안 몇 km씩 달리는지 알아본 다음 기차와 버스가 45분 동안 달린 거리의 차를 구합니다.

세로 눈금 한 칸의 크기는 $15÷5=3(km)$입니다.

• 기차는 5분 동안 $9\,km$씩 달리고, 45분은 5분씩 $45÷5=9$(번)이므로 기차가 45분 동안 달린 거리는 $9×9=81(km)$입니다.

• 버스는 5분 동안 $3\,km$씩 달리고, 45분은 5분씩 $45÷5=9$(번)이므로 버스가 45분 동안 달린 거리는 $3×9=27(km)$입니다.

⇨ (기차와 버스가 45분 동안 달린 거리의 차)
$=81-27=54(km)$

6 다각형

1 / 5개

2 예 다각형은 선분으로만 둘러싸인 도형인데 주어진 도형은 선분과 곡선으로 둘러싸여 있으므로 다각형이 아닙니다.

3 (위에서부터) 90, 8   **4** 정팔각형

5 예 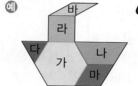   **6** 15개

1 서로 이웃하지 않는 두 꼭짓점을 선분으로 잇습니다.

3 마름모의 두 대각선은 서로 수직으로 만나고 한 대각선이 다른 대각선을 반으로 나눕니다.

4 (변의 수)=56÷7=8(개)
따라서 변이 8개인 정다각형은 정팔각형입니다.

6 다 ▷ 3개
나 모양 조각 1개를 만드는 데 다 모양 조각이 3개 필요하므로 나 모양 조각 5개를 만들려면 다 모양 조각은 모두 3×5=15(개) 필요합니다.

유형 ❶ (1) 2개 / 14개 (2) 16개
유제 **1** 11개   유제 **2** 구각형
유형 ❷ (1) 10 cm / 10 cm (2) 32 cm
유제 **3** 24 cm
유제 **4** 풀이 참조, 42 cm
유형 ❸ (1) 80 cm, 80 cm (2) 20 cm (3) 4 cm
유제 **5** 5 cm   유제 **6** 정오각형
유형 ❹ (1) 1080° (2) 135° (3) 45°
유제 **7** 30°   유제 **8** 풀이 참조, 36°
유형 ❺ (1) 1 (2) 16개 / 2개 (3) 약 20
유제 **9** 약 21
유형 ❻ (1) 6개 (2) 9개 (3) 3개
유제 **10** 빨간색 고무줄, 25개

유형 ❶ (1) 칠각형의 한 꼭짓점에서 그을 수 있는 대각선은 7−3=4(개)입니다. 칠각형에 그을 수 있는 대각선 수는 4×7=28, 28÷2=14이므로 14개입니다.
(2) 2+14=16(개)

유제 **1** 육각형의 한 꼭짓점에서 그을 수 있는 대각선은 6−3=3(개)입니다. 육각형에 그을 수 있는 대각선 수는 3×6=18, 18÷2=9이므로 9개입니다.
팔각형의 한 꼭짓점에서 그을 수 있는 대각선은 8−3=5(개)입니다. 팔각형에 그을 수 있는 대각선 수는 5×8=40, 40÷2=20이므로 20개입니다.
따라서 두 도형에 각각 그을 수 있는 대각선 수의 차는 20−9=11(개)입니다.

유제 **2** 유라가 그린 다각형의 꼭짓점의 수를 □개라 하면 한 꼭짓점에서 그을 수 있는 대각선은 (□−3)개이고 대각선은 2번씩 겹치므로 (□−3)×□=27×2=54입니다.
곱이 54이고 차가 3인 두 수를 찾으면 6과 9이므로 □=9입니다.
따라서 유라가 그린 다각형은 구각형입니다.

유형 ❷ (1) 직사각형은 두 대각선의 길이가 같고, 한 대각선이 다른 대각선을 반으로 나누므로 (선분 ㄱㅁ)=20÷2=10(cm), (선분 ㄴㅁ)=20÷2=10(cm)입니다.
(2) 직사각형은 마주 보는 두 변의 길이가 같으므로 (선분 ㄱㄴ)=(선분 ㄹㄷ)=12 cm입니다.
따라서 삼각형 ㄱㄴㅁ의 세 변의 길이의 합은 (선분 ㄱㄴ)+(선분 ㄴㅁ)+(선분 ㄱㅁ) =12+10+10=32(cm)입니다.

유제 **3** 평행사변형은 한 대각선이 다른 대각선을 반으로 나누므로 (선분 ㄱㅁ)=14÷2=7(cm), (선분 ㄴㅁ)=18÷2=9(cm)입니다.
평행사변형은 마주 보는 두 변의 길이가 같으므로 (선분 ㄱㄴ)=(선분 ㄹㄷ)=8 cm입니다.
따라서 삼각형 ㄱㄴㅁ의 세 변의 길이의 합은 (선분 ㄱㄴ)+(선분 ㄴㅁ)+(선분 ㄱㅁ) =8+9+7=24(cm)입니다.

유제 4 ⑩ 정사각형은 두 대각선의 길이가 같고, 한 대각선이 다른 대각선을 반으로 나누므로
(선분 ㅂㄹ)=(선분 ㄷㄹ)=7 cm입니다.」❶
(선분 ㄱㅂ)=(선분 ㅂㄹ)이므로 (선분 ㄱㄹ)
=(선분 ㅂㄹ)×2=7×2=14(cm)입니다.」❷
직사각형은 마주 보는 두 변의 길이가 같으므로
(선분 ㄴㄷ)=(선분 ㄱㄹ)=14 cm이고,
(선분 ㄱㄴ)=(선분 ㄹㄷ)=7 cm입니다.
따라서 직사각형 ㄱㄴㄷㄹ의 네 변의 길이의 합은 7+14+7+14=42(cm)입니다.」❸

채점 기준
❶ 선분 ㅂㄹ, 선분 ㄷㄹ의 길이 각각 구하기
❷ 선분 ㄱㄹ의 길이 구하기
❸ 직사각형 ㄱㄴㄷㄹ의 네 변의 길이의 합 구하기

유형 ❸ (1) (나누어 가진 철사의 길이)
=(정팔각형의 모든 변의 길이의 합)
=10×8=80(cm)
(2) (정오각형을 1개 만드는 데 사용한 철사의 길이)
=80÷4=20(cm)
(3) (정오각형의 한 변)=20÷5=4(cm)

유제 5 • (철사의 길이)
=(정십각형의 모든 변의 길이의 합)
=9×10=90(cm)
• (정육각형을 1개 만드는 데 사용한 철사의 길이)
=90÷3=30(cm)
➡ (정육각형의 한 변)=30÷6=5(cm)

유제 6 1 m=100 cm입니다.
• (정십이각형의 모든 변의 길이의 합)
=5×12=60(cm)
• (한 변이 8 cm인 정다각형의 모든 변의 길이의 합)=100−60=40(cm)
따라서 한 변이 8 cm인 정다각형의 변의 수는
40÷8=5(개)이므로 정오각형입니다.

유형 ❹ (1) 정팔각형은 삼각형 6개로 나눠지므로 정팔각형의 여덟 각의 크기의 합은 180°×6=1080°입니다.
(2) 정팔각형의 한 각의 크기는 1080°÷8=135°이므로 (각 ㄱㄴㄷ)=135°입니다.
(3) (각 ㄷㄴㅅ)=90°이므로
(각 ㄱㄴㅅ)=135°−90°=45°입니다.

유제 7 정육각형은 삼각형 4개로 나눠지므로 정육각형의 여섯 각의 크기의 합은 180°×4=720°입니다.
정육각형의 한 각의 크기는 720°÷6=120°이므로 (각 ㄷㄹㅁ)=120°입니다.
따라서 삼각형 ㄹㄷㅁ은 (변 ㄹㅁ)=(변 ㄹㄷ)인 이등변삼각형이고 180°−120°=60°,
60°÷2=30°에서 각 ㄹㄷㅁ의 크기는 30°입니다.

유제 8 ⑩ 정오각형은 삼각형 3개로 나눠지므로 정오각형의 다섯 각의 크기의 합은 180°×3=540°이고, 정오각형의 한 각의 크기는
540°÷5=108°입니다.」❶
삼각형 ㅁㄱㄹ은 (변 ㅁㄱ)=(변 ㅁㄹ)인 이등변삼각형이고 180°−108°=72°, 72°÷2=36°에서 각 ㅁㄱㄹ의 크기는 36°입니다.
같은 방법으로 구하면 각 ㄴㄱㄷ의 크기는 36°입니다.」❷
따라서 각 ㄷㄱㄹ의 크기는
108°−36°−36°=36°입니다.」❸

채점 기준
❶ 정오각형의 한 각의 크기 구하기
❷ 각 ㅁㄱㄹ, 각 ㄴㄱㄷ의 크기 각각 구하기
❸ 각 ㄷㄱㄹ의 크기 구하기

유형 ❺ (1) 나 모양 조각의 크기가 3이고, 다 모양 조각 3개로 나 모양 조각을 만들 수 있으므로 다 모양 조각의 크기는 1입니다.
(2)

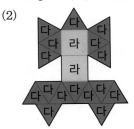

(3) 다 모양 조각이 16개, 라 모양 조각이 2개 필요하므로 크기는 약 16+4=20입니다.

유제 9

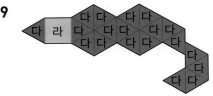

가 모양 조각의 크기가 6이므로 다 모양 조각의 크기는 1입니다. 주어진 모양을 다 모양 조각과

라 모양 조각으로만 채우면 다 모양 조각 19개,
라 모양 조각 1개가 필요하므로 크기는 약
19＋2＝21입니다.

유형 ⑥ (1) 각 마을을 꼭짓점으로 하는 육각형을 생각하
면 마을 버스 노선은 육각형의 변의 수와 같
습니다.
따라서 육각형은 변이 6개이므로 마을 버스
노선은 6개입니다.

(2) 각 마을을 꼭짓점으로 하는 육각형을 생각하
면 일반 버스 노선은 육각형의 대각선의 수와
같습니다.
육각형의 한 꼭짓점에서 그을 수 있는 대각선
은 6－3＝3(개)입니다.
따라서 육각형에 그을 수 있는 대각선 수는
3×6＝18, 18÷2＝9이므로 9개입니다.

(3) (일반 버스 노선 수)－(마을 버스 노선 수)
＝9－6＝3(개)

유제 10 각 나무젓가락을 꼭짓점으로 하는 십각형을 생
각하면 노란색 고무줄은 십각형의 변의 수, 빨간
색 고무줄은 십각형의 대각선의 수와 같습니다.
십각형의 한 꼭짓점에서 그을 수 있는 대각선은
10－3＝7(개)입니다.
십각형에 그을 수 있는 대각선 수는
7×10＝70, 70÷2＝35이므로 35개입니다.
따라서 노란색 고무줄은 10개, 빨간색 고무줄은
35개 필요하므로 빨간색 고무줄이
35－10＝25(개) 더 필요합니다.

상위권 문제 확인과 응용 108~111쪽

1 60° **2** 4 cm
3 20° **4** 120° / 150°
5 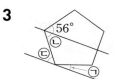 / 예
6 120° **7** 풀이 참조, 124°
8 12개 **9** 풀이 참조, 135°
10 64 **11** ㉡, ㉣
12 12°

---

1 직사각형은 네 각이 모두 직각이므로
(각 ㄴㄱㄹ)＝90°입니다.
직사각형은 두 대각선의 길이가 같고, 한 대각선은
다른 대각선을 반으로 나누므로 선분 ㄱㅁ과 선분
ㄹㅁ의 길이는 같습니다.
삼각형 ㄱㅁㄹ은 이등변삼각형이고
180°－120°＝60°, 60°÷2＝30°에서
(각 ㄱㄹㅁ)＝30°입니다.
따라서 삼각형 ㄱㄴㄹ에서
(각 ㄱㄴㄹ)＝180°－90°－30°＝60°입니다.

2 • (정육각형을 1개 만드는 데 사용한 철사의 길이)
＝18×6＝108(cm)
• (정오각형을 5개 만드는 데 사용한 철사의 길이)
＝108－8＝100(cm)
• (정오각형을 1개 만드는 데 사용한 철사의 길이)
＝100÷5＝20(cm)
⇨ (정오각형의 한 변)＝20÷5＝4(cm)

3 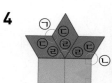 정오각형의 다섯 각의 크기의 합은
180°×3＝540°이므로 정오각형
의 한 각의 크기는
540°÷5＝108°입니다.
㉡＝108°－56°＝52°이고 평행선과 한 직선이 만날
때 생기는 엇갈린 위치에 있는 각의 크기는 같으므로
㉢＝㉡＝52°입니다.
⇨ ㉠＝180°－㉢－108°
＝180°－52°－108°＝20°

4 마름모 모양 조각의 두 각도를
㉢, ㉣이라 하면
㉣＋㉣＋㉣＝180°에서
㉣＝60°입니다.
마름모에서 이웃하는 두 각의 크기의 합은 180°이므로
㉢＋60°＝180°, ㉢＝120°입니다.
따라서 ㉠＝360°－120°－120°＝120°이고
㉡＝360°－120°－90°＝150°입니다.

5 모양 조각을 가장 많이 사용하는 방법은 정삼각형 모
양 조각 9개로 정삼각형을 만드는 방법입니다.
모양 조각을 가장 적게 사용하는 방법은 사다리꼴 모
양 조각 3개로 정삼각형을 만드는 방법입니다.

주의 ▶ 모양 조각을 가장 적게 사용한
다고 해서 정육각형 모양 조각부터 사
용하여 오른쪽과 같이 만들지 않도록
합니다.

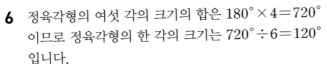 정답과 풀이 Top Book

6 정육각형의 여섯 각의 크기의 합은 $180° \times 4 = 720°$ 이므로 정육각형의 한 각의 크기는 $720° \div 6 = 120°$ 입니다.
삼각형 ㄷㄹㅁ은 (변 ㄷㄹ)=(변 ㅁㄹ)인 이등변삼각형이므로 $180° - 120° = 60°$, $60° \div 2 = 30°$에서 (각 ㄷㅁㄹ)=$30°$입니다.
같은 방법으로 구하면 (각 ㅁㄷㄹ)=$30°$입니다.
직선이 한 점에서 만날 때 마주 보는 두 각의 크기는 같으므로 (각 ㄷㅅㅂ)=(각 ㅁㅅㄹ)입니다. 따라서 (각 ㄷㅅㅂ)=(각 ㅁㅅㄹ)=$180° - 30° - 30° = 120°$ 입니다.

7 예 직선 위의 한 점을 꼭짓점으로 하는 각의 크기는 $180°$이므로
ⓛ=$180° - 55° = 125°$,
ⓒ=$180° - 62° = 118°$,
ⓔ=$180° - 93° = 87°$입니다. ❶
오각형의 다섯 각의 크기의 합은
$180° \times 3 = 540°$입니다. ❷
따라서 $86° + 125° + 118° + ㉠ + 87° = 540°$,
$㉠ + 416° = 540°$, $㉠ = 124°$입니다. ❸

채점 기준

❶ 오각형에서 ⓛ, ⓒ, ⓔ의 각도 구하기
❷ 오각형의 다섯 각의 크기의 합 구하기
❸ ㉠의 각도 구하기

8 • 모양 조각을 가장 많이 사용할 때

• 모양 조각을 가장 적게 사용할 때

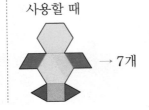

→ 19개   → 7개

⇨ $19 - 7 = 12$(개)

9 예 정팔각형은 삼각형 6개로 나눠지므로 정팔각형의 여덟 각의 크기의 합은 $180° \times 6 = 1080°$입니다. ❶
선분으로 연결하여 만들어진 삼각형은 이등변삼각형이므로 ㉠과 ⓛ의 각도는 같습니다.
정팔각형에 이등변삼각형이 8개 있으므로 ㉠과 ⓛ의 각도의 합은 정팔각형의 여덟 각의 크기의 합을 8로 나눈 것과 같습니다. 따라서 ㉠과 ⓛ의 각도의 합은 $1080° \div 8 = 135°$입니다. ❷

채점 기준

❶ 정팔각형의 여덟 각의 크기의 합 구하기
❷ ㉠과 ⓛ의 각도의 합 구하기

10  주어진 모양을 칠교판의 라 모양 조각으로만 채우면 왼쪽과 같습니다. 주어진 모양의 크기가 32이므로 라 모양 조각 한 개의 크기는 $32 \div 8 = 4$입니다.
칠교판 전체를 라 모양 조각으로만 만든다고 하면 오른쪽과 같으므로 칠교판 전체의 크기는 $4 \times 16 = 64$입니다.

11 한 꼭짓점을 중심으로 정다각형을 한 바퀴 돌려서 이어 붙일 수 있으면 바닥을 덮을 수 있습니다.
㉠ 정사각형은 한 각의 크기가 $90°$이므로 $90° + 90° + 90° + 90° = 360°$에서 한 바퀴 돌려서 이어 붙일 수 있습니다.
ⓛ 정오각형은 한 각의 크기가 $108°$이므로 $108° + 108° + 108° = 324°$에서 한 바퀴 돌려서 이어 붙일 수 없습니다.
ⓒ 정육각형은 한 각의 크기가 $120°$이므로 $120° + 120° + 120° = 360°$에서 한 바퀴 돌려서 이어 붙일 수 있습니다.
ⓔ 정팔각형은 한 각의 크기가 $135°$이므로 $135° + 135° + 135° = 405°$에서 한 바퀴 돌려서 이어 붙일 수 없습니다.

12 정오각형의 다섯 각의 크기의 합은 $180° \times 3 = 540°$ 이므로 정오각형의 한 각의 크기는 $540° \div 5 = 108°$ 입니다.
정육각형의 여섯 각의 크기의 합은 $180° \times 4 = 720°$ 이므로 정육각형의 한 각의 크기는 $720° \div 6 = 120°$ 입니다.
⇨ $㉠ = 360° - 120° - 120° - 108° = 12°$

최상위권 문제 112~113쪽

1 $360°$	**2** 정육각형, 정십각형
3 선빈, $2\ cm$	**4** 약 $240\ cm$
5 8배	**6** $476\ cm$

1 직선 위의 한 점을 꼭짓점으로 하는 각의 크기는 $180°$이므로 직선 6개가 이루는 각의 크기의 합은 $180° \times 6 = 1080°$입니다.
육각형은 삼각형 4개로 나눠지므로 육각형의 여섯 각의 크기의 합은 $180° \times 4 = 720°$입니다.
⇨ $㉠ + ⓛ + ⓒ + ⓔ + ⓜ + ⓗ = 1080° - 720° = 360°$

2

비법 PLUS + 꼭짓점의 수의 차와 변의 수의 차가 같음을 이용하여 정다각형의 한 변의 길이를 구합니다.

두 정다각형의 꼭짓점 수의 차가 4개이므로 변의 수의 차도 4개입니다.

(네 변의 길이의 합)$=70-42=28$(cm)이므로

(한 변의 길이)$=28\div4=7$(cm)입니다.

따라서 모든 변의 길이의 합이 42 cm인 정다각형의 변의 수는 $42\div7=6$(개), 모든 변의 길이의 합이 70 cm인 정다각형의 변의 수는 $70\div7=10$(개)이므로 두 정다각형은 각각 정육각형, 정십각형입니다.

3

비법 PLUS + 정■각형은 삼각형 (■−2)개로 나눌 수 있고, 한 꼭짓점에서 그을 수 있는 대각선은 (■−3)개입니다.

• $720°=180°\times4$에서 선빈이가 만든 정다각형은 삼각형 4개로 나눌 수 있으므로 정육각형입니다. 선빈이가 만든 정다각형의 한 변은 $48\div6=8$(cm)입니다.

• 윤아가 만든 정다각형의 꼭짓점의 수를 □개라 하면 한 꼭짓점에서 그을 수 있는 대각선은 (□−3)개이고 대각선은 2번씩 겹치므로 (□−3)×□$=20\times2=40$입니다. 곱이 40이고 차가 3인 두 수를 찾으면 5, 8에서 □$=8$이므로 윤아가 만든 정다각형은 정팔각형이고, 정팔각형의 한 변은 $48\div8=6$(cm)입니다.

따라서 선빈이가 만든 정다각형의 한 변이 $8-6=2$(cm) 더 깁니다.

4

비법 PLUS + 정팔각형에서 대각선 ㄱㄴ, 대각선 ㄴㄷ과 길이가 같은 대각선의 수와 길이가 14 cm인 대각선의 수는 각각 몇 개인지 그림을 그려 알아봅니다.

• 정팔각형에서 대각선 ㄱㄴ과 길이가 같은 대각선은 8개입니다.

$\Rightarrow 13\times8=104$(cm)

• 정팔각형에서 대각선 ㄴㄷ과 길이가 같은 대각선은 8개입니다.

$\Rightarrow 10\times8=80$(cm)

• 정팔각형에서 길이가 14 cm인 대각선은 4개입니다.

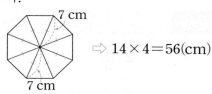

$\Rightarrow 14\times4=56$(cm)

따라서 정팔각형에 그을 수 있는 모든 대각선의 길이의 합은 약 $104+80+56=240$(cm)입니다.

5

비법 PLUS + 먼저 정십이각형의 한 각의 크기를 구해 봅니다.

정십이각형의 열두 각의 크기의 합은 $180°\times10=1800°$이므로 정십이각형의 한 각의 크기는 $1800°\div12=150°$입니다.

정십이각형의 두 변과 대각선으로 이루어진 삼각형은 이등변삼각형이므로 $150°+㉠+㉠=180°$, $㉠+㉠=30°$, $㉠=15°$이고, $15°+㉡+15°=150°$에서 $㉡=120°$입니다.

따라서 ㉡의 각도는 ㉠의 각도의 $120°\div15°=8$(배)입니다.

6

비법 PLUS + 정육각형이 (1개, 2개), (1개, 2개)……가 반복되는 규칙이므로 정육각형을 3개씩 늘려 가며 변의 수를 알아봅니다.

(정육각형의 한 변)$=42\div6=7$(cm), 정육각형을 (1개, 2개), (1개, 2개), (1개, 2개)……가 반복되는 규칙으로 이어 붙였으므로 다음과 같이 정육각형을 3개씩 늘려 가며 변의 수를 알아봅니다.

$\Rightarrow$ 변의 수: 12개 $\Rightarrow$ 변의 수: $12+8=20$(개)

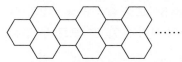

......

$\Rightarrow$ 변의 수: $12+8+8=28$(개)

정육각형을 24개 이어 붙였으므로 $24\div3=8$에서 3개씩 8번 이어 붙인 것입니다.

따라서 도형의 변의 수는

$\underbrace{12+8+\cdots\cdots+8}_{7번}=12+56=68$(개)이므로 이어 붙인 도형의 둘레는 $7\times68=476$(cm)입니다.

1 분수의 덧셈과 뺄셈

1 1, 2, 3

2 $\dfrac{2}{9}$

3 $5\dfrac{3}{7}$

4 $\dfrac{7}{10}$, $\dfrac{2}{10}$

5 8

6 $16\dfrac{10}{12}$ cm$\left(=\dfrac{202}{12}\text{ cm}\right)$

7 오전 9시 47분

8 6인분, $\dfrac{1}{25}$ kg

1 $2\dfrac{1}{13}-1\dfrac{10}{13}=1\dfrac{14}{13}-1\dfrac{10}{13}=\dfrac{4}{13}$

⇨ $\dfrac{\square}{13}<\dfrac{4}{13}$에서 □ 안에 들어갈 수 있는 자연수는 1, 2, 3입니다.

2 어떤 수를 □라 하면 잘못 계산한 식은

$\square+\dfrac{3}{9}=\dfrac{8}{9}$입니다.

⇨ $\square=\dfrac{8}{9}-\dfrac{3}{9}=\dfrac{5}{9}$

따라서 바르게 계산하면 $\dfrac{5}{9}-\dfrac{3}{9}=\dfrac{2}{9}$입니다.

3 계산 결과가 가장 작게 되려면 빼지는 대분수의 분자에는 가장 작은 수를, 빼는 대분수의 분자에는 가장 큰 수를 써넣어야 합니다.

⇨ $7\dfrac{2}{7}-1\dfrac{6}{7}=6\dfrac{9}{7}-1\dfrac{6}{7}=5\dfrac{3}{7}$

4 두 진분수를 각각 $\dfrac{\blacksquare}{10}$, $\dfrac{\blacktriangle}{10}(\blacksquare>\blacktriangle)$라 하면

$\dfrac{\blacksquare}{10}+\dfrac{\blacktriangle}{10}=\dfrac{9}{10}$, $\dfrac{\blacksquare}{10}-\dfrac{\blacktriangle}{10}=\dfrac{5}{10}$입니다.

$7+2=9$, $7-2=5$이므로 $\blacksquare=7$, $\blacktriangle=2$입니다.

따라서 두 진분수의 분자가 7, 2이므로 두 진분수는 $\dfrac{7}{10}$, $\dfrac{2}{10}$입니다.

5 • 만들 수 있는 가장 큰 대분수: $6\dfrac{5}{8}$

• 만들 수 있는 가장 작은 대분수: $1\dfrac{3}{8}$

⇨ $6\dfrac{5}{8}+1\dfrac{3}{8}=7\dfrac{8}{8}=8$

6 (색 테이프 3장의 길이의 합)$=6\times3=18$(cm)

(겹쳐진 부분의 길이의 합)

$=\dfrac{7}{12}+\dfrac{7}{12}=\dfrac{14}{12}=1\dfrac{2}{12}$(cm)

⇨ (이어 붙인 색 테이프의 전체 길이)

$=18-1\dfrac{2}{12}=17\dfrac{12}{12}-1\dfrac{2}{12}=16\dfrac{10}{12}$(cm)

7 4월 1일 오전 10시부터 같은 달 7일 오전 10시까지는 $7-1=6$(일)이고, 하루에 $2\dfrac{1}{6}$분씩 늦게 가므로 6일 동안에는

$2\dfrac{1}{6}+2\dfrac{1}{6}+2\dfrac{1}{6}+2\dfrac{1}{6}+2\dfrac{1}{6}+2\dfrac{1}{6}$

$=12\dfrac{6}{6}=13$(분) 늦어집니다.

따라서 같은 달 7일 오전 10시에 이 시계가 가리키는 시각은 오전 10시$-$13분$=$오전 9시 47분입니다.

8 $\dfrac{13}{25}$ kg에서 $\dfrac{2}{25}$ kg을 더 이상 뺄 수 없을 때까지 빼 봅니다.

$\dfrac{13}{25}-\dfrac{2}{25}=\dfrac{11}{25}$(kg), $\dfrac{11}{25}-\dfrac{2}{25}=\dfrac{9}{25}$(kg),

$\dfrac{9}{25}-\dfrac{2}{25}=\dfrac{7}{25}$(kg), $\dfrac{7}{25}-\dfrac{2}{25}=\dfrac{5}{25}$(kg),

$\dfrac{5}{25}-\dfrac{2}{25}=\dfrac{3}{25}$(kg), $\dfrac{3}{25}-\dfrac{2}{25}=\dfrac{1}{25}$(kg)이므로 팬케이크를 6인분까지 만들 수 있고, 남는 밀가루는 $\dfrac{1}{25}$ kg입니다.

1 $\dfrac{1}{11}$ kg

2 $3\dfrac{6}{16}\left(=\dfrac{54}{16}\right)$

3 11

4 $13\dfrac{2}{6}$ cm

5 9, 7, 3, 4 / $6\dfrac{3}{12}$

6 $\dfrac{4}{7}$ kg

7 $3\dfrac{8}{9}$, $1\dfrac{4}{9}$

8 $29\dfrac{1}{7}$ km

9 130쪽

10 $5\dfrac{10}{15}$ cm$\left(=\dfrac{85}{15}\text{ cm}\right)$

11 $8\dfrac{3}{10}$ m, $7\dfrac{9}{10}$ m, $6\dfrac{7}{10}$ m

12 4일

1 (사과의 무게)$=6\frac{7}{11}-6\frac{4}{11}=\frac{3}{11}$(kg)

⇨ (귤의 무게)$=\frac{3}{11}-\frac{2}{11}=\frac{1}{11}$(kg)

2 분모가 16인 진분수 중에서 $\frac{11}{16}$보다 큰 분수는

$\frac{12}{16}$, $\frac{13}{16}$, $\frac{14}{16}$, $\frac{15}{16}$입니다.

⇨ $\frac{12}{16}+\frac{13}{16}+\frac{14}{16}+\frac{15}{16}=\frac{54}{16}=3\frac{6}{16}$

3 $7\frac{3}{14}-4\frac{\square}{14}=2\frac{7}{14}$일 때

$4\frac{\square}{14}=7\frac{3}{14}-2\frac{7}{14}=6\frac{17}{14}-2\frac{7}{14}=4\frac{10}{14}$이므

로 $\square=10$입니다.

따라서 □ 안에 들어갈 수 있는 자연수는 10보다 큰 수이므로 이 중 가장 작은 수는 11입니다.

다른 풀이 $7\frac{3}{14}-4\frac{\square}{14}=6\frac{17}{14}-4\frac{\square}{14}=2\frac{17-\square}{14}$이

므로 $2\frac{17-\square}{14}<2\frac{7}{14}$ ⇨ $17-\square<7$입니다.

따라서 □ 안에 들어갈 수 있는 자연수는 10보다 큰 수이므로 이 중 가장 작은 수는 11입니다.

4 (직사각형의 세로)

$=5\frac{1}{6}-3\frac{4}{6}=4\frac{7}{6}-3\frac{4}{6}=1\frac{3}{6}$(cm)

⇨ (직사각형의 네 변의 길이의 합)

$=5\frac{1}{6}+1\frac{3}{6}+5\frac{1}{6}+1\frac{3}{6}$

$=12\frac{8}{6}=13\frac{2}{6}$(cm)

5 계산 결과가 가장 큰 수가 되려면 빼지는 대분수를 가장 크게 만들고, 빼는 대분수를 가장 작게 만들어야 합니다.

⇨ $9\frac{7}{12}-3\frac{4}{12}=6\frac{3}{12}$

6 동화책 2권의 무게는 $2\frac{3}{7}-1\frac{2}{7}=1\frac{1}{7}$(kg)입니다.

따라서 $1\frac{1}{7}=\frac{8}{7}=\frac{4}{7}+\frac{4}{7}$이므로 동화책 한 권의

무게는 $\frac{4}{7}$ kg입니다.

7 두 대분수를 가분수로 바꾸어 각각

$\frac{\blacksquare}{9}$, $\frac{\blacktriangle}{9}$($\blacksquare>\blacktriangle$)라 하면 $\frac{\blacksquare}{9}+\frac{\blacktriangle}{9}=5\frac{3}{9}=\frac{48}{9}$,

$\frac{\blacksquare}{9}-\frac{\blacktriangle}{9}=2\frac{4}{9}=\frac{22}{9}$ 입니다.

$35+13=48$, $35-13=22$이므로

$\blacksquare=35$, $\blacktriangle=13$입니다.

따라서 두 대분수는 $\frac{35}{9}=3\frac{8}{9}$, $\frac{13}{9}=1\frac{4}{9}$입니다.

다른 풀이 구하려는 두 대분수 중 작은 대분수를 □라 하면

큰 대분수는 $\square+2\frac{4}{9}$입니다.

$\square+(\square+2\frac{4}{9})=5\frac{3}{9}$,

$\square+\square=5\frac{3}{9}-2\frac{4}{9}=4\frac{12}{9}-2\frac{4}{9}=2\frac{8}{9}$이고,

$2\frac{8}{9}=1\frac{4}{9}+1\frac{4}{9}$이므로 $\square=1\frac{4}{9}$입니다.

⇨ 작은 대분수: $1\frac{4}{9}$, 큰 대분수: $1\frac{4}{9}+2\frac{4}{9}=3\frac{8}{9}$

8 (㉠~㉡)$=$(㉠~㉢)$-$(㉡~㉢)

$\qquad=12\frac{3}{7}-3\frac{1}{7}=9\frac{2}{7}$(km)

⇨ (㉠~㉤)$=$(㉠~㉡)$+$(㉡~㉣)$+$(㉣~㉤)

$\qquad=9\frac{2}{7}+15\frac{2}{7}+4\frac{4}{7}$

$\qquad=28\frac{8}{7}=29\frac{1}{7}$(km)

9 지은이가 어제와 오늘 읽은 위인전은 전체의

$\frac{2}{13}+\frac{6}{13}=\frac{8}{13}$입니다.

전체의 $\frac{8}{13}$이 80쪽이므로 전체의 $\frac{1}{13}$은

$80\div8=10$(쪽)입니다.

따라서 위인전의 전체 쪽수는 $10\times13=130$(쪽)입니다.

10 (12분 동안 탄 양초의 길이)

$=17-14\frac{11}{15}=16\frac{15}{15}-14\frac{11}{15}=2\frac{4}{15}$(cm)

한 시간은 12분의 5배이므로 한 시간 동안 타는 양초의 길이는

$2\frac{4}{15}+2\frac{4}{15}+2\frac{4}{15}+2\frac{4}{15}+2\frac{4}{15}$

$=10\frac{20}{15}=11\frac{5}{15}$(cm)입니다.

⇨ (불을 붙인 지 한 시간이 지난 뒤 양초의 길이)

$=17-11\frac{5}{15}=16\frac{15}{15}-11\frac{5}{15}=5\frac{10}{15}$(cm)

11 (나 선수의 기록)

$$=8\frac{3}{10}-1\frac{6}{10}=7\frac{13}{10}-1\frac{6}{10}=6\frac{7}{10}(m)$$

(다 선수의 기록)$=6\frac{7}{10}+1\frac{2}{10}=7\frac{9}{10}(m)$

$\Rightarrow 8\frac{3}{10}>7\frac{9}{10}>6\frac{7}{10}$ 이므로 금메달의 기록은

$8\frac{3}{10}$ m, 은메달의 기록은 $7\frac{9}{10}$ m, 동메달의

기록은 $6\frac{7}{10}$ m입니다.

12 경은이와 현석이가 함께 벼를 수확하면 하루에 전체

의 $\frac{2}{18}+\frac{3}{18}=\frac{5}{18}$ 만큼의 일을 하므로 3일 동안

에는 전체의 $\frac{5}{18}+\frac{5}{18}+\frac{5}{18}=\frac{15}{18}$ 만큼의 일을

합니다. 전체 일의 양을 1이라 하면 현석이가 혼자

해야 하는 일의 양은 $1-\frac{15}{18}=\frac{18}{18}-\frac{15}{18}=\frac{3}{18}$

이므로 나머지는 현석이가 1일 동안 하면 끝낼 수 있

습니다.

따라서 벼를 수확하기 시작한 지 $3+1=4$(일) 만에

모두 끝낼 수 있습니다.

복습 **최상위권 문제**   8~9쪽

1 $31\frac{5}{17}$ **2** $\frac{1}{4}$ kg

3 $20\frac{1}{5}$ cm   **4** $9\frac{1}{6}$ L$(=\frac{55}{6}$ L$)$

5 $4\frac{4}{9}, 1\frac{5}{9}, 2\frac{8}{9}$ **6** $1\frac{2}{8}, 2\frac{3}{8}, 2\frac{6}{8}$

1 비법 PLUS+ 먼저 어떤 규칙에 따라 분수를 늘어놓은
것인지 알아봅니다.

분모가 17인 대분수의 자연수 부분은 1부터 1씩 커

지고, 분자는 2부터 2씩 커지는 규칙입니다.

$\Rightarrow 1\frac{2}{17}+2\frac{4}{17}+3\frac{6}{17}+4\frac{8}{17}+5\frac{10}{17}+6\frac{12}{17}$

$\qquad +7\frac{14}{17}=28\frac{56}{17}=31\frac{5}{17}$

2 마신 주스의 무게가

$3\frac{1}{4}-1\frac{3}{4}=2\frac{5}{4}-1\frac{3}{4}=1\frac{2}{4}(kg)$이므로 전체 주

스의 무게는 $1\frac{2}{4}+1\frac{2}{4}=2\frac{4}{4}=3(kg)$입니다.

$\Rightarrow$ (빈 병의 무게)$=3\frac{1}{4}-3=\frac{1}{4}(kg)$

---

3 비법 PLUS+ 막대에서 양 끝의 물에 젖은 부분의 길이
의 합은 수조에 담긴 물의 높이의 2배입니다.

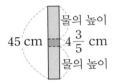

(막대에서 물에 젖은 부분의 길이의 합)

$=45-4\frac{3}{5}=44\frac{5}{5}-4\frac{3}{5}=40\frac{2}{5}(cm)$

수조에 담긴 물의 높이를 □ cm라 하면

$□+□=40\frac{2}{5}$이고, $40\frac{2}{5}=20\frac{1}{5}+20\frac{1}{5}$이므로

$□=20\frac{1}{5}$입니다.

4 (배수구를 열고 동시에 수도를 틀었을 때 1분 동안

줄어드는 물의 양)$=8\frac{5}{6}-4\frac{4}{6}=4\frac{1}{6}(L)$

(배수구를 열고 동시에 수도를 틀었을 때 5분 동안

줄어드는 물의 양)

$=4\frac{1}{6}+4\frac{1}{6}+4\frac{1}{6}+4\frac{1}{6}+4\frac{1}{6}=20\frac{5}{6}(L)$

$\Rightarrow$ (5분 뒤 욕조에 남아 있는 물의 양)

$\qquad =30-20\frac{5}{6}=29\frac{6}{6}-20\frac{5}{6}=9\frac{1}{6}(L)$

5 비법 PLUS+ 계산한 결과가 3에 가까워야 하므로 계산
결과의 자연수 부분이 2 또는 3이 되는 뺄셈식을 만든 다
음 3에 가장 가까운 식을 찾습니다.

$6-2\frac{7}{9}=3\frac{2}{9}, 6-3\frac{8}{9}=2\frac{1}{9},$

$4\frac{4}{9}-1\frac{5}{9}=2\frac{8}{9}, 3\frac{8}{9}-1\frac{5}{9}=2\frac{3}{9}$

3과의 차가 차례로 $3\frac{2}{9}-3=\frac{2}{9}, 3-2\frac{1}{9}=\frac{8}{9},$

$3-2\frac{8}{9}=\frac{1}{9}, 3-2\frac{3}{9}=\frac{6}{9}$이므로 계산한 결과가

3에 가장 가까운 뺄셈식은 $4\frac{4}{9}-1\frac{5}{9}=2\frac{8}{9}$입니다.

6 (㉮+㉯)+(㉯+㉰)+(㉮+㉰)

$=3\frac{5}{8}+5\frac{1}{8}+4=12\frac{6}{8}$이고, $12\frac{6}{8}=6\frac{3}{8}+6\frac{3}{8}$

이므로 ㉮+㉯+㉰$=6\frac{3}{8}$입니다.

$\Rightarrow$ ㉮$=6\frac{3}{8}-5\frac{1}{8}=1\frac{2}{8}$, ㉯$=6\frac{3}{8}-4=2\frac{3}{8}$,

$\qquad$ ㉰$=6\frac{3}{8}-3\frac{5}{8}=5\frac{11}{8}-3\frac{5}{8}=2\frac{6}{8}$

2 삼각형

복습 **상위권 문제**　　　　　　　　　　　　10〜11쪽

1 20 cm	**2** 72 cm
3 14개	**4** 42 cm
5 111°	**6** 24개

1 정삼각형은 세 변의 길이가 같습니다.
(변 ㄱㄷ)＝(변 ㄷㄴ)＝8 cm
(변 ㄹㅁ)＝(변 ㄹㄴ)＝4 cm
(변 ㅁㄴ)＝(변 ㄹㄴ)＝4 cm이므로
(변 ㄷㅁ)＝(변 ㄷㄴ)－(변 ㅁㄴ)
　　　　＝8－4＝4(cm)입니다.
(변 ㄱㄴ)＝(변 ㄷㄴ)＝8 cm이므로
(변 ㄱㄹ)＝(변 ㄱㄴ)－(변 ㄹㄴ)
　　　　＝8－4＝4(cm)입니다.
⇨ (사각형 ㄱㄹㅁㄷ의 네 변의 길이의 합)
　　＝8＋4＋4＋4＝20(cm)

2 정삼각형은 세 변의 길이가 같으므로 한 변은
27÷3＝9(cm)입니다.
따라서 빨간색 선의 길이는 정삼각형의 한 변의 8배
이므로 9×8＝72(cm)입니다.

3 • 삼각형 1개로 이루어진 예각삼각형: 8개

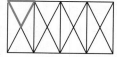

• 삼각형 4개로 이루어진 예각삼각형: 6개

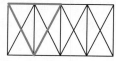

⇨ 8＋6＝14(개)

4 삼각형 ㄱㄷㄹ의 세 변의 길이의 합이 33 cm이므로
(변 ㄱㄷ)＋(변 ㄹㄷ)＝33－15＝18(cm)이고,
이등변삼각형은 두 변의 길이가 같으므로
(변 ㄱㄷ)＝(변 ㄹㄷ)＝18÷2＝9(cm)입니다.
정삼각형은 세 변의 길이가 같으므로 삼각형 ㄱㄴㄷ에
서 (변 ㄱㄴ)＝(변 ㄴㄷ)＝(변 ㄱㄷ)＝9 cm입니다.
따라서 사각형 ㄱㄴㄷㄹ의 네 변의 길이의 합은
9＋9＋9＋15＝42(cm)입니다.

5 직선 위의 한 점을 꼭짓점으로 하는 각의 크기는 180°
이므로 (각 ㄱㄷㄴ)＝180°－134°＝46°입니다.
삼각형 ㄱㄴㄷ에서 이등변삼각형은 두 각의 크기가
같으므로 (각 ㄱㄴㄷ)＝(각 ㄱㄷㄴ)＝46°이고, 삼각
형의 세 각의 크기의 합은 180°이므로
(각 ㄴㄱㄷ)＝180°－46°－46°＝88°입니다.
삼각형 ㄱㄷㄹ에서 이등변삼각형은 두 각의 크기가
같으므로
(각 ㄷㄱㄹ)＋(각 ㄷㄹㄱ)＝180°－134°＝46°,
(각 ㄷㄱㄹ)＝(각 ㄷㄹㄱ)＝46°÷2＝23°입니다.
따라서 (각 ㄴㄱㄹ)＝(각 ㄴㄱㄷ)＋(각 ㄷㄱㄹ)
　　　　　　　　　＝88°＋23°＝111°입니다.

6 점 ㄱ에서 같은 거리만큼 떨어진 두 점을 이어 만든
삼각형 중에서 이등변삼각형이면서 둔각삼각형인 것
을 모두 찾아봅니다.

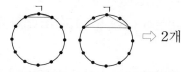 ⇨ 2개

따라서 점은 모두 12개이므로 만들 수 있는 삼각형
중에서 이등변삼각형이면서 둔각삼각형인 것은 모두
2×12＝24(개)입니다.

복습 **상위권 문제**　확인과 응용　　　　12〜15쪽

1 10 cm	**2** 56 cm	**3** 34 cm
4 56 cm	**5** 15 cm	**6** 9 cm
7 5개, 5개	**8** 70°	**9** 75°
10 42°	**11** 120°	**12** 45°

1 이등변삼각형의 나머지 한 변은 9 cm입니다.
(이등변삼각형의 세 변의 길이의 합)
＝9＋12＋9＝30(cm)
⇨ (정삼각형의 한 변)＝30÷3＝10(cm)

2 가 도형에서 빨간색 선은 정삼각형의 한 변의 6배이
므로 정삼각형의 한 변은 42÷6＝7(cm)입니다.
따라서 나 도형에서 파란색 선의 길이는 정삼각형의
한 변의 8배이므로 7×8＝56(cm)입니다.

3 삼각형 ㄱㄴㄷ이 정삼각형이므로
(변 ㄱㄴ)＝(변 ㄱㄷ)＝(변 ㄴㄷ)＝10 cm입니다.
삼각형 ㄹㄴㄷ에서
(변 ㄹㄴ)＋(변 ㄹㄷ)＝24－10＝14(cm)입니다.
따라서 색칠한 부분의 모든 변의 길이의 합은
10＋14＋10＝34(cm)입니다.

4 삼각형 ㄴㄷㄹ의 세 변의 길이의 합은
$12 \times 3 = 36$(cm)입니다.
삼각형 ㄱㄴㅂ의 세 변의 길이의 합도 36 cm이고,
(변 ㄱㄴ)=(변 ㄱㅂ)=10 cm이므로
(변 ㄴㅂ)=$36-10-10=16$(cm)입니다.
따라서 (변 ㄴㄹ)=(변 ㄷㄹ)=12 cm이고, 사각형
ㄴㄹㅁㅂ은 직사각형이므로 네 변의 길이의 합은
$16+12+16+12=56$(cm)입니다.

5 짧은 변의 길이를 □ cm라 하면 긴 변의 길이는
($□+□+□$) cm입니다.
삼각형의 세 변의 길이가 □ cm,
($□+□+□$) cm, ($□+□+□$) cm이므로
$□+(□+□+□)+(□+□+□)=35$,
$□=35 \div 7 = 5$(cm)입니다.
따라서 긴 변의 길이는 $5+5+5=15$(cm)입니다.

6 삼각형 ㄱㄴㄹ의 세 각의 크기는 모두 60°입니다.
(각 ㄹㄴㄷ)=$90°-60°=30°$이고,
삼각형 ㄱㄴㄷ에서
(각 ㄴㄷㄱ)=$180°-60°-90°=30°$이므로 삼각
형 ㄹㄴㄷ은 이등변삼각형입니다.
따라서 (변 ㄱㄴ)=(변 ㄹㄴ)=(변 ㄹㄷ)=9 cm입니다.

7

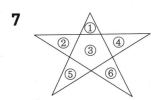

• 예각삼각형: ①, ②, ④, ⑤, ⑥ → 5개
• 둔각삼각형: ①+③+⑤, ①+③+⑥,
　　　　　　②+③+④, ②+③+⑥,
　　　　　　④+③+⑤ → 5개

8 삼각형 ㄱㄴㄷ에서
(각 ㄱㄴㄷ)+(각 ㄱㄷㄴ)=$180°-50°=130°$,
(각 ㄱㄷㄴ)=(각 ㄱㄴㄷ)=$130° \div 2 = 65°$입니다.
삼각형 ㅁㄴㄹ은 한 각이 직각인 이등변삼각형이므로
(각 ㅁㄴㄹ)+(각 ㄴㅁㄹ)=$180°-90°=90°$,
(각 ㅁㄴㄹ)=(각 ㄴㅁㄹ)=$90° \div 2 = 45°$입니다.
따라서 삼각형 ㅂㄴㄷ에서
(각 ㄴㅂㄷ)=$180°-45°-65°=70°$입니다.

9 삼각형 ㄱㄴㄷ, 삼각형 ㄱㄷㄹ, 삼각형 ㄹㄷㅁ은 모
두 이등변삼각형입니다.
삼각형 ㄹㄷㅁ에서 (각 ㄹㄷㅁ)=(각 ㄹㅁㄷ)=25°,
(각 ㄷㄹㅁ)=$180°-25°-25°=130°$입니다.
(각 ㄷㄹㄱ)=$180°-130°=50°$
삼각형 ㄱㄷㄹ에서 (각 ㄷㄱㄹ)=(각 ㄷㄹㄱ)=50°,
(각 ㄱㄷㄹ)=$180°-50°-50°=80°$입니다.
(각 ㄱㄷㄴ)=$180°-80°-25°=75°$
따라서 삼각형 ㄱㄴㄷ에서
(각 ㄱㄴㄷ)=(각 ㄱㄷㄴ)=75°입니다.

10 가 삼각형은 이등변삼각형이므로 세 각의 크기는
42°, 42°, ●이거나 42°, ★, ★입니다.
• 세 각의 크기가 42°, 42°, ●일 때
●=$180°-42°-42°=96°$이므로 ★=42° 또는
★=96°입니다.
• 세 각의 크기가 42°, ★, ★일 때
★+★=$180°-42°=138°$,
★=$138° \div 2 = 69°$입니다.
가 삼각형은 둔각삼각형이므로 세 각의 크기는 42°,
42°, 96°이고 ★=42° 또는 ★=96°입니다.
★=96°라면 나 삼각형은 $96°+90°=186°$로 두
각의 크기의 합이 180°보다 크므로 삼각형이 될 수
없습니다.
따라서 ★=42°입니다.

11 정삼각형의 한 각의 크기는 60°입니다.
ⓛ=$90°-60°=30°$
㉠=$360°-30°-90°-90°=150°$
따라서 ㉠과 ⓛ의 각도의 차는 $150°-30°=120°$
입니다.

12 이등변삼각형은 두 각의 크기가 같고 둔각삼각형은
한 각이 90°보다 커야 하므로 ㉠+㉠<90°이어야
합니다.
따라서 ㉠의 각도는 45°보다 작아야 합니다.

복습	최상위권 문제		16~17쪽
1 2가지	**2** 50 cm		**3** 45°
4 75°	**5** 60°		**6** 105°

1 비법 PLUS + 　삼각형의 조건
⇨ (가장 긴 변의 길이)<(나머지 두 변의 길이의 합)

- 길이가 다른 한 변이 1 cm인 경우 10−1=9이므로 길이가 같은 두 변의 길이를 구할 수 없습니다.
- 길이가 다른 한 변이 2 cm인 경우 10−2=8이므로 길이가 같은 두 변은 각각 8÷2=4(cm)입니다.
- 길이가 다른 한 변이 3 cm인 경우 10−3=7이므로 길이가 같은 두 변의 길이를 구할 수 없습니다.
- 길이가 다른 한 변이 4 cm인 경우 10−4=6이므로 길이가 같은 두 변은 각각 6÷2=3(cm)입니다.
- 길이가 다른 한 변이 5 cm인 경우 나머지 두 변의 길이의 합과 같으므로 삼각형을 만들 수 없습니다.
- 길이가 다른 한 변이 5 cm보다 긴 경우 나머지 두 변의 길이의 합보다 길므로 삼각형을 만들 수 없습니다.

따라서 만들 수 있는 이등변삼각형은 2가지입니다.

2 (정사각형 ㄱㄴㄷㄹ의 한 변)=56÷4=14(cm)
삼각형 ㄱㄴㅁ에서
(변 ㄱㅁ)+(변 ㄴㅁ)=30−14=16(cm),
(변 ㄱㅁ)=(변 ㄴㅁ)=16÷2=8(cm)입니다.
삼각형 ㅁㄴㅂ에서
(변 ㅁㅂ)=(변 ㄴㅂ)=(변 ㄴㅁ)=8 cm입니다.
(변 ㅂㄷ)=(변 ㄴㄷ)−(변 ㄴㅂ)=14−8=6(cm)
⇨ (사각형 ㄱㅂㄷㄹ의 네 변의 길이의 합)
  =8+8+6+14+14=50(cm)

3

정삼각형은 세 각의 크기가 모두 60°이므로
(각 ㄴㄱㅁ)=(각 ㄱㄴㅁ)=(각 ㄱㅁㄴ)=60°입니다.
(각 ㄹㄱㅁ)=90°−60°=30°이고, 삼각형 ㄱㅁㄹ은 이등변삼각형이므로
(각 ㄱㅁㄹ)+(각 ㄱㄹㅁ)=180°−30°=150°,
(각 ㄱㅁㄹ)=(각 ㄱㄹㅁ)=150°÷2=75°입니다.
따라서 (각 ㄴㅁㅂ)=180°−75°−60°=45°입니다.

4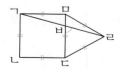
비법 PLUS+ 정사각형은 네 변의 길이가 같고, 이등변삼각형은 두 변의 길이가 같습니다.

사각형 ㄱㄴㄷㅁ은 정사각형이므로
(각 ㄱㅁㄷ)=90°이고, 삼각형 ㅁㄷㄹ은 정삼각형이므로 (각 ㄷㅁㄹ)=60°입니다.
(각 ㄱㅁㄹ)=(각 ㄱㅁㄷ)+(각 ㄷㅁㄹ)
      =90°+60°=150°
삼각형 ㄱㄹㅁ은 이등변삼각형이므로
(각 ㅁㄹㄱ)+(각 ㅁㄱㄹ)=180°−150°=30°,
(각 ㅁㄹㄱ)=(각 ㅁㄱㄹ)=30°÷2=15°입니다.
삼각형 ㅁㅂㄹ에서
(각 ㅁㅂㄹ)=180°−60°−15°=105°입니다.
따라서 (각 ㄷㅂㄹ)=180°−105°=75°입니다.

5
비법 PLUS+ 육각형은 오른쪽과 같이 삼각형 4개로 나누어지므로 여섯 각의 크기의 합은 180°×4=720°입니다.

육각형의 여섯 각의 크기의 합은 720°입니다.
삼각형 ㅂㄱㄴ, 삼각형 ㄱㄴㄷ, 삼각형 ㄴㄷㄹ, 삼각형 ㄷㄹㅁ, 삼각형 ㄹㅁㅂ, 삼각형 ㅁㅂㄱ은 모양과 크기가 같은 이등변삼각형이므로
(각 ㅂㄱㄴ)=(각 ㄱㄴㄷ)=(각 ㄴㄷㄹ)=(각 ㄷㄹㅁ)
=(각 ㄹㅁㅂ)=(각 ㅁㅂㄱ)=720°÷6=120°입니다.
삼각형 ㄴㄷㄹ이 이등변삼각형이므로
(각 ㄷㄴㄹ)+(각 ㄷㄹㄴ)=180°−120°=60°,
(각 ㄷㄴㄹ)=(각 ㄷㄹㄴ)=60°÷2=30°입니다.
따라서 (각 ㄱㄴㅂ)=(각 ㄷㄴㄹ)=30°이므로
(각 ㅂㄴㄹ)=120°−30°−30°=60°입니다.

6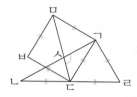

삼각형 ㄱㄷㄹ은 정삼각형이므로 (각 ㄱㄷㄹ)=60°이고, (각 ㄴㄷㄱ)=180°−60°=120°입니다.
삼각형 ㄱㄴㄷ은 이등변삼각형이므로
(각 ㄱㄴㄷ)+(각 ㄴㄱㄷ)=180°−120°=60°,
(각 ㄴㄱㄷ)=(각 ㄱㄴㄷ)=60°÷2=30°입니다.
사각형 ㅁㅂㄴㄱ은 정사각형이므로
(각 ㅁㄱㄷ)=90°입니다.
삼각형 ㅁㄷㄱ은 이등변삼각형이므로
(각 ㄱㅁㄷ)+(각 ㄱㅁㄷ)=180°−90°=90°,
(각 ㄱㄷㅁ)=(각 ㄱㅁㄷ)=90°÷2=45°입니다.
따라서 삼각형 ㅅㄷㄱ에서
(각 ㄱㅅㄷ)=180°−45°−30°=105°입니다.

3 소수의 덧셈과 뺄셈

1 4.726 **2** 6, 7, 8, 9
3 0.369
4 (위에서부터) 2, 1 / 5, 3
5 14.27 **6** 1.78 km
7 13.32 **8** 7.88

1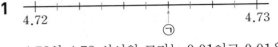

4.72와 4.73 사이의 크기는 0.01이고 0.01을 10등분한 작은 눈금 한 칸은 0.001입니다.
따라서 ㉠이 나타내는 수는 4.72에서 0.001씩 6번 뛰어서 센 수이므로 4.726입니다.

2 $4.23-1.694=2.536$이므로 $2.536<2.\square15$입니다.
$2.536<2.\square15$에서 자연수 부분이 같고 소수 둘째 자리 수가 $3>1$이므로 $5<\square$이어야 합니다.
따라서 $\square$ 안에 들어갈 수 있는 수는 6, 7, 8, 9입니다.

3 10이 3개이면 30, 1이 5개이면 5, 0.1이 17개이면 1.7, 0.01이 20개이면 0.2이므로 36.9입니다.
따라서 어떤 수를 100배 한 수가 36.9이므로 어떤 수는 36.9의 $\frac{1}{100}$인 0.369입니다.

4
$$\begin{array}{r} ㉠.6㉡3 \\ +\ 4.㉢9 \\ \hline 7.20㉣ \end{array}$$
• $3+0=㉣ \Rightarrow ㉣=3$
• $㉡+9=10 \Rightarrow ㉡=1$
• $1+6+㉢=12 \Rightarrow ㉢=5$
• $1+㉠+4=7 \Rightarrow ㉠=2$

5 어떤 수를 $\square$라 하면 $\square-3.85=6.57$,
$\square=6.57+3.85=10.42$입니다.
따라서 바르게 계산하면 $10.42+3.85=14.27$입니다.

6 (㉡에서 ㉢까지의 거리)$=4.3+3.8-6.32$
$=8.1-6.32=1.78$(km)

다른 풀이 (㉠에서 ㉡까지의 거리)$=6.32-3.8$
$=2.52$(km)
$\Rightarrow$ (㉡에서 ㉢까지의 거리)$=4.3-2.52=1.78$(km)

7 $9>6>3$이므로 만들 수 있는 소수 두 자리 수 중에서 가장 큰 수는 9.63이고 가장 작은 수는 3.69입니다.
$\Rightarrow 9.63+3.69=13.32$

8

$㉠=4.801-3.6=1.201$,
$㉡=5.651-1.201=4.45$
$■=3.43+㉡=3.43+4.45=7.88$

1 300배 **2** ㉠, ㉢, ㉡
3 0.37 m **4** 13개
5 7.412 **6** 2.38
7 약수터, 0.03 km **8** 2.1 cm
9 (위에서부터) 8, 4, 7 / 5, 6
10 9.35 **11** 재호, 1.32 g
12 2045.95원

1 ㉠이 나타내는 수는 6이고 ㉡이 나타내는 수는 0.02입니다.
2는 0.02의 100배이고 6은 2의 3배이므로 6은 0.02의 300배입니다.
따라서 ㉠이 나타내는 수는 ㉡이 나타내는 수의 300배입니다.

2 • $\square$ 안에 0을 넣으면 ㉠ 20.175, ㉡ 29.503, ㉢ 29.180이므로 ㉠<㉢<㉡입니다.
• $\square$ 안에 9를 넣으면 ㉠ 29.175, ㉡ 29.593, ㉢ 29.189이므로 ㉠<㉢<㉡입니다.
$\Rightarrow$ ㉠<㉢<㉡

3 첫 번째로 튀어 오른 공의 높이는 37 m의 $\frac{1}{10}$이므로 3.7 m입니다.
따라서 두 번째로 튀어 오른 공의 높이는 3.7 m의 $\frac{1}{10}$이므로 0.37 m입니다.

4 5.72보다 크고 5.74보다 작은 소수 세 자리 수를 5.72■, 5.73▲라 하면 소수 셋째 자리 수가 소수 둘째 자리 수보다 큰 경우는
5.72■일 때 5.723, 5.724 …… 5.728, 5.729
→ 7개,
5.73▲일 때 5.734, 5.735 …… 5.738, 5.739
→ 6개입니다.
$\Rightarrow 7+6=13$(개)

5
- 7보다 크고 8보다 작으므로 일의 자리 수는 7입니다.
- 소수 셋째 자리 수는 일의 자리 수보다 5 작으므로 $7-5=2$입니다.
- 4를 나누었을 때 나누어떨어지게 하는 수는 1, 2, 4입니다.
- 소수를 10배 하면 소수 첫째 자리 수는 1이 되므로 소수 둘째 자리 수는 1입니다.
- 소수의 각 자리 수는 서로 다르므로 소수 첫째 자리 수는 4입니다.

따라서 조건을 모두 만족하는 소수 세 자리 수는 7.412입니다.

6 $8.41-1.25=7.16$이므로 $4.79+\square=7.16$이라 하면 $\square=7.16-4.79=2.37$입니다.
따라서 $4.79+\square>7.16$에서 $\square$는 2.37보다 커야 하므로 $\square$ 안에 들어갈 수 있는 수 중에서 가장 작은 소수 두 자리 수는 2.38입니다.

7 $710\text{ m}=0.71\text{ km}$, $950\text{ m}=0.95\text{ km}$
(산 입구에서 약수터를 지나 산 정상까지 가는 거리)
$=0.71+1.47=2.18\text{(km)}$
(산 입구에서 쉼터를 지나 산 정상까지 가는 거리)
$=0.95+1.2=2.15\text{(km)}$
따라서 $2.18>2.15$이므로 약수터를 지나가는 것이 $2.18-2.15=0.03\text{(km)}$ 더 멉니다.

8 (색 테이프 4장의 길이의 합)
$=8.71+8.71+8.71+8.71=34.84\text{(cm)}$
(겹쳐진 부분의 길이의 합)
$=34.84-28.54=6.3\text{(cm)}$
따라서 겹쳐진 부분은 3군데이고
$6.3=2.1+2.1+2.1$이므로 2.1 cm씩 겹쳐서 이어 붙였습니다.

9
$$\begin{array}{r}\textcircled{\scriptsize ㄱ}.\textcircled{\scriptsize ㄴ}\textcircled{\scriptsize ㄷ}\\-\ \textcircled{\scriptsize ㄹ}.\textcircled{\scriptsize ㅁ}\ 9\\\hline 2.7\ 8\end{array}$$
- $10+\textcircled{\scriptsize ㄷ}-9=8 \Rightarrow \textcircled{\scriptsize ㄷ}=7$
- $\textcircled{\scriptsize ㄴ}-1+10-\textcircled{\scriptsize ㅁ}=7$, $\textcircled{\scriptsize ㅁ}-\textcircled{\scriptsize ㄴ}=2$

$\Rightarrow \textcircled{\scriptsize ㄴ}=4$, $\textcircled{\scriptsize ㅁ}=6$ 또는 $\textcircled{\scriptsize ㄴ}=6$, $\textcircled{\scriptsize ㅁ}=8$
- $\textcircled{\scriptsize ㄱ}-1-\textcircled{\scriptsize ㄹ}=2$, $\textcircled{\scriptsize ㄱ}-\textcircled{\scriptsize ㄹ}=3 \Rightarrow \textcircled{\scriptsize ㄱ}=8$, $\textcircled{\scriptsize ㄹ}=5$

따라서 수 카드를 한 번씩 모두 사용하려면 $\textcircled{\scriptsize ㄱ}=8$, $\textcircled{\scriptsize ㄴ}=4$, $\textcircled{\scriptsize ㄷ}=7$, $\textcircled{\scriptsize ㄹ}=5$, $\textcircled{\scriptsize ㅁ}=6$입니다.

10 2.85에서 3번 뛰어서 세어 $6.75-2.85=3.9$가 커졌고 $3.9=1.3+1.3+1.3$이므로 1.3씩 뛰어서 센 것입니다.
따라서 $\textcircled{\scriptsize ㄱ}$은 6.75에서 1.3씩 2번 뛰어서 센 수이므로 $6.75+1.3+1.3=9.35$입니다.

11 (경민이가 섭취한 단백질의 양)
$=20.7+8.5=29.2\text{(g)}$
(재호가 섭취한 단백질의 양)
$=23.42+7.1=30.52\text{(g)}$
따라서 $29.2<30.52$이므로 재호가 단백질을 $30.52-29.2=1.32\text{(g)}$ 더 많이 섭취했습니다.

12
- 5엔은 $11.01+11.01+11.01+11.01+11.01=55.05$(원)입니다.
- 10페소는 23.69원의 10배이므로 236.9원입니다.
- 100루피는 17.54원의 100배이므로 1754원입니다.
$\Rightarrow$ (남은 돈의 합)$=55.05+236.9+1754$
$=2045.95$(원)

복습 최상위권 문제 24~25쪽

1 9, 0, 0	**2** 2.745
3 0.4 kg	**4** 9.21 km
5 49.95	**6** 7.5 cm

1
- $51.60\textcircled{\scriptsize ㄱ}>51.6\textcircled{\scriptsize ㄴ}8$이라 하면 $\textcircled{\scriptsize ㄴ}$은 0과 같아야 하므로 $\textcircled{\scriptsize ㄴ}=0$이고 $\textcircled{\scriptsize ㄱ}$은 8보다 커야 하므로 $\textcircled{\scriptsize ㄱ}=9$입니다.
- $51.608>5\textcircled{\scriptsize ㄷ}.714$라 하면 $\textcircled{\scriptsize ㄷ}$은 1보다 작아야 하므로 $\textcircled{\scriptsize ㄷ}=0$입니다.

2 $2.84\odot1.29=2.84+2.84-1.29$
$=5.68-1.29=4.39$
$\Rightarrow 4.39\odot6.035=4.39+4.39-6.035$
$=8.78-6.035=2.745$

3 비법 PLUS+ (주스 1병의 무게)
$=$(주스 10병이 들어 있는 상자의 무게)
$\quad-$(주스 1병을 빼낸 후 상자의 무게)

(주스 1병의 무게)$=6.2-5.62=0.58\text{(kg)}$
주스 10병의 무게는 0.58 kg의 10배이므로 5.8 kg입니다.
$\Rightarrow$ (빈 상자의 무게)$=6.2-5.8=0.4\text{(kg)}$

4 15분＋15분＋15분＋15분＝60분＝1시간
(윤아가 한 시간 동안 가는 거리)
＝1.24＋1.24＋1.24＋1.24＝4.96(km)
12분＋12분＋12분＋12분＋12분＝60분＝1시간
(인규가 한 시간 동안 가는 거리)
＝0.85＋0.85＋0.85＋0.85＋0.85＝4.25(km)
⇨ (한 시간 후에 두 사람 사이의 거리)
＝4.96＋4.25＝9.21(km)

5 비법 PLUS+ 규칙에 따라 아홉 번째까지 놓인 수를 알고 첫 번째 수부터 아홉 번째 수까지의 합을 각 자리끼리의 합으로 나타내어 봅니다.

1＋2＋3＋……＋7＋8＋9＝45
⇨ 1.99＋2.88＋3.77＋……＋7.33＋8.22＋9.11
＝(1＋2＋3＋……＋7＋8＋9)
＋(0.9＋0.8＋0.7＋……＋0.3＋0.2＋0.1)
＋(0.09＋0.08＋0.07＋……＋0.03
＋0.02＋0.01)
＝45＋(0.1이 45개인 수)＋(0.01이 45개인 수)
＝45＋4.5＋0.45＝49.95

6 비법 PLUS+ 먼저 두 끈씩 잰 길이를 각각 덧셈식으로 나타내어 세 끈의 길이의 합을 구합니다.

(빨간색)＋(노란색)＝50.9 cm,
(노란색)＋(파란색)＝55.5 cm,
(파란색)＋(빨간색)＝58.4 cm이므로
{(빨간색)＋(노란색)}＋{(노란색)＋(파란색)}
＋{(파란색)＋(빨간색)}
＝50.9＋55.5＋58.4＝164.8(cm)입니다.
164.8＝82.4＋82.4이므로
(빨간색)＋(노란색)＋(파란색)＝82.4 cm입니다.
(빨간색)＝{(빨간색)＋(노란색)＋(파란색)}
－{(노란색)＋(파란색)}
＝82.4－55.5＝26.9(cm)
(노란색)＝{(빨간색)＋(노란색)＋(파란색)}
－{(파란색)＋(빨간색)}
＝82.4－58.4＝24(cm)
(파란색)＝{(빨간색)＋(노란색)＋(파란색)}
－{(빨간색)＋(노란색)}
＝82.4－50.9＝31.5(cm)
⇨ 31.5＞26.9＞24이므로
(가장 긴 끈)－(가장 짧은 끈)＝(파란색)－(노란색)
＝31.5－24＝7.5(cm)입니다.

4 사각형

1 75°	**2** 20 cm
3 13개	**4** 75°
5 51 cm	**6** 60°
7 70°	**8** 6쌍

1 직선 가와 직선 나가 만나서 이루는 각도는 90°이므로 ㉠＝90°－60°＝30°, ㉡＝90°－45°＝45°입니다.
⇨ ㉠＋㉡＝30°＋45°＝75°

2 (직선 가와 직선 다 사이의 거리)
＝(직선 가와 직선 나 사이의 거리)
＋(직선 나와 직선 다 사이의 거리)
＝8＋12＝20(cm)

3 • 작은 삼각형 2개짜리: 8개
• 작은 삼각형 4개짜리: 4개
• 작은 삼각형 8개짜리: 1개
⇨ 8＋4＋1＝13(개)

4
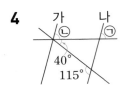

평행선과 한 직선이 만날 때 생기는 엇갈린 위치에 있는 각의 크기는 같으므로 ㉡＋40°＝115°,
㉡＝115°－40°＝75°입니다.
평행선과 한 직선이 만날 때 생기는 같은 위치에 있는 각의 크기는 같으므로 ㉠＝㉡＝75°입니다.

5 • 평행사변형은 마주 보는 두 변의 길이가 같으므로
(변 ㄱㄹ)＝(변 ㄴㄷ)＝9 cm이고
(변 ㄱㄴ)＝(변 ㄹㄷ)입니다.
→ (변 ㄹㅁ)＝20－9＝11(cm)이고
(변 ㄱㄴ)＝(변 ㅁㄷ)이므로 (변 ㄹㄷ)＝(변 ㅁㄷ)입니다.
• 삼각형 ㄹㄷㅁ은 이등변삼각형이므로
180°－60°＝120°에서
(각 ㄷㄹㅁ)＝(각 ㄷㅁㄹ)＝120°÷2＝60°입니다.
즉, 삼각형 ㄹㄷㅁ은 정삼각형이므로
(변 ㄱㄴ)＝(변 ㅁㄷ)＝(변 ㄹㅁ)＝11 cm입니다.
따라서 굵은 선의 길이는
20＋11＋9＋11＝51(cm)입니다.

6 평행사변형은 마주 보는 두 각의 크기가 같으므로
(각 ㄹㄷㅁ)=(각 ㅁㅂㄹ)=50°입니다.
직사각형은 네 각이 모두 직각이므로
(각 ㄴㄱㅁ)=90°-20°=70°입니다.
따라서 사각형 ㄱㄴㄷㅁ에서
(각 ㅅㅁㄷ)=360°-70°-90°-90°-50°=60°
입니다.

7 접은 각과 접힌 각의 크기는 같고 마름모에서 이웃
한 두 각의 크기의 합은 180°이므로
(각 ㄴㄱㄹ)=(각 ㅁㅂㅅ)=180°-100°=80°입니다.
삼각형 ㅁㅂㅅ에서
(각 ㅂㅁㅅ)=180°-80°-45°=55°입니다.
따라서 (각 ㄱㅁㅅ)=(각 ㅂㅁㅅ)=55°이므로
(각 ㄴㅁㅂ)=180°-55°-55°=70°입니다.

8 연결한 모양은 오른쪽과 같습니다.
따라서 연결한 모양에서 평행선은
모두 6쌍입니다.

| 복습 | **상위권 문제** | 확인과 응용 | **28~31쪽** |

1 3개	**2** 108°
3 6 cm	**4** 64 cm
5 115°	**6** 80°
7 34개	**8** 36 cm
9 105°	**10** 110°
11 95°	**12** 42 cm

1 • 수선이 있는 자음: **ㄴ, ㄹ, ㅂ, ㅋ**
• 평행선이 있는 자음: **ㄹ, ㅂ, ㅊ, ㅋ, ㅎ**
따라서 수선도 있고 평행선도 있는 자음은 **ㄹ, ㅂ, ㅋ**으로 모두 3개입니다.

2 각 ㄱㄹㄷ의 크기가 90°이므로 각 ㅇㄹㄷ의 크기는
90°÷5=18°입니다.
⇨ (각 ㅇㄹㄴ)=18°+90°=108°

3 (직선 나와 직선 다 사이의 거리)
=(직선 가와 직선 다 사이의 거리)
   +(직선 나와 직선 라 사이의 거리)
   -(직선 가와 직선 라 사이의 거리)
=15+19-28=6(cm)

4 평행사변형의 짧은 변의 길이를 □ cm라 하면 긴
변의 길이는 (□+□)cm입니다.
⇨ □+□+□+□+□+□=48,
   □×6=48, □=8
따라서 마름모의 한 변은 8×2=16(cm)이므로 굵
은 선의 길이는 16+16+16+16=64(cm)입니다.

5 평행사변형에서 이웃한 두 각의 크기의 합은 180°이
므로 (각 ㄱㄹㄷ)=(각 ㄱㄴㄷ)=180°-50°=130°
입니다.
(각 ㄱㄹㅁ)=(각 ㄷㄹㅁ)=130°÷2=65°
따라서 사각형 ㄹㅁㄴㄷ에서
(각 ㄹㅁㄴ)=360°-65°-130°-50°=115°입니다.

6 (각 ㄴㄱㄹ)=180°-25°=155°
평행선과 한 직선이 만날 때 생기는 같은 위치에 있
는 각의 크기는 같으므로
(각 ㄱㄴㄷ)=(각 ㅁㄱㄹ)=25°입니다.
따라서 (각 ㄱㄹㄷ)=(각 ㄱㄴㄷ)×4
                =25°×4=100°이므로
사각형 ㄱㄴㄷㄹ에서
(각 ㄴㄷㄹ)=360°-155°-25°-100°=80°입니다.

7 • 도형에서 찾을 수 있는 크고 작은 정삼각형은 작은
삼각형 1개짜리 10개, 작은 삼각형 4개짜리 4개이
므로 모두 10+4=14(개)입니다.
• 도형에서 찾을 수 있는 크고 작은 평행사변형은 작
은 삼각형 2개짜리 10개, 작은 삼각형 4개짜리 8개,
작은 삼각형 8개짜리 2개이므로 모두
10+8+2=20(개)입니다.
⇨ 14+20=34(개)

8 점 ㄴ에서 변 ㄱㄹ에 수선을 그어 직사각형 ㅁㄴㄷㄹ
을 만듭니다.

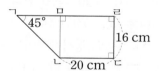

직사각형은 마주 보는 두 변의 길이가 같으므로
(변 ㅁㄹ)=(변 ㄴㄷ)=20 cm,
(변 ㅁㄴ)=(변 ㄹㄷ)=16 cm입니다.
삼각형 ㄱㄴㅁ에서
(각 ㄱㄴㅁ)=180°-90°-45°=45°입니다.
삼각형 ㄱㄴㅁ은 이등변삼각형이므로
(변 ㄱㅁ)=(변 ㄴㅁ)=16 cm입니다.
따라서 (변 ㄱㄹ)=(변 ㄱㅁ)+(변 ㅁㄹ)
                =16+20=36(cm)입니다.

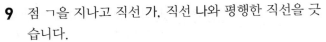

9 점 ㄱ을 지나고 직선 가, 직선 나와 평행한 직선을 긋습니다.

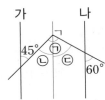

평행선과 한 직선이 만날 때 생기는 엇갈린 위치에 있는 각과 같은 위치에 있는 각의 크기는 각각 같으므로 ㉡=45°이고, ㉢=60°입니다.
따라서 ㉠=45°+60°=105°입니다.

다른 풀이 점 ㄴ에서 직선 나에 수선을 그어 사각형 ㄱㄴㄷㄹ을 만듭니다.

(각 ㄱㄴㄷ)=90°−45°=45°,
(각 ㄱㄹㄷ)=180°−60°=120°이므로
㉠=360°−45°−90°−120°=105°입니다.

10 마름모에서 마주 보는 두 각의 크기는 같으므로
(각 ㄱㄹㄷ)=(각 ㄷㄴㄱ)=40°입니다.
(각 ㅈㅁㄹ)=180°−80°=100°,
(각 ㅈㅇㄹ)=180°−30°=150°이므로
사각형 ㅁㅈㅇㄹ에서
(각 ㅁㅈㅇ)=360°−100°−150°−40°=70°입니다.
⇨ (각 ㅅㅈㅁ)=180°−70°=110°

다른 풀이 마름모에서 이웃한 두 각의 크기의 합은 180°이므로 (각 ㄴㄱㄹ)=180°−40°=140°입니다.
평행선과 한 직선이 만날 때 생기는 엇갈린 위치에 있는 각의 크기는 같으므로 (각 ㄱㅅㅈ)=(각 ㄷㅇㅈ)=30°입니다.
따라서 사각형 ㄱㅅㅈㅁ에서
(각 ㅅㅈㅁ)=360°−30°−80°−140°=110°입니다.

11 65°+㉠=90°이므로 ㉠=90°−65°=25°입니다.
20°+90°+㉡=180°이므로
㉡=180°−20°−90°=70°입니다.
⇨ ㉠+㉡=25°+70°=95°

12 • 사각형 ㄱㄴㄷㄹ은 정사각형이므로
(변 ㄴㄷ)=(변 ㄱㄴ)=21 cm입니다.
→ (변 ㄷㅇ)=(변 ㄴㅇ)−(변 ㄴㄷ)
=35−21=14(cm)
• 직사각형 ㅁㄷㅇㅂ에서 (변 ㅁㅂ)=(변 ㄷㅇ)=14 cm이고 사각형 ㄹㅁㅂㅅ은 정사각형이므로
(변 ㄹㅁ)=(변 ㅁㅂ)=14 cm입니다.
→ (변 ㅁㄷ)=(변 ㄹㄷ)−(변 ㄹㅁ)
=21−14=7(cm)
⇨ (직사각형 ㅁㄷㅇㅂ의 네 변의 길이의 합)
=14+7+14+7=42(cm)

---

1 32 cm **2** 50 cm
3 110° **4** 35°
5 27° **6** 20°

1 직사각형은 마주 보는 두 변의 길이가 같으므로
(변 ㄴㄷ)=(변 ㄱㄹ)=8 cm입니다.
삼각형 ㄱㄴㄷ에서
(각 ㄴㄱㄷ)=180°−90°−45°=45°이므로
삼각형 ㄱㄴㄷ은 이등변삼각형입니다.
(변 ㄱㄴ)=(변 ㄹㄷ)=(변 ㄴㄷ)=8 cm
⇨ (직사각형 ㄱㄴㄷㄹ의 네 변의 길이의 합)
=8+8+8+8=32(cm)

2 사각형 ㄱㅁㅂㄹ은 마름모이므로
(한 변)=80÷4=20(cm)입니다.
(변 ㅂㄷ)=(변 ㅅㅇ)=(변 ㅁㄴ)
=40−20=20(cm)
(변 ㅅㅂ)=(변 ㅇㄷ)=15 cm이므로
(변 ㅁㅅ)=20−15=5(cm)입니다.
따라서 평행사변형 ㅁㄴㅇㅅ의 네 변의 길이의 합은
5+20+5+20=50(cm)입니다.

3 **비법 PLUS+** 평행선과 한 직선이 만날 때 생기는 엇갈린 위치에 있는 각의 크기가 같음을 이용하여 각 ㄹㅁㄷ의 크기를 먼저 구합니다.

사각형 ㄱㄴㄷㄹ은 평행사변형이므로 변 ㄱㄹ과 변 ㄴㄷ은 서로 평행합니다.
평행선과 한 직선이 만날 때 생기는 엇갈린 위치에 있는 각의 크기는 같으므로
(각 ㄹㅁㄷ)=(각 ㄱㄹㅁ)=35°입니다.
삼각형 ㄹㅁㄷ은 이등변삼각형이므로
(각 ㅁㄷㄹ)=(각 ㄹㅁㄷ)=35°입니다.
⇨ (각 ㄹㄷㅁ)=180°−35°−35°=110°

4

비법 PLUS ✛ 직선 가와 직선 나가 만나는 점을 지나면서 직선 다, 직선 라와 평행한 직선을 그어 봅니다.

ⓒ=180°－125°=55°입니다.

직선 가와 직선 나가 만나는 점을 지나고 직선 다, 직선 라와 평행한 직선을 긋습니다.

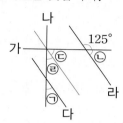

평행선과 한 직선이 만날 때 생기는 같은 위치에 있는 각의 크기는 같으므로 ⓒ=ⓛ=55°입니다.
직선 가와 직선 나가 만나서 이루는 각도는 90°이므로 ⓔ=90°－55°=35°입니다.
따라서 평행선과 한 직선이 만날 때 생기는 같은 위치에 있는 각의 크기는 같으므로 ㉠=ⓔ=35°입니다.

5

비법 PLUS ✛ (각 ㅂㅁㅅ)=(각 ㄱㅁㅂ)×4
⇨ (각 ㄱㅁㅂ)=(각 ㄱㅁㅅ)÷5

삼각형 ㄹㅁㅅ은 이등변삼각형이므로
180°－50°=130°에서
(각 ㄹㅁㅅ)=(각 ㄹㅅㅁ)=130°÷2=65°입니다.
각 ㅂㅁㅅ의 크기가 각 ㄱㅁㅂ의 크기의 4배이므로
(각 ㄱㅁㅅ)=180°－65°=115°에서
(각 ㄱㅁㅂ)=115°÷5=23°입니다.
마름모에서 이웃한 두 각의 크기의 합은 180°이므로
(각 ㄴㄱㄹ)=180°－50°=130°입니다.
따라서 삼각형 ㄱㅂㅁ에서
(각 ㄱㅂㅁ)=180°－130°－23°=27°입니다.

6 점 ㅁ에서 직선 가에 수선을 그어 사각형 ㅂㅁㄴㄱ을 만듭니다.

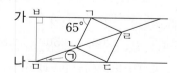

(변 ㄱㄴ)=(변 ㄱㄹ)이므로 삼각형 ㄱㄴㄹ은 이등변삼각형이고 180°－90°=90°에서
(각 ㄱㄴㄹ)=90°÷2=45°입니다.
(각 ㄱㄴㅁ)=180°－45°=135°,
(각 ㅂㅁㄴ)=360°－90°－135°－65°=70°
⇨ ㉠=90°－70°=20°

5 꺾은선그래프

복습 상위권 문제   34~35쪽

| **1** ㉣ 9 °C | **2** 3월, 120개 | **3** 4칸 |
| **4** 150 g | **5** 224명 | **6** 1 °C |

1 오전 10시 30분의 온도는 오전 10시와 오전 11시의 온도의 중간인 7 °C라고 예상할 수 있습니다.
오후 1시 30분의 온도는 오후 1시와 오후 2시의 온도의 중간인 16 °C라고 예상할 수 있습니다.
따라서 오전 10시 30분과 오후 1시 30분의 거실의 온도의 차는 16－7=9(°C)라고 예상할 수 있습니다.

2 차가 가장 클 때는 3월입니다. 세로 눈금 한 칸의 크기는 20개이고, 크림빵과 모카빵의 판매량의 차가 가장 클 때의 세로 눈금은 6칸 차이이므로 이때의 판매량의 차는 20×6=120(개)입니다.

3 세로 눈금 한 칸의 크기는 10대이고, 6월과 7월의 세로 눈금은 8칸 차이가 납니다.
(6월과 7월의 생산량의 차)=10×8=80(대)
따라서 세로 눈금 한 칸의 크기를 20대로 하여 다시 그린다면 6월과 7월의 세로 눈금은
80÷20=4(칸) 차이가 납니다.

4 세로 눈금 한 칸의 크기는 5 g이므로 바둑돌이 4개 늘어날 때마다 무게는 15 g씩 늘어납니다.
⇨ (바둑돌 40개의 무게)
=60+15+15+15+15+15+15=150(g)

5 2015년의 졸업생 수: 204명
2016년의 졸업생 수: 216명
(2014년과 2017년의 졸업생 수의 합)
=854－204－216=434(명)
2017년의 졸업생 수를 □명이라 하면 2014년의 졸업생 수는 (□－14)명이므로 □－14+□=434,
□+□=448, □=224입니다.

6 정우가 나타낸 꺾은선그래프에서 세로 눈금 한 칸의 크기는 2 °C입니다. 오후 1시의 물의 온도는 36 °C, 오후 2시의 물의 온도는 30 °C이므로 오후 1시와 오후 2시의 물의 온도의 차는 36－30=6(°C)입니다.
유라가 나타낸 꺾은선그래프에서 오후 1시와 오후 2시의 세로 눈금 칸 수의 차는 6칸입니다.
따라서 유라가 나타낸 꺾은선그래프의 세로 눈금 한 칸의 크기는 6÷6=1(°C)입니다.

1 3.3, 3.5, 3.8 /

저수지의 물 깊이

2 예 3일

3 1번

4 196000원

5 예 50 cm

6 150, 300

7 740회

8 2100 m

9 980명

10 4권

11 300만 명 늘었습니다.

12 7000 g

1 꺾은선그래프에서 4일의 물 깊이는 3.3 m이고, 6일의 물 깊이는 3.5 m입니다.

6일의 물 깊이가 8일의 물 깊이보다 0.3 m 더 낮으므로 8일의 물 깊이는 3.5+0.3=3.8(m)입니다.

2 세로 눈금이 3.2 m인 때 가로 눈금을 읽으면 2일과 4일 사이입니다.

따라서 저수지의 물 깊이가 3.2 m인 때는 3일이라고 예상할 수 있습니다.

3 두 사람의 키가 같은 때는 두 꺾은선이 만나는 때이므로 9살과 10살 사이로 모두 1번입니다.

4 세로 눈금 한 칸의 크기는 50÷5=10(자루)입니다.

(5개월 동안의 연필 판매량)

=100+140+110+90+50=490(자루)

⇨ (5개월 동안 연필을 판 돈)

=400×490=196000(원)

5 2015년 7월의 나무의 키는 2015년과 2016년 1월의 나무의 키의 중간인 270 cm라고 예상할 수 있고, 2016년 7월의 나무의 키는 2016년과 2017년 1월의 나무의 키의 중간인 320 cm라고 예상할 수 있습니다.

따라서 2015년 7월의 나무의 키와 2016년 7월의 나무의 키의 차는 320-270=50(cm)라고 예상할 수 있습니다.

6 세로 눈금 칸 수의 합인 12+10+9+13=44(칸)이 1320판을 나타내므로 세로 눈금 한 칸의 크기는 1320÷44=30(판)입니다.

⇨ ㉠=30×5=150, ㉡=30×10=300

7 세로 눈금 한 칸의 크기는 100÷5=20(회)이므로 유리의 줄넘기 횟수가 승기보다 60회 더 적은 때는 유리의 줄넘기 횟수를 나타내는 점이 승기의 줄넘기 횟수를 나타내는 점보다 60÷20=3(칸) 더 아래에 있는 21일입니다.

21일의 승기의 줄넘기 횟수는 400회이고, 유리의 줄넘기 횟수는 340회입니다.

⇨ (21일의 두 사람의 줄넘기 횟수의 합)

=400+340=740(회)

8 5분마다 400 m, 300 m를 번갈아 가며 달리는 규칙입니다.

⇨ (30분 동안 달려가는 거리)

=(25분 동안 달린 거리)+300

=1800+300=2100(m)

9 선이 가장 적게 기울어진 때가 신규 가입자 수가 가장 적게 변한 때이므로 8월과 9월 사이입니다. 8월과 9월 사이의 신규 가입자 수는

840-800=40(명)이 줄었습니다.

따라서 11월의 신규 가입자 수는 940명이므로 12월의 신규 가입자 수는 940+40=980(명)입니다.

10 읽은 책의 수가 가장 많은 때는 2015년이고 가장 적은 때는 2016년이므로 세로 눈금은 8칸 차이가 납니다. 세로 눈금 한 칸의 크기는 10÷5=2(권)이므로 읽은 책의 수가 가장 많은 때와 가장 적은 때의 책의 수의 차는 2×8=16(권)입니다.

따라서 다시 그린 그래프는 세로 눈금 한 칸의 크기를 16÷4=4(권)으로 한 것입니다.

11 외국인 관광객 수를 나타내는 꺾은선그래프에서 선이 오른쪽 위로 가장 많이 기울어진 때는 2015년과 2016년 사이이므로 외국인 관광객 수가 전년도에 비해 가장 많이 늘어난 때는 2016년입니다.

따라서 2015년의 해외여행객 수는 1900만 명이고, 2016년의 해외여행객 수는 2200만 명이므로 2200만-1900만=300만 (명) 늘었습니다.

12

무게(kg)	1	2	3	4
택배비(원)	2200	2500	2800	3100

물건의 무게가 1 kg씩 늘어날 때마다 택배비는 300원씩 늘어납니다. 택배비가 4000원이 되려면 무게가 1 kg일 때의 택배비인 2200원에서

4000-2200=1800(원)만큼 더 늘어나야 하고, 1800원은 300원씩 6번 늘어난 금액입니다.

따라서 1×6=6(kg), 1+6=7(kg)이므로 택배비가 4000원일 때 물건의 무게는 7 kg=7000 g입니다.

1 ㉰

2
누적 강우량

3 1600대

4
공부한 시간

5 5억 원   **6** 240 m

---

1 비법 PLUS＋ 과자 ㉮, ㉯, ㉰의 판매량이 가장 많은 때와 가장 적은 때의 판매량의 차를 각각 구한 다음 판매량의 차가 가장 작은 과자를 구합니다.

세로 눈금 한 칸의 크기는 $100 \div 5 = 20$(개)입니다.
과자 ㉮, ㉯, ㉰의 판매량이 가장 많은 때와 가장 적은 때의 판매량의 차를 각각 구합니다.
㉮: $260 - 100 = 160$(개)
㉯: $240 - 120 = 120$(개)
㉰: $220 - 120 = 100$(개)
⇨ $100 < 120 < 160$이므로 판매량이 가장 많은 때와 가장 적은 때의 판매량의 차가 가장 작은 과자는 ㉰입니다.

2 비법 PLUS＋ (4시의 누적 강우량)
＝(3시의 누적 강우량)＋(3시~4시의 강우량)

꺾은선그래프에서 1시부터 6시까지의 강우량은 160 mm이므로 3시에서 4시 사이의 강우량은
$160 - 10 - 30 - 40 - 30 = 50$(mm)입니다.
⇨ (4시의 누적 강우량)＝$40 + 50 = 90$(mm),
(5시의 누적 강우량)＝$90 + 40 = 130$(mm)

다른 풀이 6시의 누적 강우량이 160 mm이므로 5시의 누적 강우량은 $160 - 30 = 130$(mm)입니다.
4시의 누적 강우량은 $130 - 40 = 90$(mm)입니다.

---

3 스마트폰 생산량의 세로 눈금 한 칸의 크기는
$500 \div 5 = 100$(대)이고, 스마트폰 판매량의 세로 눈금 한 칸의 크기는 $250 \div 5 = 50$(대)입니다.

월(월)	9	10	11	12
생산량(대)	800	1200	1500	1400
판매량(대)	550	800	1000	950
남아 있는 스마트폰의 수(대)	250	400	500	450

⇨ (남아 있는 스마트폰의 수의 합)
＝$250 + 400 + 500 + 450 = 1600$(대)

4 비법 PLUS＋ 금요일에 공부한 시간: □분
⇨ 수요일에 공부한 시간: (□−8)분
목요일에 공부한 시간: (□＋4)분

세로 눈금 한 칸의 크기는 $20 \div 5 = 4$(분)입니다.
월요일에 공부한 시간은 42분이고, 화요일에 공부한 시간은 74분입니다.
금요일에 공부한 시간을 □분이라 하면 수요일에 공부한 시간은 (□−8)분, 목요일에 공부한 시간은 (□＋4)분입니다.
⇨ $42 + 74 + □ - 8 + □ + 4 + □ = 310$,
　　월요일　화요일　수요일　　목요일　금요일
$□ + □ + □ = 198$, $□ = 66$

요일(요일)	월	화	수	목	금
공부한 시간(분)	42	74	58	70	66

5 전월에 비해 입장객 수가 줄어든 때는 3월, 6월이고 전월에 비해 매출액이 늘어난 때는 2월, 4월, 5월, 6월이므로 전월에 비해 입장객 수는 줄었지만 매출액이 늘어난 때는 6월입니다.
매출액의 세로 눈금 한 칸의 크기는 $25 \div 5 = 5$(억 원)이고, 6월은 전월에 비해 세로 눈금이 1칸 늘었으므로 6월의 매출액은 전월에 비해 5억 원 늘었습니다.

6 비법 PLUS＋ 현우와 윤지가 각각 일정한 시간 동안 몇 m씩 걸어갔는지 알아본 다음 현우와 윤지가 36분 동안 걸어간 거리의 차를 구합니다.

• 현우는 3분 동안 80 m씩 걷고, 36분은 3분씩
$36 \div 3 = 12$(번)이므로 현우가 36분 동안 걸어간 거리는 $80 \times 12 = 960$(m)입니다.
• 윤지는 3분 동안 60 m씩 걷고, 36분은 3분씩
$36 \div 3 = 12$(번)이므로 윤지가 36분 동안 걸어간 거리는 $60 \times 12 = 720$(m)입니다.
⇨ (현우와 윤지가 36분 동안 걸어간 거리의 차)
＝$960 - 720 = 240$(m)

6 다각형

복습 **상위권 문제**		42~43쪽
1 40개	**2** 24 cm	**3** 15 cm
4 20°	**5** 약 26	**6** 12곳

1 오각형의 한 꼭짓점에서 그을 수 있는 대각선은
$5-3=2$(개)입니다.
오각형에 그을 수 있는 대각선 수는 $2\times5=10$,
$10\div2=5$이므로 5개입니다.
십각형의 한 꼭짓점에서 그을 수 있는 대각선은
$10-3=7$(개)입니다.
십각형에 그을 수 있는 대각선 수는 $7\times10=70$,
$70\div2=35$이므로 35개입니다.
따라서 두 도형에 각각 그을 수 있는 대각선의 수의
합은 $5+35=40$(개)입니다.

2 마름모는 한 대각선이 다른 대각선을 반으로 나누므로
(선분 ㄷㅁ)$=12\div2=6$(cm),
(선분 ㄹㅁ)$=16\div2=8$(cm)입니다.
마름모는 네 변의 길이가 모두 같으므로
(선분 ㄷㄹ)$=$(선분 ㄱㄹ)$=10$ cm입니다.
따라서 삼각형 ㄷㄹㅁ의 세 변의 길이의 합은
(선분 ㄷㄹ)$+$(선분 ㄹㅁ)$+$(선분 ㄷㅁ)
$=10+8+6=24$(cm)입니다.

3 • (정구각형의 모든 변의 길이의 합)
　$=5\times9=45$(cm)
• (노란색 끈의 길이)$=45\times2=90$(cm)
따라서 파란색 끈의 길이도 90 cm이므로 파란색 끈으
로 만든 정육각형의 한 변은 $90\div6=15$(cm)입니다.

4 정구각형은 삼각형 7개로 나눠지므
로 정구각형의 아홉 각의 크기의 합
은 $180°\times7=1260°$입니다.
정구각형의 한 각의 크기는
$1260°\div9=140°$이므로 (각 ㄱㄴㄷ)$=140°$입니다.
삼각형 ㄱㄴㄷ은 (변 ㄴㄷ)$=$(변 ㄴㄱ)인 이등변삼각
형이고 $180°-140°=40°$, $40°\div2=20°$에서
각 ㄴㄷㄱ의 크기는 20°입니다.

5 가 모양 조각의 크기가 6이므로 다 모양 조각의 크기
는 1입니다.
주어진 모양을 다 모양 조각과 라 모양 조각으로만
채우면 다 모양 조각 22개, 라 모양 조각 2개가 필요
하므로 크기는 약 $22+4=26$입니다.

6 각 쉼터를 꼭짓점으로 하는 팔각형을 생각하면 꽃길
의 수는 팔각형의 변의 수, 대나무 숲길의 수는 팔각
형의 대각선의 수와 같습니다. 팔각형의 한 꼭짓점
에서 그을 수 있는 대각선은 $8-3=5$(개)입니다.
팔각형에 그을 수 있는 대각선 수는 $5\times8=40$,
$40\div2=20$이므로 20개입니다.
따라서 꽃길은 8곳, 대나무 숲길은 20곳 만들어야
하므로 대나무 숲길은 꽃길보다 $20-8=12$(곳) 더
많습니다.

복습 **상위권 문제** 확인과 응용		44~47쪽
1 45°		**2** 3 cm
3 15°		**4** 150°

5 /예
3 cm ··· 3 cm / 3 cm ··· 3 cm

6 135°	**7** 110°
8 4개	**9** 108°
10 96	**11** ㉠, ㉢
12 30°	

1 정사각형은 두 대각선이 서로 수직으로 만나므로
(각 ㄱㅁㄹ)$=90°$입니다.
정사각형은 두 대각선의 길이가 같고 한 대각선이
다른 대각선을 반으로 나누므로 선분 ㄱㅁ과 선분
ㄹㅁ의 길이는 같습니다.
따라서 삼각형 ㄱㅁㄹ은 이등변삼각형이므로
$180°-90°=90°$, (각 ㄱㄹㅁ)$=90°\div2=45°$입니다.

2 • (정칠각형을 1개 만드는 데 사용한 철사의 길이)
　$=15\times7=105$(cm)
• (정사각형을 8개 만드는 데 사용한 철사의 길이)
　$=105-9=96$(cm)
• (정사각형을 1개 만드는 데 사용한 철사의 길이)
　$=96\div8=12$(cm)
⇨ (정사각형의 한 변)$=12\div4=3$(cm)

3

정육각형의 여섯 각의 크기의 합은 $180° \times 4 = 720°$이므로 정육각형의 한 각의 크기는 $720° \div 6 = 120°$입니다. ⓒ$= 120° - 75° = 45°$이고 평행선과 한 직선이 만날 때 생기는 엇갈린 위치에 있는 각의 크기는 같으므로 ⓒ$=$ ⓒ$= 45°$입니다.

$\Rightarrow$ ㉠$= 180° -$ ⓒ$- 120°$
$= 180° - 45° - 120° = 15°$

4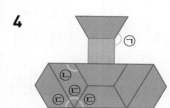

사다리꼴 모양 조각의 두 각도를 ⓒ, ⓒ이라고 하면 ⓒ$+$ ⓒ$+$ ⓒ$= 180°$에서 ⓒ$= 60°$입니다.

사다리꼴 모양 조각에서 각도가 같은 각이 2개씩 있으므로 ⓒ$+$ ⓒ$= 180°$에서 ⓒ$+ 60° = 180°$, ⓒ$= 120°$입니다.

따라서 ㉠$+ 120° + 90° = 360°$에서
㉠$= 360° - 120° - 90° = 150°$입니다.

5 모양 조각을 가장 많이 사용하는 방법은 정삼각형 모양 조각 18개로 마름모를 만드는 방법입니다.

모양 조각을 가장 적게 사용하는 방법은 정육각형 모양 조각 1개, 사다리꼴 모양 조각 4개로 마름모를 만드는 방법입니다.

6 정팔각형의 여덟 각의 크기의 합은
$180° \times 6 = 1080°$이므로 정팔각형의 한 각의 크기는 $1080° \div 8 = 135°$입니다.

(각 ㅇㄱㄹ)$= 90°$이므로
(각 ㄴㄱㄹ)$= 135° - 90° = 45°$입니다.

(각 ㄹㄷㅇ)$= 90°$이므로
(각 ㄴㄷㅇ)$= 135° - 90° = 45°$입니다.

직선이 한 점에서 만날 때 마주 보는 두 각의 크기는 같으므로 (각 ㅇㅈㄹ)$=$ (각 ㄷㅈㄱ)입니다.

따라서 (각 ㅇㅈㄹ)$=$ (각 ㄷㅈㄱ)
$= 360° - 135° - 45° - 45°$
$= 135°$입니다.

7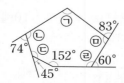

직선 위의 한 점을 꼭짓점으로 하는 각의 크기는 $180°$이므로
ⓒ$= 180° - 74° = 106°$,
ⓒ$= 180° - 45° = 135°$,
㉣$= 180° - 60° = 120°$, ㉤$= 180° - 83° = 97°$입니다.

육각형의 여섯 각의 크기의 합은 $180° \times 4 = 720°$입니다. 따라서
㉠$+ 106° + 135° + 152° + 120° + 97° = 720°$,
㉠$+ 610° = 720°$, ㉠$= 110°$입니다.

8

·모양 조각을 가장 많이 사용할 때	·모양 조각을 가장 적게 사용할 때
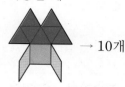 → 10개	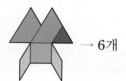 → 6개

$\Rightarrow 10 - 6 = 4$(개)

9 정오각형은 삼각형 3개로 나눠지므로 정오각형의 다섯 각의 크기의 합은 $180° \times 3 = 540°$입니다.

선분으로 연결하여 만들어진 삼각형은 이등변삼각형이므로 ㉠과 ⓒ의 각도는 같습니다.

정오각형에 이등변삼각형이 5개 있으므로
㉠$+$ ⓒ은 정오각형의 다섯 각의 크기의 합을 5로 나눈 것과 같습니다. $\Rightarrow$ ㉠$+$ ⓒ$= 540° \div 5 = 108°$

10

주어진 모양을 칠교판의 라 모양 조각으로만 채우면 왼쪽과 같습니다. 만들려는 모양의 크기가 54이므로 라 모양 조각 한 개의 크기는 $54 \div 9 = 6$입니다.

칠교판 전체를 라 모양 조각으로만 만든다고 하면 오른쪽과 같으므로 칠교판 전체의 크기는 $6 \times 16 = 96$입니다.

11 한 꼭짓점을 중심으로 정다각형을 한 바퀴 돌려서 이어 붙일 수 있으면 도로를 덮을 수 있습니다.

㉠ 정삼각형은 한 각의 크기가 $60°$이므로
$60° + 60° + 60° + 60° + 60° + 60° = 360°$에서 한 바퀴 돌려서 이어 붙일 수 있습니다.

ⓒ 정구각형은 한 각의 크기가 $140°$이므로
$140° + 140° + 140° = 420°$에서 한 바퀴 돌려서 이어 붙일 수 없습니다.

ⓒ 정사각형은 한 각의 크기가 $90°$이므로
$90° + 90° + 90° + 90° = 360°$에서 한 바퀴 돌려서 이어 붙일 수 있습니다.

㉣ 정십각형은 한 각의 크기가 $144°$이므로
$144° + 144° + 144° = 432°$에서 한 바퀴 돌려서 이어 붙일 수 없습니다.

12
정육각형의 여섯 각의 크기의 합은 $180° \times 4 = 720°$이므로
ⓛ$=720° \div 6 = 120°$입니다.
정사각형의 한 각의 크기는 90°이므로 ⓒ$=90°$입니다.

➡ ㉠$=360° - 120° - 90° - 120° = 30°$

복습	최상위권 문제	48~49쪽
1 360°		**2** 정오각형, 정팔각형
3 17 cm		**4** 약 228 cm
5 6배		**6** 396 cm

1 직선 위의 한 점을 꼭짓점으로 하는 각의 크기는 180°이므로 직선 5개가 이루는 각의 크기의 합은 $180° \times 5 = 900°$입니다.
오각형은 삼각형 3개로 나눠지므로 오각형의 모든 각의 크기의 합은 $180° \times 3 = 540°$입니다.
따라서 ㉠$+$ⓛ$+$ⓒ$+$㉣$+$㉤$=900° - 540° = 360°$입니다.

2 두 정다각형의 변의 수의 차가 3개이므로
(세 변의 길이의 합)$=96 - 60 = 36$(cm)이고
(한 변의 길이)$=36 \div 3 = 12$(cm)입니다.
따라서 모든 변의 길이의 합이 60 cm인 정다각형의 변의 수는 $60 \div 12 = 5$(개), 모든 변의 길이의 합이 96 cm인 정다각형의 변의 수는 $96 \div 12 = 8$(개)이므로 두 정다각형은 각각 정오각형, 정팔각형입니다.

3 •$540° = 180° \times 3$에서 재호가 만든 정다각형은 삼각형 3개로 나눌 수 있으므로 정오각형입니다. 따라서 재호가 만든 정오각형의 한 변은 $45 \div 5 = 9$(cm)입니다.
•수빈이가 만든 정다각형의 변의 수를 □개라 하면 한 꼭짓점에서 그을 수 있는 대각선은 (□-3)개이고 대각선은 2번씩 겹치므로
(□-3)$\times$□$=35 \times 2 = 70$입니다.
곱이 70이고 차가 3인 두 수를 찾으면 7, 10에서 □$=10$이므로 수빈이가 만든 정다각형은 정십각형이고, 정십각형의 한 변은 $80 \div 10 = 8$(cm)입니다.
따라서 두 사람이 만든 정다각형의 한 변의 길이의 합은 $9 + 8 = 17$(cm)입니다.

4 비법 PLUS➕ 정육각형에서 길이가 28 cm인 대각선의 수와 대각선 ㄴㄷ과 길이가 같은 대각선의 수는 각각 몇 개인지 그림을 그려 알아봅니다.

•정육각형에서 길이가 28 cm인 대각선은 3개입니다.
➡ $28 \times 3 = 84$(cm)

14 cm
14 cm

•정육각형에서 대각선 ㄴㄷ과 길이가 같은 대각선은 6개입니다.
➡ $24 \times 6 = 144$(cm)

따라서 정육각형에 그을 수 있는 모든 대각선의 길이의 합은 약 $84 + 144 = 228$(cm)입니다.

5 비법 PLUS➕ 먼저 정십각형의 한 각의 크기를 구합니다.

정십각형의 열 각의 크기의 합은 $180° \times 8 = 1440°$이므로 정십각형의 한 각의 크기는 $1440° \div 10 = 144°$입니다.
정십각형의 두 변과 대각선으로 이루어진 삼각형은 이등변삼각형이므로 $144° +$㉠$+$㉠$=180°$,
㉠$+$㉠$=36°$, ㉠$=18°$이고,
$18° +$ⓛ$+18° = 144°$에서 ⓛ$=108°$입니다.
따라서 ⓛ의 각도는 ㉠의 각도의 $108° \div 18° = 6$(배)입니다.

6 비법 PLUS➕ 마름모가 (1개, 2개), (1개, 2개) ······ 가 반복되는 규칙이므로 마름모를 3개씩 늘려 가며 변의 수를 알아봅니다.

(마름모의 한 변)$=36 \div 4 = 9$(cm)
마름모를 (1개, 2개), (1개, 2개), (1개, 2개) ······ 가 반복되는 규칙으로 이어 붙였으므로 다음과 같이 마름모를 3개씩 늘려 가며 변의 수를 알아봅니다.

➡ 변의 수: 8개
➡ 변의 수: $8 + 4 = 12$(개)
➡ 변의 수: $8 + 4 + 4 = 16$(개)

마름모를 30개 이어 붙였으므로 $30 \div 3 = 10$에서 3개씩 10번 이어 붙인 것입니다.
따라서 도형의 변의 수는
$\underbrace{8 + 4 + \cdots\cdots + 4}_{9번} = 8 + 36 = 44$(개)이므로
도형의 둘레는 $9 \times 44 = 396$(cm)입니다.

개념+유형

3600만 권
돌파

개념부터 유형별 문제 풀이까지 한 번에!
수준에 따라 단계별 학습이 가능한 개념+유형!

라이트 찬찬히 익힐 수 있는 개념과 **기본 유형 복습** 시스템으로 **기본 완성!**

파 워 빠르게 학습할 수 있는 개념과 **단계별 유형 강화** 시스템으로 **응용 완성!**

최상위 탑 핵심 개념 설명과 잘 나오는 **상위권 유형 복습** 시스템으로 **최고수준 완성!**

라이트 초등 1~6학년 / 파워, 최상위 탑 초등 3~6학년

✛ 개념·플러스·유형·시리즈 개념과 유형이 하나로! 가장 효과적인 수학 공부 방법을 제시합니다.

대표전화 1544-0554
주소 서울특별시 구로구 디지털로33길 48 대륭포스트타워 7차 20층
협의 없는 무단 복제는 법으로 금지되어 있습니다.

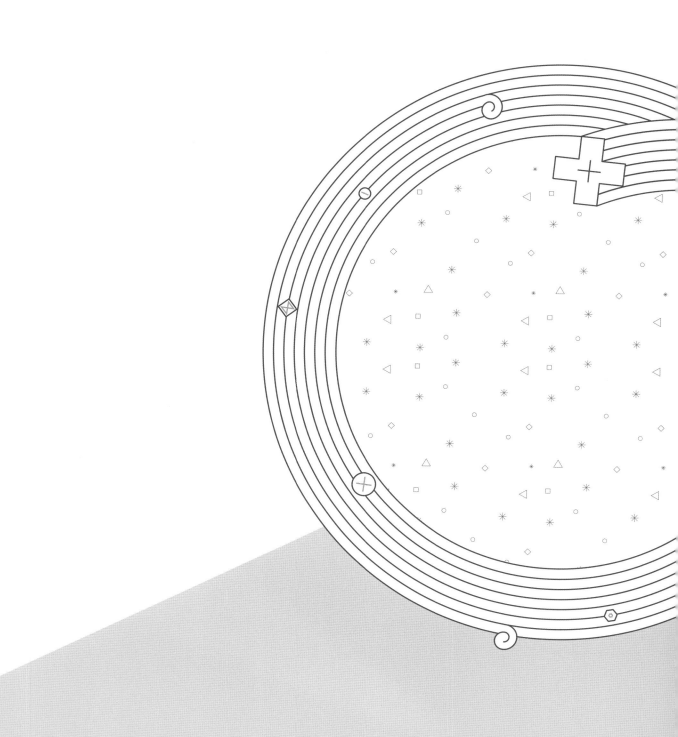

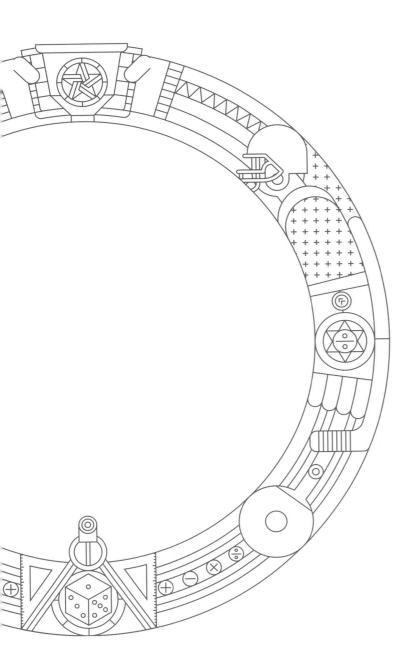

개념＋유형 최상위탑

REVIEW
BOOK

초등 수학

4·2

책 속의 가접 별책 (특허 제 0557442호)

· 'REVIEW BOOK'은 TOP BOOK에서 쉽게 분리할 수 있도록 제작되었으므로
유통 과정에서 분리될 수 있으나 파본이 아닌 정상제품입니다.

visang

우리는 남다른 상상과 혁신으로
교육 문화의 새로운 전형을 만들어
모든 이의 행복한 경험과 성장에 기여한다

ABOVE IMAGINATION

우리는 남다른 상상과 혁신으로
교육 문화의 새로운 전형을 만들어
모든 이의 행복한 경험과 성장에 기여한다

개념 PLUS 유형
최상위 탑

Review Book

4·2

1. 분수의 덧셈과 뺄셈 ········ 2
2. 삼각형 ····················· 10
3. 소수의 덧셈과 뺄셈 ······· 18
4. 사각형 ····················· 26
5. 꺾은선그래프 ·············· 34
6. 다각형 ····················· 42

1

• □ 안에 들어갈 수 있는 수 구하기

□ 안에 들어갈 수 있는 자연수를 모두 구해 보시오.

$$\frac{\square}{13} < 2\frac{1}{13} - 1\frac{10}{13}$$

(   )

대표유형 2

• 바르게 계산한 값 구하기

어떤 수에서 $\frac{3}{9}$을 빼야 할 것을 잘못하여 더했더니 $\frac{8}{9}$이 되었습니다. 바르게 계산하면 얼마인지 구해 보시오.

(   )

대표유형 3

• 계산 결과가 가장 크거나 작은 뺄셈식 만들기

2, 5, 6 중에서 두 수를 골라 □ 안에 써넣어 계산 결과가 가장 작은 뺄셈식을 만들려고 합니다. 이때의 계산 결과를 구해 보시오.

$$7\frac{\square}{7} - 1\frac{\square}{7}$$

(   )

대표유형 4

• 합과 차가 주어진 두 진분수 구하기

분모가 10인 진분수가 2개 있습니다. 합이 $\frac{9}{10}$, 차가 $\frac{5}{10}$인 두 진분수를 구해 보시오.

(   )

• 수 카드로 만든 두 분수의 합 또는 차 구하기

대표유형 5

5장의 수 카드 중에서 3장을 뽑아 한 번씩만 사용하여 분모가 8인 대분수를 만들려고 합니다. 만들 수 있는 가장 큰 대분수와 가장 작은 대분수의 합을 구해 보시오.

(   )

• 이어 붙인 색 테이프의 전체 길이 구하기

대표유형 6

길이가 6 cm인 색 테이프 3장을 $\dfrac{7}{12}$ cm씩 겹쳐지도록 한 줄로 길게 이어 붙였습니다. 이어 붙인 색 테이프의 전체 길이는 몇 cm인지 구해 보시오.

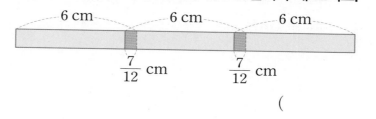

(   )

• 시계가 가리키는 시각 구하기

대표유형 7

하루에 $2\dfrac{1}{6}$분씩 늦게 가는 시계가 있습니다. 이 시계를 4월 1일 오전 10시에 정확한 시각으로 맞추어 놓았다면 같은 달 7일 오전 10시에 이 시계가 가리키는 시각은 오전 몇 시 몇 분인지 구해 보시오.

(   )

• 몇 번 뺄 수 있는지 구하기

신유형 8

밀가루가 $\dfrac{13}{25}$ kg 있다면 팬케이크를 몇 인분까지 만들 수 있고, 남는 밀가루는 몇 kg인지 구해 보시오. (단, 다른 재료의 양은 충분합니다.)

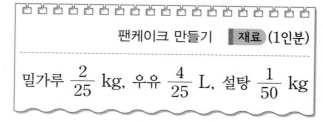

팬케이크 만들기   재료 (1인분)

밀가루 $\dfrac{2}{25}$ kg, 우유 $\dfrac{4}{25}$ L, 설탕 $\dfrac{1}{50}$ kg

(,   )

복습 **상위권 문제** 확인과 응용

비법 Note

1 사과는 귤보다는 $\frac{2}{11}$ kg 더 무겁고, 수박보다는 $6\frac{4}{11}$ kg 더 가볍습니다. 수박이 $6\frac{7}{11}$ kg이라면 귤은 몇 kg인지 구해 보시오.

(　　　　　　　　)

2 분모가 16인 진분수 중에서 $\frac{11}{16}$보다 큰 분수들의 합을 구해 보시오.

(　　　　　　　　)

3 □ 안에 들어갈 수 있는 자연수 중에서 가장 작은 수를 구해 보시오.

$$7\frac{3}{14}-4\frac{\square}{14}<2\frac{7}{14}$$

(　　　　　　　　)

4 세로가 가로보다 $3\frac{4}{6}$ cm 더 짧은 직사각형이 있습니다. 이 직사각형의 가로가 $5\frac{1}{6}$ cm라면 네 변의 길이의 합은 몇 cm인지 구해 보시오.

(　　　　　　　　)

5 계산 결과가 가장 큰 수가 되도록 4장의 수 카드 **3** , **4** , **7** , **9** 를 한 번씩만 사용하여 ☐ 안에 알맞은 수를 써넣고, 계산 결과를 구해 보시오.

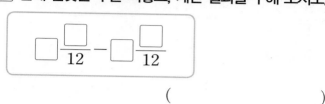

(   )

비법 Note

6 상자 안에 똑같은 동화책 4권을 넣고 무게를 재어 보니 $2\frac{3}{7}$ kg이었습니다. 동화책 2권을 꺼내고 다시 상자의 무게를 재어 보니 $1\frac{2}{7}$ kg이었다면 동화책 한 권의 무게는 몇 kg인지 구해 보시오.

(   )

7 분모가 9인 대분수가 2개 있습니다. 합이 $5\frac{3}{9}$, 차가 $2\frac{4}{9}$인 두 대분수를 구해 보시오.

(   )

8 ㉠에서 ㉤까지의 거리는 몇 km인지 구해 보시오.

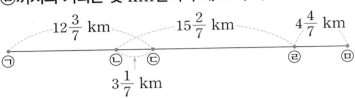

$12\dfrac{3}{7}$ km $15\dfrac{2}{7}$ km $4\dfrac{4}{7}$ km

㉠ ㉡ ㉢ ㉣ ㉤

$3\dfrac{1}{7}$ km

(   )

9 지은이가 위인전을 어제는 전체의 $\dfrac{2}{13}$를 읽었고 오늘은 전체의 $\dfrac{6}{13}$을 읽었습니다. 어제와 오늘 읽은 위인전의 쪽수가 80쪽이라면 지은이가 읽은 위인전의 전체 쪽수는 몇 쪽인지 구해 보시오.

(   )

10 길이가 17 cm인 양초에 불을 붙이고, 12분이 지난 뒤에 양초의 길이를 재어 보니 $14\dfrac{11}{15}$ cm가 되었습니다. 길이가 같은 새 양초에 불을 붙인 지 한 시간이 지난 뒤 양초의 길이를 재어 보면 몇 cm가 되는지 구해 보시오. (단, 양초는 일정한 빠르기로 탑니다.)

(   )

창의융합형 문제

11 삼단뛰기 경기에서 가, 나, 다 선수가 금, 은, 동 메달을 나누어 가졌습니다. 가 선수의 기록은 $8\frac{3}{10}$ m이고, 나 선수의 기록은 가 선수의 기록보다 $1\frac{6}{10}$ m 더 짧습니다. 다 선수의 기록이 나 선수의 기록보다 $1\frac{2}{10}$ m 더 길다고 할 때, 금, 은, 동메달의 기록을 각각 구해 보시오.

금메달 기록 (　　　　　　　　)
은메달 기록 (　　　　　　　　)
동메달 기록 (　　　　　　　　)

창의융합 PLUS +

○ **삼단뛰기**
일정한 거리를 도움닫기한 뒤 한 발로 뛰고 다른 발로 땅을 디디고 멀리 뛰어 두 발을 모아 땅에 떨어지는 멀리 뛰기 경기입니다. 세 번 뛴 거리를 재기 때문에 세단뛰기라고도 합니다.

12 경은이와 현석이는 서로 품앗이하여 벼를 수확하기로 했습니다. 먼저 현석이네 논에서 벼를 수확하려고 하는데 경은이는 하루에 전체의 $\frac{2}{18}$만큼, 현석이는 하루에 전체의 $\frac{3}{18}$만큼 수확합니다. 경은이와 현석이가 함께 3일 동안 벼를 수확한 후 나머지는 현석이가 혼자서 한다면 벼를 수확하기 시작한 지 며칠 만에 모두 끝낼 수 있는지 구해 보시오.

(　　　　　　　　)

○ **품앗이**
힘든 일을 서로 거들어 주면서 품을 지고 갚고 하는 일을 말합니다.

복습 최상위권 문제

1 규칙에 따라 분수를 늘어놓은 것입니다. 늘어놓은 분수들의 합을 구해 보시오.

$$1\frac{2}{17},\ 2\frac{4}{17},\ 3\frac{6}{17}\ \cdots\cdots\ 7\frac{14}{17}$$

(　　　　　　　　)

2 주스가 가득 들어 있는 병의 무게를 재어 보니 $3\frac{1}{4}$ kg이었습니다. 주스를 전체의 $\frac{2}{4}$만큼 마시고 다시 병의 무게를 재어 보니 $1\frac{3}{4}$ kg이었다면 빈 병의 무게는 몇 kg인지 구해 보시오.

(　　　　　　　　)

3 길이가 45 cm인 막대로 수조에 담긴 물의 높이를 재었습니다. 막대를 기울어지지 않게 똑바로 세워 수조의 바닥까지 넣었다가 꺼낸 뒤 반대로 뒤집어 다시 바닥까지 넣었다가 꺼냈더니 막대에서 물에 젖지 않은 부분의 길이가 $4\frac{3}{5}$ cm였습니다. 수조에 담긴 물의 높이는 몇 cm인지 구해 보시오. (단, 수조 바닥은 평평합니다.)

(　　　　　　　　)

★빠른 정답 6쪽, 정답과 풀이 42쪽

4 욕조에 물이 30 L 들어 있습니다. 1분 동안 $8\frac{5}{6}$ L의 물이 빠져나가는 배수구를 열고, 1분 동안 $4\frac{4}{6}$ L의 물이 나오는 수도를 동시에 틀어 물을 받으면 5분 뒤 욕조에 남아 있는 물은 몇 L인지 구해 보시오.

( )

5 수 카드 5장 중에서 2장을 골라 계산한 결과가 3에 가장 가까운 뺄셈식을 만들어 보시오.

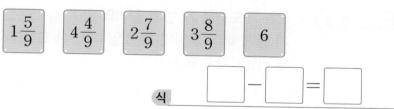

식 ☐ − ☐ = ☐

6 세 분수 ㉮, ㉯, ㉰가 있습니다. ㉮와 ㉯의 합은 $3\frac{5}{8}$, ㉯와 ㉰의 합은 $5\frac{1}{8}$, ㉮와 ㉰의 합은 4입니다. ㉮, ㉯, ㉰를 각각 구해 보시오.

㉮ ( ), ㉯ ( ), ㉰ ( )

대표유형 **1**

• 정삼각형 2개로 만들어지는 도형에서 길이 구하기

삼각형 ㄱㄴㄷ과 삼각형 ㄹㄴㅁ은 정삼각형입니다. 사각형 ㄱㄹㅁㄷ의 네 변의 길이의 합은 몇 cm인지 구해 보시오.

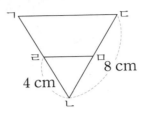

(   )

대표유형 **2**

• 삼각형을 이어 붙여 만든 도형을 둘러싼 선의 길이 구하기

오른쪽 도형은 세 변의 길이의 합이 27 cm인 정삼각형 6개를 겹치지 않게 이어 붙여 만든 것입니다. 이 도형에서 빨간색 선의 길이는 몇 cm인지 구해 보시오.

(   )

대표유형 **3**

• 찾을 수 있는 크고 작은 삼각형의 수 구하기

도형에서 찾을 수 있는 크고 작은 예각삼각형은 모두 몇 개인지 구해 보시오.

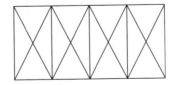

(   )

★ 빠른 정답 6쪽, 정답과 풀이 43쪽

• 삼각형을 이어 붙여 만든 도형에서 길이 구하기

대표유형 4

정삼각형 ㄱㄴㄷ과 이등변삼각형 ㄱㄷㄹ을 겹치지 않게 이어 붙여 만든 사각형입니다. 삼각형 ㄱㄷㄹ의 세 변의 길이의 합이 33 cm일 때 사각형 ㄱㄴㄷㄹ의 네 변의 길이의 합을 구해 보시오.

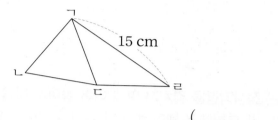

(   )

• 삼각형을 이어 붙여 만든 도형에서 각도 구하기

대표유형 5

이등변삼각형 ㄱㄴㄷ과 이등변삼각형 ㄱㄷㄹ을 겹치지 않게 이어 붙여 만든 삼각형입니다. 각 ㄴㄱㄹ의 크기를 구해 보시오.

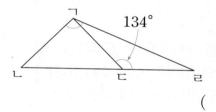

(   )

• 점을 이어 조건을 만족하는 삼각형 만들기

신유형 6

나무판에 그려진 원 위에 같은 간격으로 못을 12개 박았습니다. 이 중 3개의 못에 실을 연결하여 만들 수 있는 삼각형 중에서 이등변삼각형이면서 둔각삼각형인 것은 모두 몇 개인지 구해 보시오. (단, 다른 못에 연결하여 만든 삼각형은 서로 다른 삼각형으로 생각합니다.)

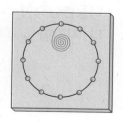

(   )

1 오른쪽 이등변삼각형과 세 변의 길이의 합이 같은 정삼각형을 만들려고 합니다. 정삼각형의 한 변은 몇 cm로 해야 하는지 구해 보시오.

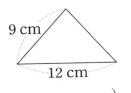

( )

2 크기가 같은 정삼각형을 겹치지 않게 이어 붙여서 다음과 같은 도형을 만들었습니다. 가 도형에서 빨간색 선의 길이가 42 cm일 때 나 도형에서 파란색 선의 길이는 몇 cm인지 구해 보시오.

가  나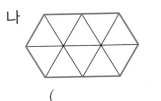

( )

3 오른쪽 도형에서 삼각형 ㄱㄴㄷ은 정삼각형이고, 삼각형 ㄹㄴㄷ의 세 변의 길이의 합은 24 cm입니다. 색칠한 부분의 모든 변의 길이의 합은 몇 cm인지 구해 보시오.

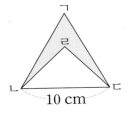

( )

4 이등변삼각형 ㄱㄴㅂ과 정삼각형 ㄴㄷㄹ의 세 변의 길이의 합은 같습니다. 사각형 ㄴㄹㅁㅂ의 네 변의 길이의 합은 몇 cm인지 구해 보시오.

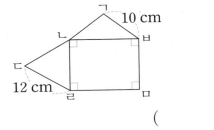

( )

★ 빠른 정답 6쪽, 정답과 풀이 43쪽

Top Book 34~35쪽의 복습 문제입니다.

5 긴 변의 길이가 짧은 변의 길이의 3배인 이등변삼각형입니다. 삼각형의 세 변의 길이의 합이 35 cm일 때 긴 변의 길이는 몇 cm인지 구해 보시오.

비법 Note

(   )

6 삼각형 ㄱㄴㄹ은 정삼각형입니다. 변 ㄱㄴ의 길이는 몇 cm인지 구해 보시오.

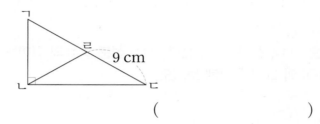

9 cm

(   )

7 도형에서 찾을 수 있는 크고 작은 예각삼각형과 둔각삼각형은 몇 개인지 각각 구해 보시오.

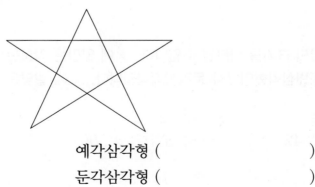

예각삼각형 (   )

둔각삼각형 (   )

2. 삼각형 **13**

8 삼각형 ㄱㄴㄷ과 삼각형 ㅁㄴㄹ은 이등변삼각형입니다. 각 ㄴㅂㄷ의 크기를 구해 보시오.

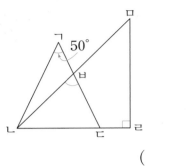

(   )

9 삼각형 ㄱㄴㅁ에서 선분 ㄱㄴ, 선분 ㄱㄷ, 선분 ㄹㄷ, 선분 ㄹㅁ의 길이는 모두 같습니다. 각 ㄱㄴㄷ의 크기를 구해 보시오.

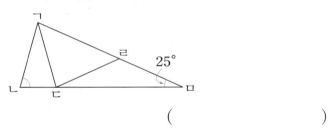

(   )

10 가와 나 삼각형의 두 각의 크기를 나타낸 것입니다. ★에 알맞은 각도는 같고, 가 삼각형은 이등변삼각형이면서 둔각삼각형입니다. ★에 알맞은 각도를 구해 보시오.

> • 가 삼각형: 42°, ★ • 나 삼각형: ★, 90°

(   )

창의융합형 문제

11 다음은 직사각형 모양의 필리핀 국기입니다. 필리핀 국기의 위에는 파란색 사각형이, 아래에는 빨간색 사각형이, 왼쪽에는 흰색 정삼각형이 있으며 이 정삼각형 안에는 태양과 3개의 별이 있습니다. ㉠과 ㉡의 각도의 차를 구해 보시오.

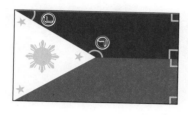

(   )

창의융합 PLUS +

○ **국기**

국기는 한 나라를 상징하는 깃발입니다. 깃발이 국가를 상징하게 된 것은 프랑스 혁명 때 사용된 삼색기 이후입니다. 우리나라의 국기인 태극기는 흰색 바탕에 가운데 태극 문양과 네 모서리의 건곤감리 4괘로 이루어져 있습니다.

12 옷걸이는 주로 삼각형 모양으로 만듭니다. 삼각형 중에서도 예각삼각형 모양은 뾰족해서 옷이 흘러내릴 수 있기 때문에 안정적으로 옷을 걸 수 있는 둔각삼각형 모양으로 만듭니다. 진아가 철사를 구부려서 이등변삼각형이면서 둔각삼각형 모양인 옷걸이를 만들려고 합니다. ㉠의 각도는 몇 도보다 작게 해야 하는지 구해 보시오.

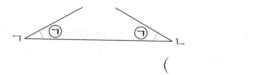

(   )

○ **옷걸이**

옷걸이는 옷을 걸거나 끼우는 방식으로 정리하기 위한 도구입니다.
옷걸이를 주로 삼각형 모양으로 만드는 이유는 사람 몸과 가장 비슷하게 만들기 위해서입니다.

1 길이가 10 cm인 철사를 남기거나 겹치는 부분이 없도록 구부려 각 변의 길이가 자연수인 이등변삼각형을 1개 만들려고 합니다. 만들 수 있는 이등변삼각형은 몇 가지인지 구해 보시오.

(   )

2 오른쪽 도형에서 사각형 ㄱㄴㄷㄹ은 정사각형이고, 삼각형 ㄱㄴㅁ은 이등변삼각형, 삼각형 ㅁㄴㅂ은 정삼각형입니다. 사각형 ㄱㄴㄷㄹ의 네 변의 길이의 합이 56 cm이고, 삼각형 ㄱㄴㅁ의 세 변의 길이의 합이 30 cm일 때, 사각형 ㄱㅂㄷㄹ의 네 변의 길이의 합은 몇 cm인지 구해 보시오.

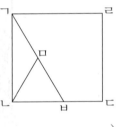

(   )

3 오른쪽 도형에서 사각형 ㄱㄴㄷㄹ은 정사각형이고, 삼각형 ㄱㄴㅁ은 정삼각형입니다. 각 ㄴㅁㅂ의 크기를 구해 보시오.

(   )

★ 빠른 정답 6쪽, 정답과 풀이 45쪽

4 오른쪽 도형에서 사각형 ㄱㄴㄷㅁ은 정사각형이고, 삼각형 ㅁㄷㄹ은 정삼각형입니다. 각 ㄷㅂㄹ의 크기를 구해 보시오.

( )

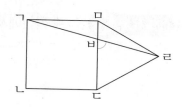

5 오른쪽 도형에서 삼각형 ㅂㄱㄴ, 삼각형 ㄱㄴㄷ, 삼각형 ㄴㄷㄹ, 삼각형 ㄷㄹㅁ, 삼각형 ㄹㅁㅂ, 삼각형 ㅁㅂㄱ은 모양과 크기가 같은 이등변삼각형입니다. 각 ㅂㄴㄹ의 크기를 구해 보시오.

( )

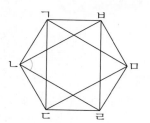

6 사각형 ㅁㅂㄷㄱ은 정사각형, 삼각형 ㄱㄴㄷ은 이등변삼각형, 삼각형 ㄱㄷㄹ은 정삼각형입니다. 각 ㄱㅅㄷ의 크기를 구해 보시오.

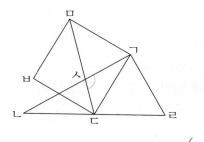

( )

대표유형 ①

● 수직선에서 나타내는 수 구하기

수직선에서 ㉠이 나타내는 수를 구해 보시오.

4.72　　　　　　　　　　　　　　㉠　　　　　4.73

(　　　　　　　　)

대표유형 ②

● □ 안에 들어갈 수 있는 수 구하기

0부터 9까지의 수 중에서 □ 안에 들어갈 수 있는 수를 모두 구해 보시오.

$$4.23 - 1.694 < 2.\square 15$$

(　　　　　　　　)

대표유형 ③

● 어떤 수 구하기

어떤 수를 100배 한 수는 10이 3개, 1이 5개, 0.1이 17개, 0.01이 20개인 수와 같습니다. 어떤 수를 구해 보시오.

(　　　　　　　　)

대표유형 ④

● 덧셈식 또는 뺄셈식 완성하기

□ 안에 알맞은 수를 써넣으시오.

$$\begin{array}{r} \square . 6 \ \square \ 3 \\ + \ 4 . \square \ 9 \\ \hline 7 . 2 \ 0 \ \square \end{array}$$

★ 빠른 정답 6쪽, 정답과 풀이 46쪽

대표유형 5

• 바르게 계산한 값 구하기

어떤 수에 3.85를 더해야 할 것을 잘못하여 뺐더니 6.57이 되었습니다. 바르게 계산한 값을 구해 보시오.

(   )

대표유형 6

• 두 지점 사이의 거리 구하기

㉠에서 ㉣까지의 거리가 6.32 km일 때 ㉡에서 ㉢까지의 거리는 몇 km인지 구해 보시오.

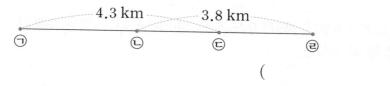

(   )

대표유형 7

• 카드로 만든 소수의 합 또는 차 구하기

4장의 카드를 한 번씩 모두 사용하여 소수 두 자리 수를 만들려고 합니다. 만들 수 있는 가장 큰 수와 가장 작은 수의 합을 구해 보시오.

| 6 | 3 | 9 | . |

(   )

신유형 8

• 규칙에 알맞은 수 구하기

규칙 에 맞게 ■에 알맞은 수를 구해 보시오.

> 규칙
>
> ▨ 안의 수는 이웃한 두 ⬭ 안의 수의 합이 되어야 합니다.

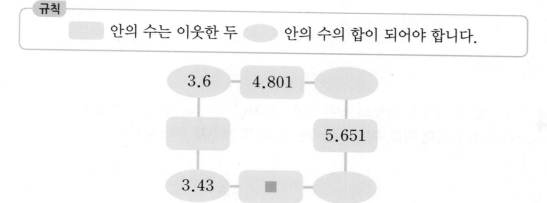

(   )

1 ㉠이 나타내는 수는 ㉡이 나타내는 수의 몇 배인지 구해 보시오.

$$76.125$$
㉠ ㉡

( )

2 ☐ 안에는 0부터 9까지 어느 수를 넣어도 됩니다. 작은 수부터 차례대로 기호를 써 보시오.

㉠ 2☐.175   ㉡ 29.5☐3   ㉢ 29.18☐

( )

3 떨어뜨린 높이의 $\dfrac{1}{10}$만큼씩 튀어 오르는 공이 있습니다. 이 공을 37 m 높이에서 떨어뜨렸다면 두 번째로 튀어 오른 공의 높이는 몇 m인지 구해 보시오.

( )

4 5.72보다 크고 5.74보다 작은 소수 세 자리 수 중에서 소수 셋째 자리 수가 소수 둘째 자리 수보다 큰 수는 모두 몇 개인지 구해 보시오.

( )

5 조건을 모두 만족하는 소수를 구해 보시오.

> • 소수 세 자리 수이며 소수의 각 자리 수는 서로 다릅니다.
> • 7보다 크고 8보다 작은 소수입니다.
> • 소수 셋째 자리 수는 일의 자리 수보다 5 작습니다.
> • 4를 소수 첫째 자리 수로 나누면 나누어떨어집니다.
> • 이 소수를 10배 하면 소수 첫째 자리 수는 1이 됩니다.

(　　　　　　　　)

6 ☐ 안에 들어갈 수 있는 수 중에서 가장 작은 소수 두 자리 수를 구해 보시오.

$$4.79 + \square > 8.41 - 1.25$$

(　　　　　　　　)

7 산 입구에서 산 정상까지 올라가려고 합니다. 약수터와 쉼터 중에서 어느 곳을 지나가는 것이 몇 km 더 먼지 구해 보시오.

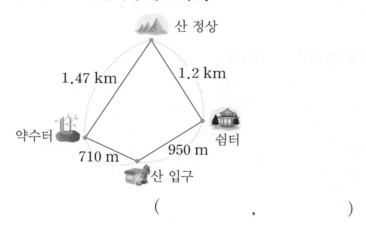

(　　　 , 　　　)

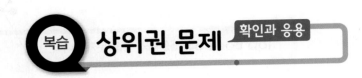
8 길이가 8.71 cm인 색 테이프 4장을 같은 길이씩 겹쳐지도록 한 줄로 길게 이어 붙였더니 전체의 길이가 28.54 cm가 되었습니다. 색 테이프를 몇 cm씩 겹쳐서 이어 붙였는지 구해 보시오.

(   )

비법 Note

9 5장의 수 카드 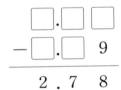 을 한 번씩 모두 사용하여 뺄셈식을 완성해 보시오.

$$
\begin{array}{r}
\square\,.\,\square\,\square \\
-\ \square\,.\,\square\ 9 \\
\hline
2\,.\,7\quad 8
\end{array}
$$

10 규칙에 따라 수를 뛰어서 셀 때 ㉠에 알맞은 수를 구해 보시오.

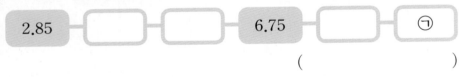

(   )

★ 빠른 정답 6쪽, 정답과 풀이 46쪽

창의융합형 문제

11 현대 사회에서 몸 만들기 열풍과 건강 관리 등의 여러 이유로 체중 감량을 하는 사람들이 많아졌습니다. 체중 감량을 위해 음식 섭취량을 줄여도 근육 형성을 위해 단백질을 잘 챙겨 먹어야 합니다. 운동을 한 후 단백질을 섭취하기 위해서 경민이는 소고기와 두부를 100 g씩, 재호는 닭가슴살과 계란을 100 g씩 먹었습니다. 경민이와 재호 중 누가 섭취한 단백질이 몇 g 더 많은지 구해 보시오.

음식(100 g)	소고기	닭가슴살	두부	계란
단백질의 양(g)	20.7	23.42	8.5	7.1

(,   )

창의융합 PLUS ➕

○ 단백질

우리 몸을 만드는 성분으로 근육, 내장, 뼈와 피부 등이 주로 단백질로 이루어져 있습니다. 단백질을 적당히 먹으면 근육을 잘 만들 수 있지만 지나치게 많이 먹으면 골다공증이 쉽게 생길 수 있습니다.

12 일본, 필리핀, 인도 여행을 마치고 돌아온 태화네 가족이 각 나라에서 사용하고 남은 돈을 세어 보니 일본 돈이 5엔, 필리핀 돈이 10페소, 인도 돈이 100루피였습니다. 태화가 은행에 갔을 때 세 나라의 돈이 우리나라 돈으로 각각 다음과 같다면 여행에서 사용하고 남은 돈은 우리나라 돈으로 모두 얼마인지 구해 보시오.

1엔=11.01원	1페소=23.69원	1루피=17.54원

(   )

○ 화폐 단위

세계에는 다양한 화폐가 통용되고 있고, 그 화폐의 기본 단위는 나라마다 다릅니다. 가장 대표적인 화폐 단위는 미국의 '달러'이고 우리나라의 화폐 단위는 '원'입니다. 유럽의 많은 국가에서는 '유로'를 사용하고 있습니다.

1. 소수 세 자리 수를 크기가 큰 수부터 차례대로 쓴 것입니다. 0부터 9까지의 수 중에서 □ 안에 알맞은 수를 써넣으시오.

$$51.60\boxed{} \qquad 51.6\boxed{}8 \qquad 5\boxed{}.714$$

2. '가⊙나=가+가−나'라고 약속할 때 다음을 계산해 보시오. (단, 앞에서부터 두 수씩 차례대로 계산합니다.)

$$2.84 \odot 1.29 \odot 6.035$$

(   )

3. 똑같은 무게의 주스 10병이 들어 있는 상자의 무게를 재었더니 6.2 kg이었습니다. 이 상자에서 주스 1병을 빼낸 후 다시 무게를 재었더니 5.62 kg이었습니다. 빈 상자의 무게는 몇 kg인지 구해 보시오.

(   )

★ 빠른 정답 6쪽, 정답과 풀이 47쪽

4 인라인스케이트를 타고 일정한 빠르기로 윤아는 15분에 1.24 km를 가고 인규는 12분에 0.85 km를 갑니다. 두 사람이 같은 곳에서 서로 반대 방향으로 동시에 출발하면 한 시간 후에 두 사람 사이의 거리는 몇 km인지 구해 보시오.

( )

5 규칙에 따라 수를 늘어놓았습니다. 첫 번째 수부터 아홉 번째 수까지의 합을 구해 보시오.

> 1.99, 2.88, 3.77, 4.66……

( )

6 빨간색, 노란색, 파란색 끈의 길이를 재었더니 빨간색 끈과 노란색 끈의 길이의 합은 50.9 cm, 노란색 끈과 파란색 끈의 길이의 합은 55.5 cm, 파란색 끈과 빨간색 끈의 길이의 합은 58.4 cm였습니다. 가장 긴 끈과 가장 짧은 끈의 길이의 차는 몇 cm인지 구해 보시오.

( )

대표유형 **1**

• 수직을 이용하여 각도 구하기

오른쪽 그림에서 직선 가와 직선 나는 서로 수직입니다. ㉠과 ㉡의 각도의 합을 구해 보시오.

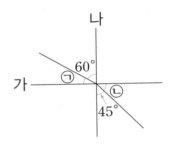

(   )

대표유형 **2**

• 평행선 사이의 거리 구하기

오른쪽 그림에서 직선 가, 직선 나, 직선 다는 서로 평행합니다. 직선 가와 직선 다 사이의 거리는 몇 cm인지 구해 보시오.

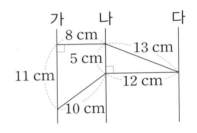

(   )

대표유형 **3**

• 찾을 수 있는 크고 작은 사각형의 수 구하기

오른쪽 도형에서 찾을 수 있는 크고 작은 평행사변형은 모두 몇 개인지 구해 보시오.

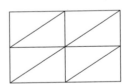

(   )

대표유형 **4**

• 평행선과 한 직선이 만날 때 생기는 각도 구하기

오른쪽 그림에서 직선 가와 직선 나는 서로 평행합니다. ㉠의 각도를 구해 보시오.

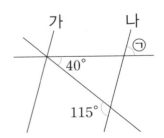

(   )

★빠른 정답 7쪽, 정답과 풀이 48쪽

• 도형을 둘러싼 굵은 선의 길이 구하기

대표유형 5 오른쪽 도형은 평행사변형 ㄱㄴㄷㄹ과 삼각형 ㄹㄷㅁ을 겹치지 않게 이어 붙인 것입니다. 변 ㄱㄴ과 변 ㅁㄷ의 길이가 같을 때, 굵은 선의 길이는 몇 cm인지 구해 보시오.

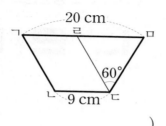

( )

• 이어 붙인 도형에서 각의 크기 구하기

대표유형 6 오른쪽 도형은 직사각형 ㄱㄴㄷㄹ과 평행사변형 ㄹㄷㅁㅂ을 겹치지 않게 이어 붙인 후 선분 ㄱㅁ을 그은 것입니다. 각 ㅅㅁㄷ의 크기를 구해 보시오.

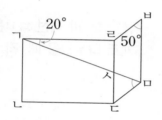

( )

• 종이를 접었을 때 생기는 각의 크기 구하기

대표유형 7 오른쪽 그림과 같이 마름모 모양의 종이를 접었습니다. 각 ㄴㅁㅂ의 크기를 구해 보시오.

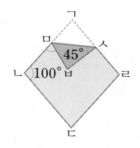

( )

• 평행선의 수 구하기

신유형 8 지은이는 미술 시간에 스트링아트 작품을 만들었습니다. 오른쪽과 같이 원 위에 일정한 간격으로 누름 못을 12개 꽂은 다음 1부터 시작하여 각 수에서 5번째에 있는 누름 못끼리 실로 연결했습니다. 연결한 모양에서 평행선은 모두 몇 쌍인지 구해 보시오.

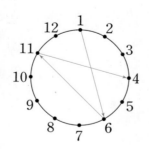

( )

1 수선도 있고 평행선도 있는 자음은 모두 몇 개인지 구해 보시오.

ㄴ ㄹ ㅂ ㅅ ㅊ ㅋ ㅎ

(   )

2 직선 ㄱㄴ과 직선 ㄷㄹ은 서로 수직입니다. 각 ㄱㄹㄷ을 크기가 같은 각 5개로 나누었을 때, 각 ㅇㄹㄴ의 크기를 구해 보시오.

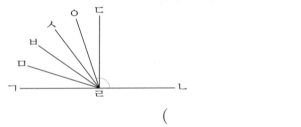

(   )

3 직선 가, 직선 나, 직선 다, 직선 라는 서로 평행합니다. 직선 나와 직선 다 사이의 거리는 몇 cm인지 구해 보시오.

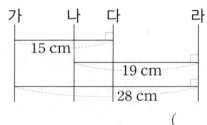

(   )

4 오른쪽 도형은 모양과 크기가 같고 네 변의 길이의 합이 48 cm인 평행사변형 2개를 겹치지 않게 이어 붙여서 만든 마름모입니다. 굵은 선의 길이는 몇 cm인지 구해 보시오.

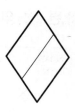

(   )

비법 Note

5 오른쪽 평행사변형 ㄱㄴㄷㄹ에서 각 ㄱㄹㅁ과 각 ㄷㄹㅁ의 크기가 같을 때, 각 ㄹㅁㄴ의 크기를 구해 보시오.

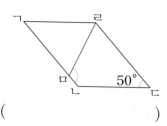

(   )

6 오른쪽은 사다리꼴 ㄱㄴㄷㄹ의 한 변 ㄱㄴ을 한쪽으로 늘인 것입니다. 각 ㄱㄹㄷ의 크기가 각 ㄱㄴㄷ의 크기의 4배일 때, 각 ㄴㄷㄹ의 크기를 구해 보시오.

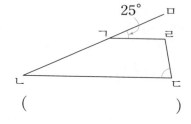

(   )

7 오른쪽 도형에서 찾을 수 있는 크고 작은 정삼각형과 크고 작은 평행사변형의 수의 합은 모두 몇 개인지 구해 보시오.

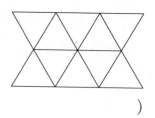

(   )

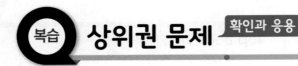

8 사다리꼴 ㄱㄴㄷㄹ에서 변 ㄱㄹ의 길이는 몇 cm인지 구해 보시오.

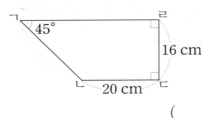

(   )

9 오른쪽 그림에서 직선 가와 직선 나는 서로 평행합니다. ㉠의 각도를 구해 보시오.

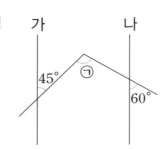

(   )

10 오른쪽은 마름모 ㄱㄴㄷㄹ에 선분을 2개 그은 것입니다. 각 ㅅㅈㅁ의 크기를 구해 보시오.

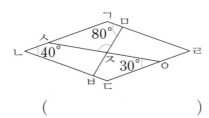

(   )

★ 빠른 정답 7쪽, 정답과 풀이 49쪽

창의융합형 문제

11 부채는 손으로 흔들어 바람을 일으키는 물건입니다. 부채는 원래 더위를 쫓는 목적으로 사용하다가 점차 의례용, 장식용으로도 사용하게 되었습니다. 다음은 정훈이가 만든 부채입니다. 부채에 곧은 선 4개를 그은 다음 7가지 색깔로 예쁘게 색칠하였습니다. ㉠과 ㉡의 각도의 합을 구해 보시오.

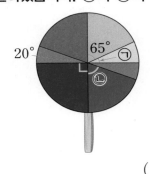

(   )

12 식탁보는 식탁에 까는 널따란 보자기를 말합니다. 접시나 수저가 직접 식탁에 닿아 흠집이 생기거나 용기들이 식탁에 부딪혀 소리가 나는 것을 방지하기 위해 사용하거나 식탁이 놓인 실내 공간을 보기 좋게 꾸미기 위해 사용하기도 합니다. 다음은 식탁보 무늬의 일부분입니다. 사각형 ㄱㄴㄷㄹ과 사각형 ㄹㅁㅂㅅ은 정사각형입니다. 직사각형 ㅁㄷㅇㅂ의 네 변의 길이의 합은 몇 cm인지 구해 보시오.

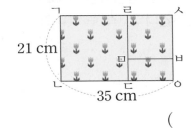

21 cm

35 cm

(   )

1 오른쪽 직사각형 ㄱㄴㄷㄹ의 네 변의 길이의 합은 몇 cm인지 구해 보시오.

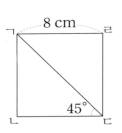

(   )

2 오른쪽 그림에서 사각형 ㄱㅁㅂㄹ은 마름모, 사각형 ㅅㅇㄷㅂ은 평행사변형입니다. 마름모 ㄱㅁㅂㄹ의 네 변의 길이의 합이 80 cm일 때 평행사변형 ㅁㄴㅇㅅ의 네 변의 길이의 합은 몇 cm인지 구해 보시오.

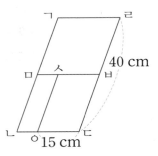

(   )

3 오른쪽 그림에서 사각형 ㄱㄴㄷㄹ은 평행사변형이고, 삼각형 ㄹㅁㄷ은 이등변삼각형입니다. 각 ㄹㄷㅁ의 크기를 구해 보시오.

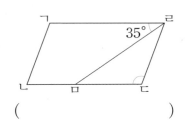

(   )

★빠른 정답 7쪽, 정답과 풀이 50쪽

Top Book 78~79쪽의 복습 문제입니다.

4 오른쪽 그림에서 직선 가와 직선 나는 서로 수직이고, 직선 다와 직선 라는 서로 평행합니다. ㉠의 각도를 구해 보시오.

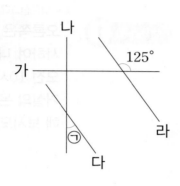

(   )

5 오른쪽 그림에서 사각형 ㄱㄴㄷㄹ은 마름모이고, 삼각형 ㄹㅁㅅ은 변 ㄹㅁ과 변 ㄹㅅ의 길이가 같은 이등변삼각형입니다. 각 ㅂㅁㅅ의 크기가 각 ㄱㅁㅂ의 크기의 4배일 때, 각 ㄱㅂㅁ의 크기를 구해 보시오.

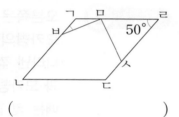

(   )

6 직선 가와 직선 나는 서로 평행합니다. 사각형 ㄱㄴㄷㄹ이 정사각형일 때, ㉠의 각도를 구해 보시오.

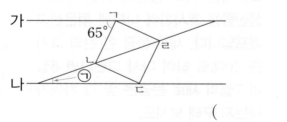

(   )

대표유형 1

• 꺾은선그래프에서 측정하지 않은 값 예상하기

오른쪽은 건우가 거실의 온도를 조사하여 나타낸 꺾은선그래프입니다. 오전 10시 30분과 오후 1시 30분의 거실의 온도의 차는 몇 °C일지 예상해 보시오.

(   )

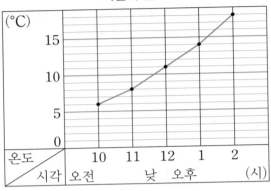

거실의 온도

대표유형 2

• 두 가지 자료를 나타낸 꺾은선그래프의 자료의 값 비교하기

오른쪽은 어느 제과점의 크림빵과 모카빵의 월별 판매량을 조사하여 나타낸 꺾은선그래프입니다. 크림빵과 모카빵의 판매량의 차가 가장 큰 때는 몇 월이고, 이때의 판매량의 차는 몇 개인지 구해 보시오.

(,   )

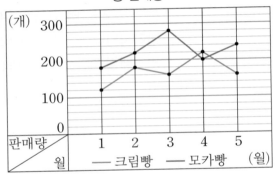

빵 판매량

대표유형 3

• 세로 눈금 한 칸의 크기를 바꾸어 나타내기

오른쪽은 어느 공장의 월별 자동차 생산량을 조사하여 나타낸 꺾은선그래프입니다. 세로 눈금 한 칸의 크기를 20대로 하여 다시 그린다면 6월과 7월의 세로 눈금은 몇 칸 차이가 나는지 구해 보시오.

(   )

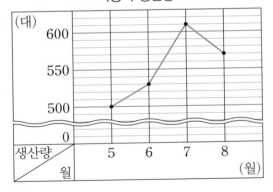

자동차 생산량

• 변화량이 일정할 때 자료의 값 예상하기

대표유형 4

오른쪽은 저울에 똑같은 바둑돌을 놓아 무게를 재어 나타낸 꺾은선그래프입니다. 바둑돌을 40개 놓으면 무게는 몇 g 인지 구해 보시오.

(　　　　　　　)

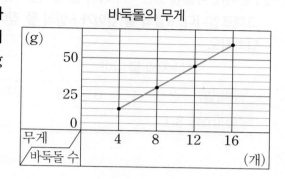

바둑돌의 무게

• 꺾은선그래프에서 모르는 자료의 값 구하기

대표유형 5

규민이네 학교의 연도별 졸업생 수를 조사하여 나타낸 꺾은선그래프입니다. 2014년부터 2017년까지의 졸업생 수의 합은 854명이고, 2017년의 졸업생 수가 2014년의 졸업생 수보다 14명 더 많습니다. 2017년의 졸업생 수는 몇 명인지 구해 보시오.

(　　　　　　　)

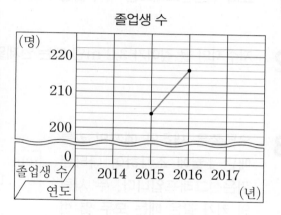

졸업생 수

• 눈금의 크기가 주어지지 않은 꺾은선그래프에서 세로 눈금 한 칸의 크기 구하기

신유형 6

정우와 유라가 과학 시간에 1시간마다 비커에 담은 물의 온도를 조사하여 두 꺾은선그래프로 나타내었습니다. 유라가 나타낸 꺾은선그래프의 세로 눈금 한 칸의 크기는 몇 °C인지 구해 보시오.

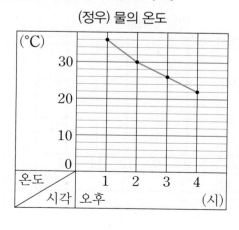

(정우) 물의 온도

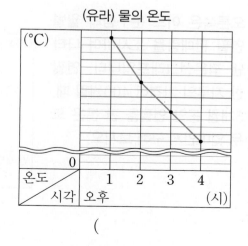

(유라) 물의 온도

(　　　　　　　)

비법 Note

[1~2] 윤아네 마을에 있는 저수지의 물 깊이를 2일마다 조사하여 나타낸 표와 꺾은선 그래프입니다. 6일의 물 깊이가 8일의 물 깊이보다 0.3 m 더 낮습니다. 물음에 답하시오.

저수지의 물 깊이

날짜(일)	2	4	6	8
깊이(m)	3.1			

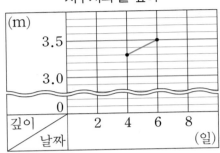

저수지의 물 깊이

1 표와 꺾은선그래프를 각각 완성해 보시오.

2 저수지의 물 깊이가 3.2 m인 때는 언제일지 예상해 보시오.

(   )

3 오른쪽은 재호와 예지의 키를 매년 1월에 조사하여 나타낸 꺾은선그래프입니다. 두 사람의 키가 같은 때는 모두 몇 번인지 구해 보시오.

(   )

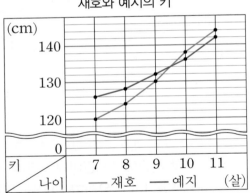

재호와 예지의 키

4 오른쪽은 어느 문구점의 월별 연필 판매량을 조사하여 나타낸 꺾은선그래프입니다. 연필 한 자루의 가격이 400원일 때, 5개월 동안 연필을 판 돈은 모두 얼마인지 구해 보시오.

(   )

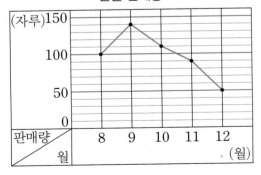

연필 판매량

★ 빠른 정답 7쪽, 정답과 풀이 52쪽

Top Book 92~93쪽의 복습 문제입니다.

5 오른쪽은 나무의 키를 매년 1월에 조사하여 나타낸 꺾은선그래프입니다. 2015년 7월의 나무의 키와 2016년 7월의 나무의 키의 차는 몇 cm일지 예상해 보시오.

(   )

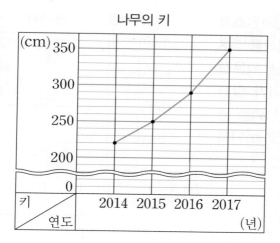

나무의 키

비법 Note

6 오른쪽은 어느 양계장의 월별 달걀 생산량을 조사하여 나타낸 꺾은선그래프입니다. 4개월 동안의 달걀 생산량의 합이 1320판일 때, ㉠과 ㉡에 각각 알맞은 수를 차례대로 써 보시오.

(,   )

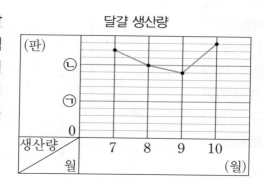

달걀 생산량

7 오른쪽은 유리와 승기의 줄넘기 횟수를 조사하여 나타낸 꺾은선그래프입니다. 유리의 줄넘기 횟수가 승기보다 60회 더 적은 때의 두 사람의 줄넘기 횟수의 합은 몇 회인지 구해 보시오.

(   )

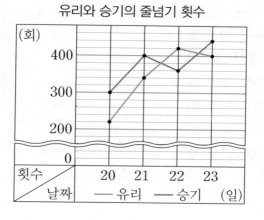

유리와 승기의 줄넘기 횟수

8 오른쪽은 보람이가 인라인스케이트를 타고 달린 거리를 5분마다 조사하여 나타낸 꺾은선그래프입니다. 보람이가 일정한 규칙으로 달렸다면 30분 동안 달려가는 거리는 몇 m인지 구해 보시오.

( )

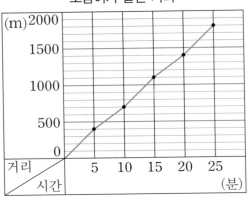

보람이가 달린 거리

9 오른쪽은 어느 이동통신 회사의 월별 신규 가입자 수를 조사하여 나타낸 꺾은선그래프입니다. 신규 가입자 수가 가장 적게 변한 때의 변화량만큼 11월과 12월 사이에 신규 가입자가 늘었다면 12월의 신규 가입자 수는 몇 명인지 구해 보시오.

( )

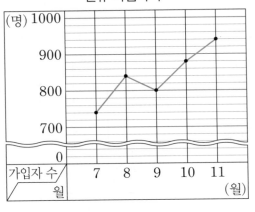

신규 가입자 수

10 오른쪽은 아라가 읽은 연도별 책의 수를 조사하여 나타낸 꺾은선그래프입니다. 세로 눈금 한 칸의 크기를 다르게 하여 다시 그렸더니 읽은 책의 수가 가장 많은 때와 가장 적은 때의 세로 눈금 칸 수의 차가 4칸이었습니다. 다시 그린 그래프는 세로 눈금 한 칸의 크기를 몇 권으로 한 것인지 구해 보시오.

( )

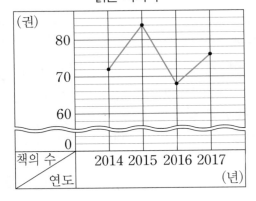

읽은 책의 수

★ 빠른 정답 7쪽, 정답과 풀이 52쪽

창의융합형 문제

11 연도별 우리나라에 온 외국인 관광객 수와 우리나라에서 해외로 간 해외여 행객 수를 조사하여 나타낸 꺾은선그래프입니다. 외국인 관광객 수가 전년 도에 비해 가장 많이 늘어난 때에 해외여행객 수는 전년도에 비해 몇 명 늘 었는지, 줄었는지 구해 보시오.

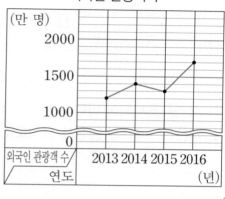

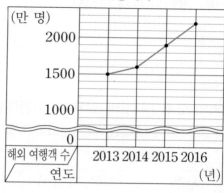

(   )

창의융합 PLUS ✛

○ 외국인 관광객 수가 많으면 좋은 점

국내에 외국인 관광객이 많이 온다면 관광과 물건 판매로 벌어들일 수 있는 돈이 많아 져서 국가 재정에 도움이 됩 니다. 그래서 각 나라에서는 외국인 관광객을 끌어 모으기 위하여 여러 관광 상품을 개 발하고 홍보하고 있습니다.

12 지유는 인터넷에서 구입한 물건을 택배로 받으려고 합니다. 다음은 물건 의 무게에 따른 택배비를 조사하여 나타낸 꺾은선그래프입니다. 택배비가 4000원일 때 지유가 산 물건의 무게는 몇 g인지 구해 보시오. (단, 물건 은 1 kg 단위로 판매합니다.)

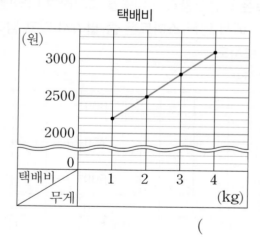

(   )

○ 택배

사람이나 업체가 우편물이나 짐, 상품 등을 요구하는 장소까 지 직접 배달해 주는 일입니다.

1 오른쪽은 어느 마트에서 팔린 과자 ㉮, ㉯, ㉰의 판매량을 일주일마다 조사하여 나타낸 꺾은선그래프입니다. 판매량이 가장 많은 때와 가장 적은 때의 판매량의 차가 가장 작은 과자는 어느 것인지 구해 보시오.

( )

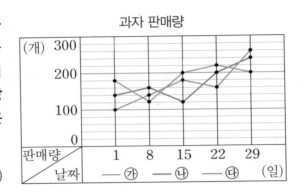

과자 판매량

2 어느 지역의 오후 1시부터 6시까지 시간대별 강우량을 조사하여 나타낸 표와 누적 강우량을 조사하여 나타낸 꺾은선그래프입니다. 꺾은선그래프를 완성해 보시오.

시간대별 강우량

시간	강우량(mm)
1시~2시	10
2시~3시	30
3시~4시	
4시~5시	40
5시~6시	30

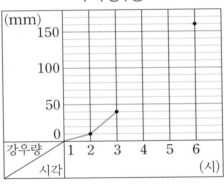

누적 강우량

3 어느 회사의 월별 스마트폰의 생산량과 판매량을 조사하여 나타낸 꺾은선그래프입니다. 4개월 동안 이 회사에서 만든 스마트폰 중 팔리지 않고 남아 있는 스마트폰은 모두 몇 대인지 구해 보시오.

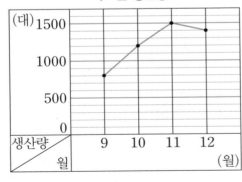

스마트폰 생산량

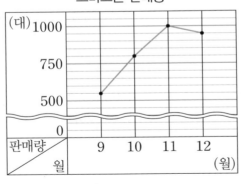

스마트폰 판매량

( )

★ 빠른 정답 7쪽, 정답과 풀이 53쪽

Top Book 96~97쪽의 복습 문제입니다.

4 오른쪽은 준기가 요일별 공부한 시간을 조사하여 나타낸 꺾은선그래프입니다. 5일 동안 공부한 시간의 합은 310분이고, 수요일에 공부한 시간이 금요일에 공부한 시간보다 8분 더 적습니다. 또 금요일에 공부한 시간이 목요일에 공부한 시간보다 4분 더 적을 때 꺾은선그래프를 완성해 보시오.

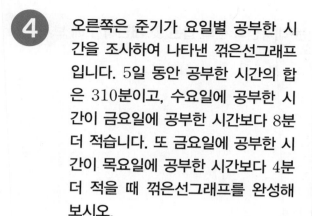

공부한 시간

5 어느 놀이동산의 월별 입장객 수와 매출액을 조사하여 나타낸 꺾은선그래프입니다. 전월에 비해 입장객 수는 줄었지만 매출액은 늘어난 때의 매출액은 전월에 비해 얼마가 늘었는지 구해 보시오.

입장객 수

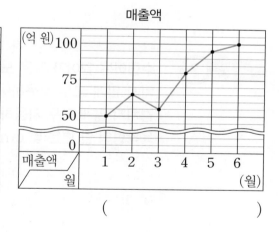

매출액

(   )

6 오른쪽은 현우와 윤지가 일정한 빠르기로 걸어간 거리를 3분마다 조사하여 나타낸 꺾은선그래프입니다. 현우와 윤지가 동시에 출발하여 각각 일정한 빠르기로 36분 동안 걸어간다면 현우와 윤지가 걸어간 거리의 차는 몇 m인지 구해 보시오.

(   )

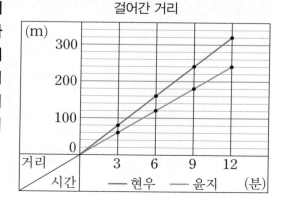

걸어간 거리

5. 꺾은선그래프 **41**

대표유형 **1**

• 다각형에서 대각선의 수 구하기

두 도형에 각각 그을 수 있는 대각선의 수의 합은 몇 개인지 구해 보시오.

> 오각형   십각형

(   )

대표유형 **2**

• 대각선의 성질을 이용하여 변의 길이의 합 구하기

오른쪽 마름모 ㄱㄴㄷㄹ에서 두 대각선의 길이가 각각 12 cm, 16 cm일 때, 삼각형 ㄷㄹㅁ의 세 변의 길이의 합은 몇 cm인지 구해 보시오.

(   )

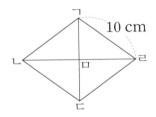

대표유형 **3**

• 정다각형에서 변의 길이 구하기

수현이는 길이가 같은 노란색 끈과 파란색 끈을 가지고 있습니다. 노란색 끈을 겹치지 않게 모두 사용하여 한 변이 5 cm인 정구각형을 2개 만들고, 파란색 끈을 겹치지 않게 모두 사용하여 정육각형을 1개 만들었습니다. 파란색 끈으로 만든 정육각형의 한 변은 몇 cm인지 구해 보시오.

(   )

대표유형 **4**

• 정다각형에서 각의 크기 구하기

오른쪽 정구각형에서 각 ㄴㄷㄱ의 크기를 구해 보시오.

(   )

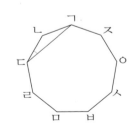

★ 빠른 정답 7쪽, 정답과 풀이 54쪽

Top Book 102~107쪽의 복습 문제입니다.

• 모양 조각으로 채운 모양의 크기 구하기

대표유형 5 모양 조각을 사용하여 오른쪽 모양을 채우려고 합니다. 가 모양 조각의 크기가 6이고, 라 모양 조각의 크기가 약 2이면 오른쪽 모양의 크기는 약 얼마인지 구해 보시오. (단, 같은 모양 조각을 여러 번 사용할 수 있습니다.)

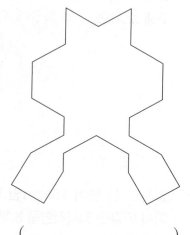

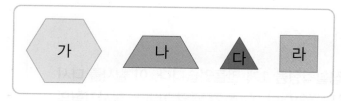

(   )

• 다각형의 변과 대각선의 수 구하기

신유형 6 어느 공원에 쉼터 8곳이 그림과 같이 있습니다. 서로 이웃한 쉼터끼리는 꽃길을 만들어 연결하고, 서로 이웃하지 않은 쉼터끼리는 대나무 숲길을 만들어 연결한다면 대나무 숲길은 꽃길보다 몇 곳 더 많은지 구해 보시오.

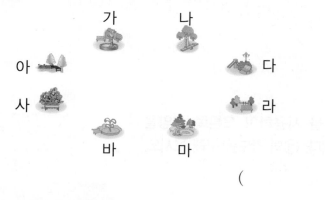

(   )

1 오른쪽 정사각형 ㄱㄴㄷㄹ에서 각 ㄱㄹㅁ의 크기를 구해 보시오.

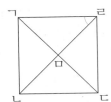

( )

2 철사로 한 변이 15 cm인 정칠각형을 1개 만들었습니다. 이 철사를 다시 펴서 똑같은 정사각형을 8개 만들었더니 9 cm가 남았습니다. 정사각형의 한 변은 몇 cm인지 구해 보시오. (단, 철사를 겹치지 않게 사용합니다.)

( )

3 오른쪽 그림은 정육각형에 평행선을 그은 것입니다. 평행선이 정육각형의 꼭짓점을 지날 때 ㉠의 각도를 구해 보시오.

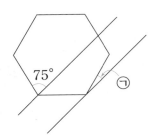

( )

4 모양 조각을 사용하여 오른쪽 모양을 만들었습니다. ㉠의 각도를 구해 보시오.

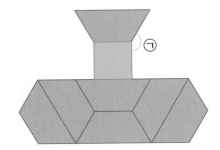

( )

★ 빠른 정답 7쪽, 정답과 풀이 54쪽

Top Book 108~109쪽의 복습 문제입니다.

5 모양 조각을 사용하여 한 변이 3 cm인 마름모를 만들려고 합니다. 모양 조각을 가장 많이 사용하는 방법과 가장 적게 사용하는 방법으로 마름모를 각각 만들어 보시오. (단, 같은 모양 조각을 여러 번 사용할 수 있습니다.)

비법 Note

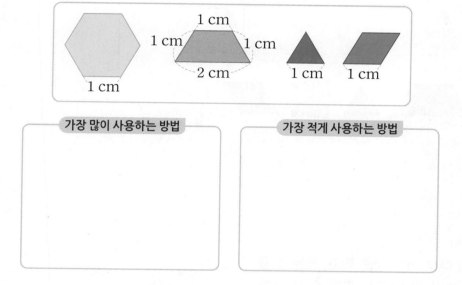

가장 많이 사용하는 방법	가장 적게 사용하는 방법

6 오른쪽 정팔각형에서 각 ㅇㅈㄹ의 크기를 구해 보시오.

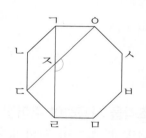

(   )

7 오른쪽 도형에서 ㉠의 각도를 구해 보시오.

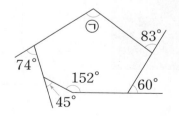

(   )

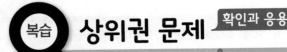
비법 Note

8 모양 조각을 사용하여 오른쪽 모양을 채우려고 합니다. 모양 조각을 가장 많이 사용할 때와 가장 적게 사용할 때의 모양 조각의 수의 차는 몇 개인지 구해 보시오. (단, 같은 모양 조각을 여러 번 사용할 수 있습니다.)

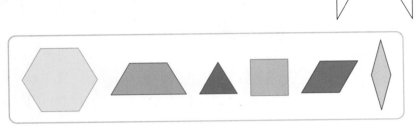

(   )

9 오른쪽 그림은 원 위에 다섯 개의 점을 찍고, 찍은 점을 연결하여 정오각형을 그린 것입니다. 원의 중심 ㅇ과 정오각형의 꼭짓점을 선분으로 연결하였을 때, ㉠+㉡ 은 몇 도인지 구해 보시오.

(   )

10 왼쪽 칠교판의 모양 조각을 사용하여 주어진 모양을 채우려고 합니다. 주어진 모양의 크기가 54일 때 칠교판 전체의 크기는 얼마인지 구해 보시오.

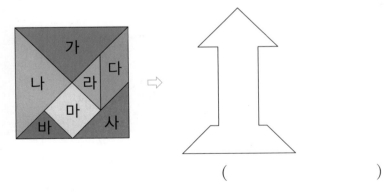

(   )

★ 빠른 정답 7쪽, 정답과 풀이 54쪽

창의융합형 문제

11 유영이네 마을에서는 도로를 새롭게 단장하기 위해 오래된 보도블록을 교체하려고 합니다. 마을 주민들의 의견을 모아 한 가지 모양의 블록을 사용하여 서로 겹치거나 틈이 생기지 않게 늘어놓아 도로를 덮는다고 할 때, 다음 중 도로를 덮을 수 있는 블록의 모양을 모두 찾아 기호를 써 보시오.

> ㉠ 정삼각형   ㉡ 정구각형   ㉢ 정사각형   ㉣ 정십각형

(   )

창의융합 PLUS +

○ 보도블록

보행자가 다니는 도로에 깔도록 만들어진 덩어리로 주로 시멘트, 벽돌 등으로 되어 있습니다.

12 민서는 거북 박물관에 가서 여러 종류의 거북을 보았습니다. 그중 등딱지가 정육각형과 정사각형 모양으로 된 거북이 인상적이었습니다. 오른쪽 그림과 같이 거북의 둥근 등딱지에 있는 정사각형 1개와 정육각형 2개를 평평한 면에 펼치면 ㉠의 각도만큼 틈이 생깁니다. ㉠의 각도를 구해 보시오.

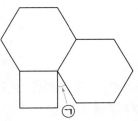

(   )

○ 거북

거북은 파충류 중 가장 오래전부터 존재해 온 동물로서 특수한 피부와 등딱지 및 배딱지를 갖고 있습니다.

최상위권 문제

1 오른쪽 도형에서 ㉠, ㉡, ㉢, ㉣, ㉤의 각도의 합을 구해 보시오.

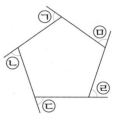

(   )

2 두 정다각형에 대한 설명입니다. 두 정다각형의 이름을 각각 구해 보시오.

> • 두 정다각형의 한 변의 길이는 서로 같습니다.
> • 두 정다각형의 변의 수의 차는 3개입니다.
> • 두 정다각형의 모든 변의 길이의 합은 각각 60 cm, 96 cm입니다.

(,   )

3 재호와 수빈이의 대화를 보고 두 사람이 만든 정다각형의 한 변의 길이의 합은 몇 cm인지 구해 보시오.

> • 재호: 나는 철사 45 cm를 겹치지 않게 모두 사용하여 모든 각의 크기의 합이 540°인 정다각형을 만들었어.
> • 수빈: 나는 철사 80 cm를 겹치지 않게 모두 사용하여 전체 대각선의 수가 35개인 정다각형을 만들었어.

(   )

★ 빠른 정답 7쪽, 정답과 풀이 56쪽

Top Book 112~113쪽의 복습 문제입니다.

4 오른쪽 그림은 반지름이 14 cm인 원에 정육각형을 그린 것입니다. 정육각형에서 대각선 ㄴㄷ의 길이는 약 24 cm입니다. 이 정육각형에 그을 수 있는 모든 대각선의 길이의 합은 약 몇 cm 인지 구해 보시오.

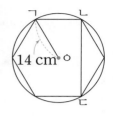

(   )

5 오른쪽 도형은 정십각형에 대각선을 2개 그은 것입니다. 두 대각선이 이루는 ㉡의 각도는 ㉠의 각도의 몇 배인지 구해 보시오.

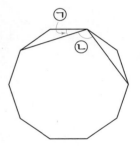

(   )

6 네 변의 길이의 합이 36 cm인 마름모를 다음과 같은 규칙으로 겹치지 않게 이어 붙였습니다. 마름모를 30개 이어 붙인 도형의 둘레는 몇 cm인지 구해 보시오.

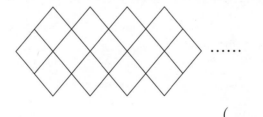

（   ）

Memo

十 개념·플러스·유형·시리즈 개념과 유형이 하나로! 가장 효과적인 수학 공부 방법을 제시합니다.

대표전화 1544-0554
주소 서울특별시 구로구 디지털로33길 48 대륭포스트타워 7차 20층
협의 없는 무단 복제는 법으로 금지되어 있습니다.